GLI ADELPHI

295

Oliver Sacks è professore di Neurologia allo Albert Einstein College of Medicine di New York. Di lui Adelphi ha pubblicato: *L'uomo che scambiò sua moglie per un cappello* (1986), *Risvegli* (1987), *Vedere voci* (1990), *Su una gamba sola* (1991), *Emicrania* (1992), *Un antropologo su Marte* (1995) e *L'isola dei senza colore* (1997). Questo libro è apparso negli Stati Uniti nel 2001.

Oliver Sacks

Zio Tungsteno

Ricordi di un'infanzia chimica

TRADUZIONE DI ISABELLA BLUM

ADELPHI EDIZIONI

TITOLO ORIGINALE:

Uncle Tungsten
Memories of a Chemical Boyhood

© 2002 ADELPHI EDIZIONI S.P.A. MILANO
I edizione GLI ADELPHI: ottobre 2006
WWW.ADELPHI.IT

ISBN 88-459-2113-1

INDICE

ZIO TUNGSTENO

Per Roald

I
ZIO TUNGSTENO

Molti dei miei ricordi d'infanzia sono legati ai metalli – come se avessero esercitato su di me un potere immediato. Spiccando sullo sfondo di una realtà eterogenea, si distinguevano per la lucentezza, il bagliore, l'aspetto argenteo, la levigatezza e il peso. A toccarli erano freddi, e quando venivano percossi risuonavano.

Mi piaceva il giallo dell'oro, e quel suo essere così pesante. Mia madre si sfilava dal dito la fede nuziale e me la lasciava tenere in mano per un po' mentre mi parlava della sua inviolabilità, di come non si annerisse mai. «Senti com'è pesante» aggiungeva. «Più pesante del piombo». Che cosa fosse il piombo già lo sapevo, perché avevo maneggiato un pezzo di tubatura, fatta di quel metallo tenero e pesante, che l'idraulico aveva dimenticato a casa nostra. Anche l'oro era tenero, mi spiegava mia madre, e perciò solitamente lo si rendeva più duro combinandolo con un altro metallo.

Lo stesso accadeva col rame: lo si univa allo sta-

gno per ottenere il bronzo. Bronzo! – solo il suo nome era per me come uno squillo di tromba, giacché
il suono stesso della battaglia era un vivace cozzare
di bronzo su bronzo, lance di bronzo su scudi di
bronzo, il grande scudo di Achille. Altrimenti, il rame si poteva legare allo zinco, raccontava mia madre, e in tal caso si otteneva l'ottone. Tutti noi, mia
madre, i miei fratelli e io, avevamo i nostri *menorah*
di ottone – i caratteristici candelabri per la festa della *chanukkah*. (Mio padre ne aveva uno d'argento).

Conoscevo il rame, il lucente colore rosato del
grande calderone in cucina – lo tiravamo giù solo
una volta all'anno, quando in giardino maturavano
le mele selvatiche e le cotogne e mia madre le cuo-
ceva per fare la gelatina.

Conoscevo anche lo zinco: la vaschetta per far fare il bagno agli uccelli, in giardino, opaca e leggermente azzurrina, era fatta di zinco; e lo stagno, per
via della pesante stagnola in cui avvolgevamo i
sandwich destinati ai picnic. Mia madre mi mostrò
che quando lo stagno o lo zinco venivano piegati
emettevano un «grido» particolare. «Dipende dalla
deformazione della struttura cristallina» mi spiegava, dimenticando che avevo solo cinque anni e non
potevo capire le sue parole – ciò nondimeno, esse
mi affascinavano e suscitavano in me il desiderio di
saperne di più.

In giardino c'era un enorme rullo in ghisa per il
prato – pesava più di duecento chili, diceva mio padre. Noi, da bambini, non riuscivamo nemmeno a
spostarlo, ma lui era immensamente forte, ed era
capace di sollevarlo da terra. Era sempre un po' ar-
rugginito, e questo mi disturbava, perché la ruggine
si sfaldava, lasciando dietro di sé piccoli buchi e croste, e io temevo che tutto il rullo potesse corrodersi
e un giorno o l'altro andare in pezzi, ridotto a una
massa rossiccia di polvere e frammenti sfaldati. Dovevo poter pensare ai metalli come a qualcosa di sta-

bile, qualcosa come l'oro – capace di sottrarsi ai danni e agli insulti del tempo.

A volte chiedevo a mia madre di tirar fuori l'anello di fidanzamento e di mostrarmi il diamante che vi era incastonato. Brillava come nessun'altra cosa avessi mai visto, quasi come se emettesse più luce di quanta ne assorbiva. Mia madre mi mostrava con che facilità graffiasse il vetro, e poi mi diceva di posarmelo sulle labbra. Era freddo: stranamente e sorprendentemente freddo; anche i metalli erano freddi al tatto, ma il diamante era proprio gelato. Era così, mi spiegò lei, perché conduceva splendidamente il calore, meglio di qualsiasi metallo, e quindi lo sottraeva alle labbra non appena esse lo sfioravano. Questa fu una sensazione che non dimenticai più. Un'altra volta, mia madre mi mostrò che se si toccava un cubetto di ghiaccio con un diamante, quest'ultimo avrebbe sottratto calore alla mano trasferendolo al ghiaccio, che si sarebbe lasciato tagliare come burro. Aggiunse che il diamante era una forma speciale di carbonio, proprio come il carbone che usavamo per riscaldare le stanze in inverno. Questa rivelazione mi sconcertò: com'era possibile che il carbone – nero, friabile e opaco – e la pietra preziosa dura e trasparente incastonata nel suo anello fossero la stessa sostanza?

Mi piaceva la luce, soprattutto quella delle candele del Sabato che mia madre accendeva il venerdì sera mormorando una preghiera. Quando erano accese, non avevo più il permesso di toccarle: erano sacre, mi dicevano, e sacra era la loro fiamma, certo non una cosa con cui giocherellare. Ero incantato dal piccolo cono di fuoco blu al centro della candela – perché era blu? In casa avevamo delle stufe a carbone e io spesso fissavo il cuore della fiamma, osservandola passare da un tenue bagliore rosso all'arancio e al giallo; poi ci soffiavo sopra con il mantice fino a farla splendere quasi al calor bianco. Mi chiedevo: se fosse diventata abbastanza calda, avrebbe brillato di blu, avrebbe raggiunto il calore blu?

Il Sole e le stelle bruciavano nello stesso modo? Perché non si spegnevano mai? Di che cosa erano fatti? Mi sentii rassicurato quando appresi che il nucleo della Terra era una grossa sfera di ferro: dava l'idea di qualcosa di solido, qualcosa su cui poter fare affidamento. E mi diede una gran soddisfazione sapere che noi stessi eravamo fatti dei medesimi elementi che compongono il Sole e le stelle, e che un tempo alcuni dei miei atomi s'erano forse trovati su una stella lontana. E d'altra parte, quest'idea era anche spaventosa, giacché mi induceva a credere che i miei atomi fossero solo in prestito, e potessero separarsi in qualsiasi momento, disperdendosi come il talco impalpabile che usavamo in bagno.

Continuavo a tormentare i miei genitori tempestandoli di domande. Da dove veniva il colore? Perché mia madre usava l'ansa di platino appesa sulla stufa per accendere il bruciatore del gas? Che succedeva allo zucchero quando lo si mescolava al tè? Dove andava a finire? Perché l'acqua si agitava quando bolliva? (Mi piaceva stare a guardare l'acqua messa sul fornello e vederla fremere di calore prima di rompersi nelle bolle).

Mia madre mi sciorinò altre meraviglie. Aveva una collana di pezzi d'ambra gialla lucidati, e mi mostrò come, quando li strofinava, facessero volare dei pezzettini di carta attirandoli a sé. Oppure mi metteva l'ambra carica di elettricità vicino all'orecchio, così che potessi udire e sentire un piccolo schiocco, una scintilla.

I miei fratelli Marcus e David, che avevano nove e dieci anni più di me, erano appassionati di magneti e si divertivano a mostrarmeli, spostando il magnete sotto un pezzo di carta sul quale avevano sparso

della limatura di ferro. Non mi stancavo mai di ammirare gli straordinari disegni che si irradiavano
dai poli della calamita. «Queste sono le linee di forza» mi spiegava Marcus – ma io ne sapevo quanto
prima.

E poi c'era la radio a galena regalatami da mio
fratello Michael; ci giocavo a letto, cincischiando
con il filo sul cristallo finché non trovavo una stazione forte e chiara. E gli orologi luminosi – la casa ne
era piena, perché mio zio Abe era stato un pioniere
nello sviluppo delle vernici luminescenti. La sera, a
letto, insieme alla radio, mi portavo sotto le coperte, in quello che era il mio sotterraneo segreto, anche gli orologi luminosi, ed essi rischiaravano la mia
caverna di lenzuola emettendo una luce verde spettrale.

Tutte queste cose – l'ambra strofinata, i magneti,
la radio a galena e i quadranti degli orologi, con il
loro perpetuo splendore – mi diedero la percezione
dell'esistenza di radiazioni e forze invisibili, la percezione che sotto il mondo accessibile e familiare
dei colori e delle apparenze ne esistesse un altro,
buio e nascosto, di leggi e fenomeni misteriosi.

Ogni volta che «saltavano le valvole» mio padre si
arrampicava fino alla scatola di porcellana dei fusibili, montata sulla parete della cucina, identificava
quello saltato, ora ridotto a una massa fusa, e lo sostituiva con uno nuovo, fatto di uno strano filo
deformabile. Era difficile immaginare che un metallo potesse fondere – davvero un fusibile poteva essere fatto dello stesso materiale del rullo del prato o
di una lattina?

Mio padre mi spiegò che le valvole fusibili erano
fatte con una lega speciale, una combinazione di
stagno, piombo e altri metalli, tutti con un basso
punto di fusione; la loro lega, però, aveva un punto
di fusione ancora più basso. Come poteva essere?,
mi chiedevo. Qual era il segreto del punto di fusio-

ne stranamente basso della lega metallica usata nei fusibili? E poi – che cos'era l'elettricità, e come fluiva? Era una specie di fluido, come il calore, anch'esso conducibile? Perché fluiva attraverso il metallo ma non attraverso la porcellana? Anche questo chiedeva una spiegazione.

Le mie domande erano infinite, e spaziavano su tutto, sebbene tendessero a tornare ciclicamente e di continuo sull'oggetto della mia fissazione: i metalli. Perché erano lucenti? Perché lisci? Perché freddi? Perché duri? Perché pesanti? Perché si piegavano senza spezzarsi? Perché risonavano? Perché due metalli teneri come lo zinco e il rame, o come lo stagno e il rame, potevano combinarsi e produrne un altro più duro? Che cosa conferiva all'oro la sua qualità aurea, e perché non anneriva mai? In linea di massima mia madre era paziente, e cercava di spiegarmi, ma alla fine, quando non ne poteva proprio più, mi diceva: «Questo è tutto quello che so – se vuoi saperne di più, chiedi a zio Dave».

Lo chiamavamo zio Tungsteno da tempo immemorabile, perché fabbricava lampadine a incandescenza il cui sottile filamento era fatto di tungsteno. La sua azienda si chiamava Tungstalite; spesso lo andavo a trovare nel vecchio stabilimento di Farringdon e stavo a guardarlo mentre lavorava, con una camicia dal colletto a punte ripiegate e le maniche arrotolate. La polvere scura e pesante di tungsteno veniva pressata, martellata, sinterizzata al calor rosso, e poi tirata in fili sempre più sottili dai quali ottenere i filamenti delle lampadine. Le mani dello zio erano segnate dalla polvere nera, in un modo che nessun lavaggio poteva ormai più ripulire (per farlo, avrebbe dovuto rimuovere tutto lo spessore dell'epidermide, e anche così, ho il sospetto che non sarebbe stato abbastanza). Dopo trent'anni di lavoro con il tungsteno, immaginavo che il pesante elemento gli fosse penetrato nei polmoni e nelle ossa, in tutti i vasi e i visceri, in ogni tessuto del suo corpo. Pensavo a tutto questo come a un fatto prodigioso, non come a una condanna – come se il suo corpo fosse rinvigorito e fortificato dal potente elemento, dal quale traeva una forza e una resistenza quasi sovrumane.

Ogni volta che visitavo lo stabilimento, zio Dave mi portava in giro a vedere le macchine, o incaricava il suo caporeparto di accompagnarmi. (Il caporeparto era un uomo basso e muscoloso, una specie di Popeye dalle braccia enormi, palpabile testimonianza dei benefici arrecati dal lavoro con il tungsteno). Non mi stancavo mai di guardare quelle macchine ingegnose, sempre meravigliosamente pulite, lucide e ben oliate, o il forno in cui la polvere nera incoerente veniva compattata e convertita in barre dense e dure che emettevano bagliori grigi.

Durante le mie visite allo stabilimento, e a volte anche a casa, zio Dave mi insegnava qualcosa sui metalli servendosi di piccoli esperimenti. Già sapevo che il mercurio, quello strano metallo liquido, era incredibilmente denso e pesante. Perfino il piombo ci galleggiava sopra, come mi dimostrò zio Dave mettendo un proiettile di piombo in un recipiente pieno di mercurio. Poi, però, estrasse dalla tasca una piccola barra grigia, e con mia grande meraviglia essa andò immediatamente a fondo. Quello, mi disse, era il *suo* metallo, il tungsteno.

Zio Dave apprezzava moltissimo la densità del tungsteno che fabbricava, come pure la sua refrattarietà, la sua grande stabilità chimica. Gli piaceva maneggiarlo – sotto forma di filamento, di polvere, ma soprattutto di piccole barre e lingotti. Li accarezzava, li teneva in mano soppesandoli (con tenerezza, o almeno così mi sembrava). «Tocca, Oliver» diceva, lanciandomi una barretta. «Non c'è niente al mondo come il tungsteno sinterizzato». Batteva

sulle barrette e quelle emettevano un tintinnio profondo. «Il suono del tungsteno» diceva zio Dave.
«Non esiste nulla di simile». Non sapevo se fosse vero, ma non lo misi mai in dubbio.

Ultimogenito di una delle sue figlie più giovani
(ero ultimo di quattro figli, e mia madre era la sedi-
cesima di diciotto fratelli), io nacqui quasi cento anni dopo mio nonno materno, e non lo conobbi mai.
Mordechai Fredkin era nato nel 1837, in un piccolo
villaggio russo. Da giovane riuscì a evitare di essere
arruolato a forza nell'esercito cosacco e fuggì dalla
Russia usando il passaporto di un uomo defunto di
nome Landau: aveva solo sedici anni. Come Marcus
Landau, il nonno approdò prima a Parigi e poi a
Francoforte, dove si sposò (anche sua moglie aveva
sedici anni). Due anni dopo, nel 1855, insieme al
primo dei loro figli, i due si trasferirono in Inghilterra.

Il padre di mia madre era, a detta di tutti, un uomo ugualmente attratto dallo spirito e dalla carne.
Di mestiere, fece il fabbricante di scarpe e stivali; il
shochet (macellaio kasher); e in seguito il droghiere
– ma era anche un ebreo erudito, un mistico, un
matematico dilettante e un inventore. Aveva una
mente che spaziava lontano: dal 1888 al 1891 pubblicò un giornale, il «Jewish Standard», nello scantinato di casa sua; si interessò alla nuova scienza del-
l'aeronautica ed entrò in corrispondenza con i fratelli Wright che, ai primi del Novecento, quando
vennero a Londra, gli fecero visita (alcuni dei miei
zii ricordavano ancora l'evento). Stando a quanto
mi raccontavano gli zii e le zie, il nonno aveva una
passione per i calcoli aritmetici intricati, che faceva
a mente quando era immerso nella vasca da bagno.
Ma più d'ogni altra cosa, gli piaceva inventare lampade – lampade di sicurezza da usare in miniera,
lampade per le carrozze, lampioni per l'illuminazio-

ne stradale –, e negli anni Settanta ne brevettò diversi modelli.

Uomo dalla cultura enciclopedica e autodidatta, il nonno era un appassionato sostenitore dell'istruzione, e soprattutto dell'istruzione scientifica, che volle venisse impartita a tutti i suoi figli – alle nove femmine non meno che ai nove maschi. Come lui, sette dei suoi figli maschi finirono per occuparsi di matematica e scienze fisiche; che poi fosse per genuina passione, o per compiacere la volontà paterna, non è dato sapere. Le sue figlie, invece, gravitarono in linea di massima intorno alle scienze umane, alla biologia, alla medicina, alla pedagogia e alla sociologia. Due di esse fondarono scuole. Altre due diventarono insegnanti. Inizialmente mia madre fu lacerata dalla scelta fra le scienze fisiche e quelle umane: da ragazza era particolarmente attratta dalla chimica (Mick, suo fratello maggiore, aveva appena cominciato a lavorare come chimico); in seguito, però, si diede all'anatomia e alla chirurgia. Non perse mai, comunque, la passione e la sensibilità per le scienze fisiche, né il desiderio di spingersi sotto la superficie delle cose – il desiderio di spiegare. Così, accadde di rado che le incessanti domande che io le facevo da bambino si scontrassero con risposte impazienti o perentorie; puntualmente, esse davano luogo a spiegazioni attente che mi affascinavano (sebbene il più delle volte fossero fuori dalla mia portata). Fin dall'inizio, mi sentii incoraggiato a interrogare e a indagare.

Poiché avevo un gran numero di zii e zie per parte di madre (più altri due per parte di padre) mi ritrovavo con quasi cento cugini; e poiché in massima parte la famiglia risiedeva a Londra (sebbene non mancassero rigogliosi rami continentali, americani e sudafricani) ci incontravamo spesso, tribalmente, in occasione delle ricorrenze. Ho conosciuto e goduto di questo senso di appartenenza a una famiglia estesa fin dal tempo di cui riesco ad aver memoria, e questa percezione si accompagnava all'idea che fosse una nostra caratteristica – della nostra famiglia intendo – fare domande ed essere «scientifici», proprio come eravamo ebrei o inglesi. Io ero fra i cugini più giovani – ne avevo alcuni, in Sudafrica, di quarantacinque anni più anziani di me; certi erano scienziati e matematici di professione; altri, solo un poco più grandi di me, s'erano già innamorati della scienza. Uno era un giovane professore di fisica; tre erano lettori di chimica all'università; e un altro, un precoce quindicenne, si stava dimostrando una grande promessa della matematica. Non potevo fare a meno di pensare che tutti noi avessimo dentro qualcosa del nonno.

Sono cresciuto nella zona nordoccidentale di Londra, prima della seconda guerra mondiale, in un'enorme casa edoardiana, costruita in modo incoerente, al 37 di Mapesbury Road, nel quartiere di Cricklewood. Essendo una casa d'angolo, proprio all'incrocio con Exeter Road, il 37 si affacciava su entrambe le strade, ed era più grande degli edifici vicini. Fondamentalmente quadrata, quasi cubica, aveva un portico che sporgeva in avanti sulla facciata, in alto fatto a V, come l'entrata di una chiesa. Su ciascun lato c'erano dei bovindo, anch'essi sporgenti, separati da rientranze, e quindi il tetto aveva una forma molto complessa – simile, ai miei occhi, nientedimeno che a un gigantesco cristallo. La casa era costruita con mattoni rossi di un colore particolarmente delicato e spento. Dopo aver imparato un po' di geologia, immaginavo che si trattasse di arenaria rossa del Devoniano, un pensiero incoraggiato dal fatto che tutte le strade intorno a noi – Exeter, Teighmouth, Dartmouth, Dawlish – avevano esse stesse nomi devoniani.

Sulla facciata principale c'era un doppio portone;
separate da un piccolo vestibolo, le due porte im-
mettevano in un atrio e quindi in un corridoio che
conduceva sul retro, verso la cucina; l'atrio e il corridoio avevano un pavimento a mosaico di pietra colorata. Sulla destra dell'atrio, all'entrata, la scala
curvava verso l'alto, con la pesante balaustra resa liscia e lucida dai miei fratelli, che si lasciavano scivolare lungo di essa.

Certe stanze della casa avevano un che di magico
o sacro, forse soprattutto l'ambulatorio dei miei genitori (che erano entrambi medici), con i flaconi
delle medicine, la bilancia per pesare le polveri, i
portaprovette e la vetreria, la lampada a spirito e il
lettino per le visite. In un grande armadio c'era
ogni tipo di farmaci, lozioni, elisir – sembrava una
vecchia farmacia in miniatura; e poi c'erano un microscopio accanto alle bottiglie dei reagenti per l'a-
nalisi delle urine, per esempio la soluzione di Fehling, di un azzurro brillante, che virava al giallo in
presenza di zucchero.

In questa stanza speciale, riservata alle visite, non
potevo entrare – a meno che la porta non fosse lasciata aperta. A volte vedevo filtrare sotto di essa un
bagliore di luce violetta e sentivo provenire dall'interno uno strano odore che sapeva di mare, e in seguito seppi essere di ozono: era la vecchia lampada
a ultravioletti in funzione. Da bambino non ero del
tutto sicuro di che cosa «facessero» i dottori, e la vista, sia pure di sfuggita, di cateteri e sonde nelle loro bacinelle, di divaricatori, speculum, guanti di
gomma, filo per suture e forcipi – ebbene: tutto
questo, io credo, sebbene mi affascinasse, mi spaventava. Una volta che la porta dell'ambulatorio era
stata lasciata accidentalmente socchiusa, vidi una
paziente con le gambe appoggiate sulle staffe del
lettino ginecologico (in quella che in seguito appresi essere la «posizione litotomica»). La borsa da

ostetrica di mia madre, e quella degli anestetici, erano sempre a portata di mano per ogni evenienza, e io sapevo quando sarebbero servite, perché avrei udito commenti come « È dilatata di un paio di centimetri », che, incomprensibili e misteriosi com'erano – una sorta di codice? –, stimolavano la mia immaginazione in mille modi.

Un'altra stanza sacra era la biblioteca che, almeno di sera, era il regno di mio padre. Un intero settore era dedicato ai suoi libri ebraici, ma c'erano volumi su qualsiasi argomento: quelli della mamma (appassionata di romanzi e biografie), quelli dei miei fratelli, e poi i libri ereditati dai nonni. Un mobile era consacrato al teatro: i miei genitori, che si erano conosciuti in quanto membri entusiasti di una Ibsen Society di studenti di medicina, andavano ancora a teatro ogni giovedì.

La biblioteca non era riservata solo alla lettura; nei fine settimana, i libri che erano stati posati sul tavolo venivano spostati da un lato per far spazio a giochi di vario tipo. Mentre i miei tre fratelli maggiori si impegnavano in combattute partite a carte o a scacchi, io mi dedicavo a un gioco semplice, Ludo, con zia Birdie, la sorella più anziana di mia madre, che viveva con noi (da piccolo giocavo più con lei che con i miei fratelli). Passioni estreme si accesero intorno al Monopoli, e ancor prima che imparassi a giocarci, i prezzi e i colori delle proprietà andarono a scolpirsi nella mia mente. (Ancora adesso vedo Old Kent Road e Whitechapel come proprietà di scarso valore color malva, e Angel Road e Euston Road, con il loro celeste sbiadito, non molto più appetibili. Viceversa, il West End si veste per me di colori ricchi e costosi: Fleet Street di rosso scarlatto e Piccadilly di giallo – per non parlare del verde di Bond Street e del blu scuro di Park Lane e Mayfair, un blu che sembra quello di una Bentley). A volte ci univamo tutti per una partita a ping-pong, o in qualche lavoretto di traforo, usando il grande tavolo della biblioteca. Ma dopo un fine settimana di frivolezze, i giochi venivano riposti nell'enorme cassetto sotto una delle librerie, e la stanza tornava alla sua quiete per ospitare le letture serali di mio padre.

Sull'altro lato del mobile c'era un secondo cassetto – in realtà un falso cassetto che per qualche motivo non si apriva – e io spesso avevo una fantasia, sempre la stessa, su di esso. Come qualsiasi bambino, mi piacevano le monete – quel loro luccichio, e poi il peso, le forme e le dimensioni diverse: mi piacevano tutte, dai farthing, i mezzi penny e i penny di rame lucente, alle varie monete d'argento (soprattutto i minuscoli pezzi da tre penny, uno dei quali veniva immancabilmente nascosto nel pudding di rognone a Natale), fino alla pesante sovrana d'oro che mio padre portava appesa alla catena dell'orologio. Sulla mia enciclopedia per ragazzi, avevo letto di dobloni e rubli, monete con fori al centro e «pezzi da otto reali» – dollari spagnoli che io immaginavo di forma perfettamente ottagonale. Nella mia fantasia, il falso cassetto si sarebbe aperto svelandomi uno sfavillante tesoro di pezzi di rame, argento e oro tutti mescolati insieme, monete di centinaia di paesi ed epoche diverse, compresi – con mia grande soddisfazione – i pezzi ottagonali da otto reali.

Mi piaceva soprattutto strisciare nella credenza angolare sistemata nel sottoscala, dove erano riposti i piatti e le posate speciali che usavamo per la Pasqua ebraica. La credenza era meno profonda della scala, e mi sembrava che la sua parete posteriore, quando la si percuoteva, suonasse vuota; dietro doveva nascondere, ne ero convinto, un altro spazio, forse un passaggio segreto. Mi sentivo al sicuro là dentro, nel mio nascondiglio: nessuno, a parte me, era abbastanza piccolo per potervi entrare.

Bellissimo e misterioso, ai miei occhi, era il portone d'ingresso, con i suoi pannelli di vetro colorato di molte forme e colori. Posavo l'occhio dietro al vetro color cremisi, e vedevo un intero mondo colorato di rosso (ma con i tetti rossi delle case di fronte stranamente pallidi, e le nuvole sorprendentemente stagliate contro un cielo azzurro quasi nero). Con il vetro verde e con quello color viola scuro, era un'esperienza completamente diversa. Molto interessante era il vetro giallo-verde, perché sembrava scintillare, a volte giallo e a volte verde, a seconda di dove io stessi e di come il sole lo colpisse.

Un'area proibita era la soffitta, che era gigantesca, poiché copriva l'intera superficie della casa, e si estendeva fino alle grondaie del tetto, ai bordi angolati del grande cristallo. Una volta mi portarono a vedere il tetto, e poi lo sognai spesso, forse perché era vietato salirci da quando Marcus ci si era avventurato da solo ed era precipitato dal lucernario ferendosi a una coscia (in un momento in cui era di umore comunicativo e incline ai racconti, però, mi disse che la cicatrice gliel'aveva lasciata un cinghiale, come quella sulla coscia di Ulisse).

Mangiavamo nella saletta della prima colazione adiacente alla cucina; la sala da pranzo, con il tavolo lungo, era riservata ai pasti del Sabato ebraico, alle festività e alle occasioni speciali. Esisteva una distinzione simile fra il soggiorno e il salotto: il primo, con il divano e le poltrone comode e malconce, era una stanza di uso quotidiano; il salotto, invece, con le sue sedie cinesi, eleganti e scomodissime, e con le vetrine laccate, era riservato alle grandi riunioni di famiglia. Il sabato pomeriggio, le zie, gli zii e i cugini che abitavano nelle vicinanze venivano da noi a piedi, e in quell'occasione si tirava fuori uno speciale servizio da tè e si servivano, in salotto, piccole tartine con salmone affumicato e uova di merluzzo: prelibatezze del genere non erano servite in nessun'altra occasione. I lampadari del salotto, che ori-

ginariamente funzionavano a gas, negli anni Venti
erano stati convertiti alla luce elettrica (ma in tutta
la casa c'erano ancora, qua e là, strani ugelli e impianti a gas – così che, in caso di necessità, si potesse tornare al primo sistema). Nel salotto c'era anche
un enorme pianoforte a coda, coperto di fotografie
di famiglia, ma io preferivo il timbro più morbido
del piano verticale sistemato in soggiorno.

Sebbene la casa fosse piena di musica e libri, era
pressoché priva di quadri, incisioni o opere d'arte
di qualsiasi genere; e sebbene i miei genitori andassero spesso a teatro e ai concerti, per quanto io mi
ricordi non visitarono mai una galleria d'arte. La
nostra sinagoga aveva vetrate policrome raffiguranti
scene bibliche che io spesso fissavo durante le parti
più angoscianti della funzione. A quanto pare, c'era
stata una disputa sul fatto che tali raffigurazioni fossero o meno opportune, vista la proibizione delle
incisioni, e mi chiedevo se fosse quella la ragione
per cui non avevamo opere d'arte in casa. Ben presto però compresi che il motivo era un altro, e cioè
la completa indifferenza dei miei genitori per le de-
corazioni e l'arredamento della casa. In seguito venni a sapere che, nel 1930, quando avevano acquistato la casa, avevano dato a Lina, la sorella maggiore
di mio padre, il libretto degli assegni – *carte blanche* –
dicendole: «Fa' quello che vuoi, compra quello che
ti pare».

Le scelte di Lina – piuttosto convenzionali, tranne che per le cineserie del salotto – non riscossero
approvazione né vennero contestate; i miei le accet-
tarono con noncuranza. Quando visitò la casa per
la prima volta, subito dopo la guerra, il mio amico
Jonathan Miller disse che gli sembrava una casa
in affitto, perché c'erano ben pochi segni di gusti
o scelte personali. Come i miei genitori, non mi
preoccupavo dell'aspetto esteriore della casa, ma il
commento di Jonathan mi lasciò sconcertato e mi

irritò. Per me il numero 37 era pieno di misteri e meraviglie – era lo scenario, il mitico sfondo, sul quale si svolgeva la mia vita.

In quasi tutte le stanze avevamo delle stufe a carbone, compresa una in porcellana, con i lati rivestiti di mattonelle, nella stanza da bagno. Nel soggiorno, da ambo i lati del caminetto, v'erano grandi recipienti di rame per il carbone, mantici e ferri vari, compreso un attizzatoio di acciaio leggermente piegato (quando era incandescente, quasi al calor bianco, mio fratello Marcus, che era fortissimo, era riuscito a piegarlo). Se una o due zie venivano a trovarci, ci riunivamo tutti nel soggiorno, e loro si tiravano su le sottane dando le spalle al fuoco. Come mia madre, le zie erano fumatrici accanite, e dopo essersi riscaldate ben bene, si sedevano sul divano e fumavano, gettando i mozziconi nelle fiamme. In linea di massima, erano lanci pessimi, e le cicche umide di saliva finivano sul muro di mattoni intorno al focolare e gli si attaccavano, in modo disgustoso, finché non si bruciavano del tutto.

Ho solo ricordi brevi e frammentari di quando ero piccolissimo – gli anni prima della guerra – ma ricordo di essermi spaventato, da bambino, nel vedere che zie e zii avevano spesso la lingua nera come il carbone: anche la mia sarebbe diventata così, da grande? Fu un vero sollievo quando zia Len, intuendo le mie paure, mi disse che in realtà la sua lingua non era nera, ma aveva preso quel colore a furia di masticare biscotti al carbone, rimedio contro il meteorismo.

Di mia zia Dora (che morì quando io ero molto piccolo) non ricordo nulla, se non il colore arancione – se poi si trattasse dell'incarnato, dei capelli, dei vestiti, o semplicemente del riflesso del camino, non ho idea. Tutto quello che mi rimane di lei è

una sensazione calda e nostalgica e quella particolare predilezione per l'arancione.

Poiché ero il più piccolo, dormivo in una came-
retta comunicante con la stanza da letto dei miei genitori; ricordo che il soffitto era ornato di strane
concrezioni calcaree. Prima che io nascessi, quella
stanza era stata occupata da Michael, che s'era divertito un mondo a lanciare cucchiaiate di sagù ge-
latinoso – di cui detestava la consistenza viscida – sul
soffitto, dove quello aderiva con uno schiocco.
Quando si seccava, sull'intonaco non rimaneva che
un monterozzo gessoso.

Diverse stanze della casa non appartenevano a
qualcuno in particolare e non avevano una chiara
funzione, ma erano usate come ripostiglio per oggetti di ogni genere – libri, giochi, cianfrusaglie, riviste, impermeabili, attrezzatura sportiva. In uno
stanzino non tenevamo altro che una macchina per
cucire, una Singer a pedale che mia madre aveva acquistato al momento di sposarsi, nel 1922, e una
macchina per maglieria complicatissima (e, ai miei
occhi, molto bella). La mamma la usava per confe-
zionare le nostre calze, e mi piaceva guardarla mentre girava la manovella, e osservare gli aghi d'acciaio
lucente tintinnare all'unisono mentre il pezzo di
maglia tubolare, legato a un peso di piombo, scendeva allungandosi. Una volta la distrassi, e il tubolare di maglia finì col toccare il pavimento. Non sapendo che fare di questo cilindro di lana lungo un
metro, me lo diede perché lo tenessi come un ma-
nicotto.

Queste stanze in più consentivano ai miei genitori di ospitare parenti come zia Birdie e altri, a volte anche per lunghi periodi. La più grande era riservata alla terribile zia Annie, in occasione delle sue
rare visite da Gerusalemme (a trent'anni dalla sua
morte, chiamavamo ancora quella stanza «la camera

di Annie»). Anche zia Len, quando veniva da Delamere, aveva la sua stanza personale, e ci si installa-
va con tutti i suoi libri e le sue cose per il tè – nella
stanza c'era un fornelletto a gas con cui si preparava, appunto, la bevanda; quando mi invitava a entrare, mi sembrava di varcare la soglia di un mondo diverso, un mondo di altri interessi e altri gusti, un
mondo di civiltà e amore incondizionato.

Quando lo zio Joe, che era stato medico in Malesia, fu fatto prigioniero dai giapponesi, il figlio maggiore e la figlia vennero a stare da noi. Durante la
guerra, capitò a volte che i miei genitori accoglies-
sero dei profughi dal continente. Perciò la nostra
casa, sebbene fosse grande, non era mai vuota ma
sembrava, al contrario, ospitare decine di vite separate: non solo il nostro nucleo familiare – i miei genitori, i miei tre fratelli e io stesso – ma anche zii e
zie itineranti, la servitù – la nostra bambinaia e in-
fermiera, e la cuoca – e gli stessi pazienti, che andavano e venivano.

EVACUATION
OF
WOMEN AND CHILDREN
FROM LONDON, Etc.

FRIDAY, 1st SEPTEMBER.
Up and Down business trains as usual,
with few exceptions.
Main Line and Suburban services will be
curtailed while evacuation is in progress
during the day.

SATURDAY & SUNDAY,
SEPTEMBER 2nd & 3rd.
The train service will be exactly the
same as on Friday.

Remember that there will be very few
Down Mid-day business trains on Saturday.

SOUTHERN RAILWAY

Nel 1939, ai primi di settembre, scoppiò la guerra. Era prevedibile che Londra sarebbe stata pesantemente bombardata, e le autorità rivolsero pressanti inviti ai genitori affinché i bambini venissero messi al sicuro in campagna. Michael, che aveva cinque anni più di me, frequentava una scuola vicino a casa nostra; quando, allo scoppio delle ostilità, venne chiusa, uno dei vicepresidi decise di ricostituirla nel piccolo villaggio di Braefield. I miei genitori – lo avrei capito anni dopo – erano angosciati all'idea che un bambino in così tenera età (avevo solo sei anni) venisse separato dalla famiglia e mandato in un improbabile collegio nelle Midlands, ma pensavano che non ci fosse altra scelta, e si consolavano all'idea che, perlomeno, Michael e io saremmo stati insieme.

La cosa poteva anche funzionare – ed effettivamente per migliaia di altri bambini l'evacuazione funzionò discretamente. La scuola di Braefield, però, non era che una pallida imitazione dell'originale. Le razioni di cibo erano scarse, e i pacchi che arrivavano da casa venivano saccheggiati dalla moglie del preside. La nostra dieta era a base di rutabaga e *Mangelwurzel* – rape gigantesche ed enormi barbabietole, di qualità scadente, destinate all'alimentazione dei bovini. C'era un pudding di cui ancora adesso, mentre scrivo sessant'anni dopo, sento l'odore rivoltante e soffocante, odore che ancora una volta mi prende lo stomaco e mi fa vomitare. Per molti di noi, la mostruosità della scuola era resa peggiore dalla sensazione di essere stati abbandonati dalle famiglie, che ci lasciavano a marcire in quel posto orrendo – inspiegabile punizione per qualcosa che avevamo commesso.

Sembrava che al preside il potere avesse dato alla testa. Michael raccontava che a Londra, come insegnante, si comportava bene ed era persino simpatico, ma a Braefield, dopo esser salito di grado, in breve tempo si era trasformato in un mostro. Era un sadico, un depravato, e picchiava molti di noi alunni con grande piacere, quasi tutti i giorni. L'«ostinazione» era punita severamente. Mi chiesi, a volte, se per caso non fossi il suo «beniamino», quello prescelto per il massimo della pena – ma in effetti eravamo in molti a essere picchiati a tal punto che per giorni e giorni avevamo difficoltà a star seduti. Un giorno – avevo otto anni – dopo avermi spezzato una verga sul didietro, mi ruggì contro: «Maledizione, Sacks, guarda cosa mi hai fatto fare!», e aggiunse il costo della verga alla mia retta. Bullismo e crudeltà, intanto, erano molto diffusi tra gli alunni, abilissimi nel cogliere i punti deboli dei più piccoli, che venivano tormentati oltre i limiti del sopportabile.

Insieme all'orrore, però, c'erano anche piaceri improvvisi, resi più intensi dalla rarità e dal contrasto con il resto della nostra vita. Il mio primo inverno laggiù – quello del 1939-1940 – fu eccezionalmente freddo, con la neve che si ammucchiava più alta di me, e lunghi ghiaccioli lucenti che pendevano dalle grondaie della chiesa. Queste scene innevate e le forme, a volte fantastiche, della neve e del ghiaccio mi portavano con l'immaginazione in Lapponia – o nel Paese delle Fate. Uscire dalla scuola per andare nei campi lì intorno era sempre una gioia, e la freschezza, il candore e la pulizia della neve offrivano un meraviglioso seppur breve sollievo dalla reclusione, dalla miseria e dal tanfo della scuola. Una volta trovai il modo di allontanarmi dagli altri ragazzi e dall'insegnante e di «perdermi» per un po', estaticamente, in mezzo ai cumuli di neve – una sensazione che ben presto si trasformò in terrore quando capii di essermi perso davvero, non più solo per gioco. Alla fine, quando mi ritrovarono, fui felicissimo di essere abbracciato e di ricevere, una volta tornato a scuola, una tazza di cioccolata bollente.

Ricordo che in quello stesso inverno trovai i vetri della porta della casa del pastore coperti di brina, e rimasi affascinato dagli aghi e dalle forme cristalline del ghiaccio, che potevo sciogliere col fiato ricavandovi una sorta di spioncino. Una mia insegnante – si chiamava Barbara Lines – vedendomi così assorto, mi fece guardare i cristalli di neve con una lente d'ingrandimento. Non ce n'erano due uguali, disse. Percepire quante variazioni fossero possibili sul tema della forma esagonale fu per me una rivelazione.

In un campo c'era un albero particolare che mi

piaceva; la sua sagoma si stagliava contro il cielo facendomi una strana impressione. Quando la mia
mente si lascia andare ai ricordi, lo vedo ancora, insieme al sentiero tortuoso nei campi che conduceva
ad esso. La sensazione che la natura, almeno lei,
fosse fuori del dominio della scuola era profondamente rassicurante.

Il vicariato che ospitava la scuola, con il suo ampio giardino, la vecchia chiesa adiacente e lo stesso
villaggio erano belli, addirittura idilliaci. Gli abitanti di Braefield erano gentili con quei ragazzini pale-
semente infelici, sradicati da Londra. Fu al villaggio
che imparai a cavalcare, sotto la guida di una giovane istruttrice, una donnona che a volte, quando avevo proprio un'aria pietosa, mi abbracciava con affetto. (Michael mi aveva letto alcune parti dei *Viaggi
di Gulliver* e a volte pensavo a lei come a Glumdal-
clitch, la gigantesca balia di Gulliver). C'era anche
un'anziana signora dalla quale prendevo lezioni di
pianoforte, e che mi preparava il tè. E poi c'era la
bottega del villaggio, dove andavo a comprare qualcosa per riempire il buco allo stomaco e, a volte,
una fetta di manzo sotto sale. C'erano perfino dei
momenti, a scuola, che mi piacevano: quando facevo i modellini di aeroplani con la balsa, e quando
costruii una casetta su un albero con un mio amico,
un bambino della mia stessa età, un tipo minuto
con i capelli rossi. Nel complesso, però, a Braefield
mi sentivo in trappola, in modo schiacciante, senza
speranza, senza risorse, per sempre – e molti di noi,
io credo, uscirono gravemente disturbati da quel
soggiorno.

Durante i quattro anni che passai a Braefield i
miei genitori vennero a trovarci, ma molto di rado,
e quasi non ho ricordi di quelle visite. Quando, nel
dicembre del 1940, dopo circa un anno passato lontano da casa, Michael e io tornammo a Londra per

le vacanze di Natale, mi ritrovai in un groviglio di sentimenti: sollievo, rabbia, piacere, apprensione. Anche la casa sembrava strana e diversa: la nostra governante e cuoca se n'era andata, e c'erano degli estranei, una coppia di fiamminghi che erano stati fra gli ultimi a fuggire da Dunkerque – ora che la casa era quasi vuota, i miei genitori si erano offerti di alloggiarli finché non avessero trovato un luogo dove stare. Solo Greta, il nostro bassotto, sembrava sempre la stessa, e mi salutò con mugolii di benvenuto, rotolandosi sulla schiena e scodinzolando di gioia.

C'erano stati anche dei cambiamenti esteriori; le finestre erano tutte coperte con pesanti tendaggi neri; il portoncino interno con i vetri colorati, attraverso i quali mi piaceva tanto guardare, era saltato in aria per l'esplosione di una bomba un paio di settimane prima; il giardino, ora coltivato a topinambur per le necessità alimentari imposte dalla guerra, era cambiato al punto da essere quasi irriconoscibile; e il vecchio capanno per gli attrezzi da giardinaggio era stato rimpiazzato da un rifugio Anderson – un brutto edificio squadrato con uno spesso tetto di cemento armato.

Sebbene la battaglia d'Inghilterra fosse terminata, i bombardamenti aerei su Londra continuavano a pieno ritmo. C'erano incursioni quasi ogni notte; il fuoco e i riflettori della contraerea illuminavano il cielo notturno. Ricordo gli aerei tedeschi, trafitti dai fasci di luce dei riflettori che frugavano il cielo oscurato di Londra. Era spaventoso, e anche emozionante per un bambino di sette anni – ma soprattutto, credo, ero felice di essere lontano da scuola e a casa, ancora una volta protetto.

Una notte, una bomba da quasi mezza tonnellata cadde nel giardino vicino, fortunatamente senza esplodere. Quella notte la mia famiglia si rifugiò nell'appartamento del cugino Walter; tutti noi (l'intera strada, sembrava) ce ne strisciammo via – molti

in pigiama – col passo più leggero possibile (le vibrazioni avrebbero potuto far esplodere l'aggeggio?). Nelle strade era buio pesto, c'era l'oscuramento, e tutti noi avevamo delle torce elettriche at-
tenuate con carta crespata rossa. Non sapevamo se
la nostra casa sarebbe stata ancora in piedi l'indomani mattina.

In un'altra occasione, una bomba incendiaria alla
termite cadde dietro casa nostra e bruciò generando uno spaventoso calor bianco. Mio padre aveva
un piccolo estintore portatile e i miei fratelli gli portavano secchi d'acqua, ma contro quel fuoco infernale l'acqua sembrava inutile – anzi, lo faceva bruciare ancor più furiosamente. Quando l'acqua entrava a contatto con il metallo incandescente c'erano un sibilo e un crepitio perverso, e nel frattempo
lo stesso involucro della bomba fondeva e gettava
masse e spruzzi di metallo fuso in tutte le direzioni.
La mattina dopo il prato era carbonizzato e solcato
da cicatrici come un paesaggio vulcanico, ma anche, con mio gran piacere, disseminato di bellissimi *shrapnel* lucenti che dopo le vacanze avrei potuto esibire a scuola.

Un episodio curioso, e vergognoso, appartenente
a quel breve periodo passato a casa durante i bombardamenti su Londra, resiste nella mia mente. Io
ero affezionatissimo a Greta, il nostro cane, e piansi
amare lacrime quando, nel 1945, fu uccisa da una
motocicletta lanciata a tutta velocità; tuttavia, uno
dei miei primi atti, quell'inverno, fu di imprigionar-
la nel bidone gelato del carbone, nel cortile sul retro, dove nessuno poteva sentirla piangere e abbaia-
re pietosamente. Dopo un po', in casa si accorsero
della sua assenza e mi chiesero (lo chiesero a tutti)
quando l'avessimo vista l'ultima volta, e se avessimo
idea di dove fosse. Io pensavo a lei – affamata, in-
freddolita, imprigionata, forse morente nel bidone

là fuori –, ma non dissi nulla. Fu solo verso sera che ammisi quello che avevo fatto, e Greta fu tirata fuori, quasi congelata, dal bidone. Mio padre era furioso, mi diede «una bella ripassata» e mi mise in un angolo per il resto della giornata. Non ci furono indagini, tuttavia, per scoprire come mai fossi stato così insolitamente cattivo, sul perché mi fossi comportato con tanta crudeltà con un cane a cui avevo voluto bene; né, se me l'avessero chiesto, avrei potuto spiegarlo. Di sicuro fu comunque un messaggio, una sorta di atto simbolico per cercare di attirare l'attenzione dei miei genitori sul *mio* bidone, Braefield, su come io stesso fossi misero e inerme laggiù. Temevo il ritorno a Braefield più di quanto riuscissi a esprimere, e nonostante le continue incursioni su Londra, desideravo con tutto me stesso rimanere a casa dai miei, restare insieme, non essere più separati, anche se ciò avesse significato la morte di tutti noi sotto i bombardamenti.

Negli anni prima della guerra avevo avuto qualche sentimento religioso di tipo infantile. Quando mia madre accendeva le candele per lo *Shabbat*, sentivo quasi fisicamente il Sabato arrivare, accolto come il benvenuto, e discendere simile a un morbido mantello sulla Terra. Immaginavo anche che questo accadesse in tutto l'Universo, vedevo il Sabato calare su remoti sistemi stellari e galassie lontane, avvolgendoli tutti nella pace di Dio.

La preghiera era stata una parte della mia vita. Prima la *Shema'*, «Ascolta, Israele...», poi la preghiera che recitavo ogni sera al momento di andare a letto. Mia madre aspettava che mi fossi lavato i denti e avessi indossato il pigiama, e poi saliva di sopra e si sedeva sul mio letto mentre io recitavo in ebraico «*Baruch atoh adonai...* Sia tu benedetto, o Signore nostro Dio, Re dell'Universo, che fai cadere sui miei occhi le bende del sonno, e il riposo sulle mie palpebre...». Era bella in inglese, più bella ancora in ebraico. (L'ebraico, mi dicevano, era la vera lingua di Dio, sebbene, ovviamente, egli comprendesse qualsiasi linguaggio, e perfino i sentimenti di ciascuno di noi, quando non si riusciva a esprimerli a parole). «Sia fatta la tua volontà, o Signore nostro Dio e Dio dei miei padri, voglia tu che io giaccia in pace e lascia che torni a levarmi...». Ma a questo punto le bende del sonno (di qualsiasi cosa si trattasse) premevano ormai pesantemente sui miei occhi, e raramente riuscivo ad andare avanti. Mia madre si chinava a baciarmi, e istantaneamente cadevo addormentato.

Tornato a Braefield, però, non ci furono più baci della buonanotte, e così rinunciai alle preghiere della sera, che erano indissolubilmente legate al bacio della mamma e ora mi ricordavano in modo intollerabile la sua assenza. Quelle stesse espressioni che mi avevano tanto riscaldato e confortato trasmettendomi l'idea di un Dio potente e interessato, adesso non erano che parole, se non proprio un grossolano inganno.

Infatti, quando fui improvvisamente abbandonato dai miei genitori (così la vedevo io) la mia fiducia e il mio amore per loro furono brutalmente scossi, e con essi anche la mia fede in Dio. Che prove c'erano, continuavo a chiedermi, della sua esistenza? A Braefield, decisi di effettuare un esperimento per risolvere la faccenda una volta per tutte: piantai nell'orto due file di ravanelli, fianco a fianco, e chiesi a Dio di benedirne o di maledirne una – facesse pure come preferiva – in modo che io potessi scorgere una chiara differenza. Le due file di ravanelli crebbero identiche, e questa fu per me la prova che non c'era alcun Dio. Ora, però, desideravo ancor più fortemente qualcosa in cui credere.

Mentre le percosse, i digiuni e i tormenti continuavano, quelli di noi che rimasero a scuola furono spinti a prendere misure psicologiche sempre più estreme – spogliando il nostro capo aguzzino di ogni dimensione umana e reale. A volte, mentre mi percuoteva, lo vedevo come uno scheletro gesticolante (a casa avevo visto delle radiografie, ossa avvolte da un tenue involucro di carne). Altre volte lo vedevo non come un essere vivente, ma come un insieme verticale e temporaneo di atomi. «Sono solo atomi» dicevo a me stesso – e desideravo sempre di più un mondo che fosse fatto «solo di atomi». La violenza che emanava dal preside a volte sembrava contaminare tutta la natura vivente, al punto che finii per considerarla come il principio stesso della vita.

Che cosa potevo fare, in simili circostanze, se non cercare un posto che fosse tutto mio, un rifugio nel quale potessi starmene da solo, assorto nei miei pensieri e senza interferenze, e trovare un senso di stabilità e calore? La mia situazione era forse simile a quella descritta da Freeman Dyson nel suo saggio autobiografico *To Teach or not to Teach*:

«Appartenevo a una piccola minoranza di bambini dotati di scarsa forza fisica e destrezza atletica ... schiacciati dalla duplice oppressione di [un preside depravato e ragazzi bulli] ... Trovammo rifugio in un territorio inaccessibile tanto al nostro preside ossessionato dal latino quanto ai nostri compagni ossessionati dal football. Trovammo rifugio nella scienza ... Imparammo ... che la scienza è un territorio di libertà e amicizia in mezzo alla tirannia e all'odio».

All'inizio, per me, il rifugio fu rappresentato dai numeri. Mio padre era un mago nel calcolo mentale e anch'io, già a sei anni, ero svelto con le cifre; e, ciò che più conta, ne ero innamorato. I numeri mi piacevano perché erano solidi, invarianti; rimanevano imperturbati in un mondo caotico. C'era, nei numeri e nelle loro relazioni, qualcosa di assoluto, di sicuro, che non poteva esser messo in discussione: qualcosa al di là del dubbio. (Anni dopo, quando lessi *1984*, l'acme dell'orrore, il segno ultimo della disintegrazione e della resa di Winston, fu per me quando egli veniva costretto, sotto tortura, a negare che due più due fa quattro. E ancor più terribile era il fatto che alla fine egli avesse cominciato a dubitare di questo anche nella sua mente, che anche i numeri l'avessero abbandonato).

Mi piacevano in modo particolare i numeri primi, il fatto che fossero indivisibili, che non potessero essere scomposti, quel loro essere se stessi in modo inalienabile. (Non avevo la stessa fiducia in me stesso, perché mi sentivo diviso, alienato, spezzato, ogni settimana sempre di più). I numeri primi erano le unità con cui costruire tutti gli altri, e dovevano avere un significato, almeno così credevo. Perché i numeri primi si presentavano in quella sequenza? Esisteva, nella loro distribuzione, un modello, una logica qualsiasi? Avevano forse un limite, o proseguivano all'infinito? Passavo ore e ore assorto nelle scomposizioni, a cercare numeri primi e a memorizzarli. Essi mi offrirono molte ore di gioco solitario, in un completo assorbimento, durante le quali non avevo bisogno di nessuno.

Disegnai una griglia quadrata, dieci per dieci, dei primi cento numeri primi, ma non riuscii a riconoscere nella loro distribuzione alcun modello – nessuna logica. Feci allora tabelle più grandi, ampliando le mie griglie fino a portarle a venti per venti, o a trenta per trenta – ma ancora non mi riuscì di discernere regolarità evidenti. E tuttavia, ero convinto che dovesse essercene una.

Le mie uniche vere vacanze, durante la guerra, furono le visite nel Cheshire, nel cuore della foresta del Delamere, dove zia Len aveva fondato la Jewish Fresh Air School per «bambini cagionevoli» (si trattava di bambini di famiglie della classe operaia di

Manchester, molti dei quali soffrivano d'asma, alcuni avevano avuto il rachitismo o la tubercolosi, e un paio, ripensandoci a posteriori, dovevano essere autistici). Tutti i bambini avevano un orticello, un quadrato di terra con il lato d'un paio di metri, delimitato da pietre. Desideravo disperatamente poter andare a Delamere invece che a Braefield – ma questo fu un desiderio che non espressi mai (mi chiedevo, però, se mia zia, affettuosa e perspicace com'era, non lo avesse capito).

Zia Len mi incantava sempre con ogni sorta di meraviglie botaniche e matematiche. Mi mostrò i motivi a spirale sui capolini dei girasoli in giardino, e mi suggerì di contare i flosculi al loro interno. Quando lo ebbi fatto, mi mostrò che erano disposti secondo una serie – 1, 1, 2, 3, 5, 8, 13, 21, ... – in cui ogni numero era la somma dei due che lo precedevano. E se si divideva ogni numero per quello che lo seguiva (1/2, 2/3, 3/5, 5/8, ...) ci si avvicinava sempre più al numero 0,618. Questa serie, mi spiegò, era chiamata «serie di Fibonacci», dal nome di un matematico italiano vissuto alcuni secoli fa. Il rapporto 0,618, aggiunse zia Len, era noto come divina proporzione, o sezione aurea: una proporzione geometrica ideale spesso usata da architetti e artisti.

Zia Len mi portava con sé a fare lunghe passeggiate nella foresta, insegnandomi la botanica; mi faceva vedere le pigne cadute, mostrandomi che anch'esse avevano spirali basate sulla sezione aurea. Mi indicava gli equiseti che crescevano vicino a un corso d'acqua, facendomi toccare i loro fusti rigidi e articolati e suggerendomi di misurarli e di riportare su un grafico la lunghezza dei segmenti successivi. Quando lo feci, e vidi la mia curva appiattirsi, zia Len mi spiegò che si trattava di incrementi «esponenziali», e che di solito la crescita ha luogo proprio in quel modo. Quei rapporti, quelle proporzio-

ni geometriche, mi disse, si trovavano ovunque in
natura: il mondo era costruito in base ai numeri.

L'associazione delle piante e dei giardini con i
numeri assunse per me una forma simbolica di una
strana intensità. Cominciai a pensare a un regno o
dominio dei numeri, con una sua geografia e con
lingue e leggi sue proprie; ma, ancor di più, immaginavo un giardino di numeri – un giardino segreto, meraviglioso e magico. Era un luogo nascosto e
inaccessibile ai bulli e al preside; un giardino nel
quale mi erano in qualche modo riservati un'acco-
glienza benevola e un aiuto. In questo giardino, fra
i miei amici non c'erano solo i numeri primi e i girasoli di Fibonacci, ma anche i numeri perfetti (come 6 o 28, somma dei loro divisori, essi stessi esclu-
si); i numeri pitagorici, il cui quadrato è la somma
di altri due quadrati (come 3, 4, 5, oppure 5, 12,
13); e i «numeri amici» (come 220 e 284), coppie di
numeri nei quali la somma dei divisori di uno è
uguale all'altro, e viceversa. Zia Len, poi, mi aveva
mostrato che il mio giardino di numeri era doppia-
mente magico – non solo una fonte di piacere e
conforto sempre disponibile, ma anche parte del
piano in base al quale era costruito l'intero Universo. I numeri, diceva mia zia, sono il modo di pensare di Dio.

Di tutti gli oggetti di casa, quello che mi mancava
di più era l'orologio di mia madre, un bell'orologio
appartenuto al nonno, con un quadrante dorato
che non mostrava solo l'ora e la data, ma anche le
fasi lunari e le congiunzioni dei pianeti. Quando
ero molto piccolo, pensavo a questo orologio come
a una sorta di strumento astronomico, capace di trasmettere informazioni provenienti direttamente dal
cosmo. Una volta alla settimana mia madre apriva la
vetrinetta e dava la carica all'orologio; io osservavo
il pesante contrappeso che saliva e, se lei me lo per-

metteva, toccavo le lunghe campane di metallo che suonavano le ore e i quarti.

Nei miei quattro anni a Braefield, sentii dolorosamente la mancanza di quelle campane e a volte le sognavo di notte immaginando di essere a casa – solo per svegliarmi e trovarmi in un letto stretto, col materasso pieno di bozzi, il più delle volte bagnato dalla mia incontinenza. A Braefield fummo in molti a regredire, e quando bagnavamo o sporcavamo il letto venivamo picchiati senza pietà.

Nella primavera del 1943 il collegio di Braefield chiuse i battenti. Quasi tutti i bambini si erano lamentati con i genitori ed erano stati portati via. Io non mi lamentai mai (né lo fece Michael, che però, nel 1941, ormai tredicenne, era stato spostato al Clifton College) e alla fine mi ritrovai da solo, o quasi. Non seppi mai che cosa accadde esattamente – il preside scomparve, con la moglie e il figlio, odiosi; e alla fine delle vacanze, mi dissero solo che non sarei tornato a Braefield ma sarei andato in una nuova scuola.

Il St. Lawrence College (così mi sembrava) aveva un parco grande e maestoso, edifici antichi, alberi secolari – tutto molto bello, senza dubbio, ma mi terrorizzava. Braefield, con tutti i suoi orrori, almeno era familiare: conoscevo la scuola, conoscevo il villaggio, avevo anche un paio di amici; a St. Lawrence, invece, tutto mi era estraneo, sconosciuto.

Ho, stranamente, pochi ricordi del trimestre che vi passai – sembra che lo abbia così profondamente rimosso o dimenticato che quando ne parlai recentemente a una persona che mi conosce bene e sa moltissime cose del mio periodo a Braefield, rimase sbalordita e disse che non le avevo mai parlato prima di St. Lawrence. I miei principali ricordi, infatti, riguardano le bugie improvvise, gli scherzi, le fantasie o le illusioni che mi inventavo laggiù.

La domenica mattina, quando tutti gli altri bambini andavano nella cappella lasciando me, il piccolo ragazzo ebreo, da solo a scuola (cosa che non era mai accaduta a Braefield, dove la maggior parte degli alunni era ebrea), mi sentivo particolarmente solo. Una volta ci fu un gran temporale, con fulmini violenti e un tremendo fragor di tuoni – uno così terrificante e vicino che per un momento pensai avesse colpito la scuola. Quando gli altri ragazzi tornarono dalla funzione, continuai a ripetere che ero stato colpito da un fulmine, che mi «era entrato dentro» e s'era installato nel cervello.

Altre storie che m'inventavo avevano una relazione con la mia infanzia, o piuttosto con una mia versione alternativa, o con una fantasia, dell'infanzia. Raccontavo di essere nato in Russia (a quell'epoca la Russia era nostra alleata, e io sapevo che era il paese d'origine del mio nonno materno) e raccontavo storie lunghe, fantasiose, ricchissime di dettagli su allegre corse in slitta, sulla sensazione che si provava a starsene tutti avvolti nelle pellicce, e su quelle mute di lupi ululanti che inseguivano la nostra slitta di notte. Non ho ricordi di come fossero accolte queste mie storie, comunque restai fedele alla parte.

Altre volte raccontavo che i miei genitori, per qualche ragione, mi avevano abbandonato da piccolo, e che ero stato trovato da una lupa e allevato nel suo branco. Avevo letto *Il libro della giungla* – lo conoscevo quasi a memoria – ed ero in grado, rifacendomi ad esso, di ricamare «ricordi» ricchissimi di particolari, raccontando a un pubblico di ragazzini sbalorditi le vicende di Bagheera, la pantera nera, e di Baloo, il vecchio orso che mi aveva insegnato la Legge, e di Kaa, il mio amico serpente con cui nuotavo nel fiume, e di Hathi, il re della giungla, che aveva mille anni.

Quando ripenso a quell'epoca, mi sembra che fossi impregnato di sogni a occhi aperti e di miti, e che a volte non sapessi bene dove tracciare il confine tra fantasia e realtà. Forse stavo cercando di inventarmi un'identità assurda e al tempo stesso affascinante. Credo che a St. Lawrence il mio senso di isolamento e di abbandono siano stati ancor più forti che a Braefield – dove, almeno, le attenzioni sadiche del preside potevano essere percepite come una sorta di interesse, forse perfino di amore. Credo che ai tempi, probabilmente, io fossi in collera con i miei genitori, rimasti ciechi e sordi, o comunque non attenti, alla mia sofferenza, e che quindi cercassi di sostituirli con una coppia di russi gentili e affettuosi, o anche con un branco di lupi.

Quando, nel 1943, i miei genitori vennero a trovarmi a metà trimestre (occasione nella quale vennero forse a sapere delle mie strane fantasticherie e delle mie bugie) finalmente si resero conto che ero prossimo al limite, e che avrebbero fatto meglio a riportarmi a Londra prima che accadesse di peggio.

IV

« UN METALLO IDEALE »

Tornai a Londra nell'estate del 1943, dopo quattro anni di esilio: ero un bambino di dieci anni, introverso e per certi aspetti disturbato, ma con una passione per i metalli, le piante e i numeri. La vita stava cominciando a riassumere un certo grado di normalità, a dispetto della devastazione dei bombardamenti visibile ovunque, e nonostante i razionamenti, l'oscuramento e la carta sottile e povera con cui si stampavano i libri. I tedeschi erano stati respinti a Stalingrado e gli Alleati erano approdati in Sicilia; forse ci sarebbero voluti anni, ma ormai la vittoria era certa.

Un segno di questo, per me, fu il fatto che mio padre avesse ricevuto, attraverso una serie di intermediari, una cosa straordinaria: una banana proveniente dall'Africa. Nessuno di noi aveva più visto una banana dall'inizio della guerra, e così mio padre la divise, come officiando un rito sacramentale, in sette parti uguali; uno per mia madre e per lui, uno per zia Birdie, e un pezzo per me e ciascuno dei miei fratelli. Il minuscolo boccone fu posato sulla

lingua come un'ostia consacrata, per essere poi lentamente assaporato e ingoiato. Il gusto era voluttuo-
so, quasi estatico, allo stesso tempo un ricordo e un
simbolo dei tempi passati e un'anticipazione di
quelli a venire – un segno, forse addirittura un pe-
gno, del fatto che ero tornato a casa per restarci.

E tuttavia c'erano stati molti mutamenti, e perfino la casa era cambiata in modo sconcertante, per
vari aspetti completamente diversa dal focolare stabile e sicuro che era stata prima della guerra. Eravamo, io credo, una famiglia della classe media, ma al-
l'epoca quelle famiglie avevano un intero staff di
persone di servizio, molte delle quali rivestivano un
ruolo centrale nella vita dei ragazzi, che crescevano
con genitori impegnati e in una certa misura «as-
senti». C'era la nostra bambinaia più anziana, Yay,
che era stata da noi fin dai tempi della nascita di
Marcus, nel 1923 (non sono mai stato del tutto sicuro di come si scrivesse esattamente il suo nome, ma
immaginavo, dopo aver imparato a leggere, che fosse scritto «Yea» – avevo letto qualche passo della
Bibbia ed ero rimasto affascinato da parole come lo
e hark e yea). Poi c'era Marion Jackson, la mia bambinaia, alla quale ero attaccatissimo – mi hanno detto che le prime parole comprensibili che pronun-
ciai furono quelle del suo nome, ogni sillaba decla-
mata con infantile lentezza e concentrazione. Yay
indossava la cuffia e la divisa da balia, che a me sembrava in qualche modo severa e minacciosa; Marion
Jackson, invece, portava morbidi vestiti bianchi,
morbidi come le piume di un uccello, e io mi ran-
nicchiavo nel suo grembo come in un nido, senten-
domi completamente al sicuro.

Poi c'era Marie, la cuoca-governante, con il grem-
biule inamidato e le mani arrossate, e una donna «a
giornata» della quale ho dimenticato il nome, che
veniva ad aiutarla. Oltre a queste quattro donne,

c'erano Don, l'autista, e Swain, il giardiniere, che
sbrigavano i lavori pesanti di casa.

Pochissimo di tutto questo sopravvisse alla guerra. Yay e Marion Jackson scomparvero – ormai eravamo tutti «grandi». Il giardiniere e l'autista se n'e-
rano andati, e mia madre (ora cinquantenne) decise di guidare da sé la sua macchina. Marie avrebbe
dovuto tornare, ma non lo fece; era zia Birdie, al
suo posto, a fare la spesa e a occuparsi della cucina.[1]

Anche fisicamente, la casa era cambiata. Il carbone era diventato scarso, come qualsiasi altra cosa
durante la guerra, e la grande caldaia era stata chiusa. Al suo posto c'era una piccola stufa a combustibile liquido, di capacità molto limitata, e molte delle camere in più erano state chiuse.

Adesso che ero «cresciuto» mi venne assegnata
una stanza più grande – era stata la camera di Marcus, ma ormai sia lui che David erano all'università.
In camera avevo una stufetta a gas, una vecchia scri-
vania e una libreria a scaffali tutta per me, e per la
prima volta nella mia vita sentii di avere un luogo
mio, un mio spazio. Passavo ore nella mia stanza, a
leggere e a sognare sui numeri, la chimica e i metalli.

Soprattutto, ero felicissimo di poter andare di
nuovo a trovare zio Tungsteno – il *suo* luogo, almeno, sembrava relativamente immutato (sebbene il
tungsteno fosse diventato un po' scarso, a causa degli ingenti quantitativi necessari per produrre acciaio speciale per i mezzi corazzati). Penso che anche a lui facesse piacere ritrovare il suo giovane
protégé, giacché passava ore con me allo stabilimento
e nel suo laboratorio, rispondendo alle mie domande alla stessa velocità con cui gliele ponevo. Nel suo
ufficio c'era una serie di armadi con le antine di vetro, uno dei quali conteneva una collezione di lampadine elettriche: c'erano lampadine di Edison, risalenti ai primi anni Ottanta, con il filamento di co-

tone carbonizzato; una lampadina del 1897, col filamento di osmio; e diverse lampadine dei primi del
secolo, con filamenti di tantalio a zig-zag, simili a te-
le di ragno. E poi c'erano le lampadine più recenti –
motivo di particolare orgoglio per zio Dave, e suo
principale interesse, giacché di alcune egli stesso
era stato il pioniere – con filamenti di tungsteno di
ogni forma e dimensione. Ce n'era perfino una eti-
chettata «La lampadina del futuro?». Non aveva
filamento, ma accanto ad essa c'era un cartellino
che recava scritto *Rhenium*.

Avevo sentito parlare del platino, ma gli altri metalli – l'osmio, il tantalio, il renio – erano nuovi per
me. In una vetrina accanto a quella delle lampadine, zio Dave conservava qualche campione di ognuno di essi e anche di alcuni loro minerali. Mentre
li teneva in mano, si dilungava a descrivermi le loro qualità esclusive ed eccezionali e mi raccontava
com'erano stati scoperti, come venivano purificati e
perché fossero così adatti per produrre i filamenti.
Mentre zio Dave mi parlava dei metalli per i filamenti – i «suoi» metalli, nobili, densi, infusibili, lucenti – essi acquistavano ai miei occhi una desidera-
bilità e un significato del tutto speciali.

Una volta tirò fuori una pepita grigia dalla superficie butterata: «Pesa eh?» mi disse lanciando-
mela. «È una pepita di platino. È così che si trova, il
platino: pepite di metallo puro. La maggior parte
dei metalli è presente nei minerali sotto forma di
composto, insieme ad altre sostanze. Sono pochissi-
mi quelli che, come il platino, vengono rinvenuti allo stato nativo: solo l'oro, l'argento, il rame e un
paio di altri». Tutti questi altri metalli sono noti, mi
raccontava zio Dave, da migliaia di anni, ma il platino era stato «scoperto» solo duecento anni prima
perché, sebbene gli Inca lo apprezzassero da secoli,
nel resto del mondo era sconosciuto. Al principio,
l'«argento pesante» fu considerato come una fasti-

diosa impurezza, un adulterante dell'oro; i minatori
lo buttavano via scaricandolo dove il fiume era più
profondo, in modo che non «contaminasse» ulteriormente i loro recipienti. Verso la fine del diciottesimo secolo, però, il nuovo metallo aveva ormai
incantato tutta l'Europa: più denso e più pesante
dell'oro, come l'oro era «nobile» e non anneriva
mai. Aveva una lucentezza simile a quella dell'argento (il suo nome spagnolo, *platina*, significava
«piccolo argento»).

Il platino era spesso rinvenuto insieme ad altri
due metalli, l'iridio e l'osmio, ancora più densi, più
duri e più refrattari. A questo punto zio Dave prendeva alcuni campioni perché io li maneggiassi: semplici frammenti non più grandi di lenticchie, ma incredibilmente pesanti. Erano pezzi di «osmiridio»,
una lega naturale di osmio e iridio, le due sostanze
più dense esistenti al mondo. C'era qualcosa nella
pesantezza e nella densità che, sebbene non sapessi
perché, mi emozionava e mi dava un'immensa sensazione di sicurezza e consolazione. L'osmio, oltre-
tutto, fra i metalli del gruppo del platino era quello
con il più alto punto di fusione, e zio Dave mi
spiegò che per questo motivo a un certo punto era
stato usato, nonostante fosse raro e costoso, per sostituire il platino nei filamenti delle lampadine.

La grande virtù dei platinoidi stava nel fatto che,
sebbene fossero nobili e lavorabili come l'oro, avevano un punto di fusione molto più alto, che ne faceva materiali ideali per le apparecchiature chimiche. I crogioli di platino potevano resistere alle temperature più elevate; i recipienti e le spatole di platino resistevano all'azione degli acidi più corrosivi.
Zio Dave estrasse da una vetrina un piccolo crogiolo
meravigliosamente liscio e lucente. Sembrava nuovo fiammante. «Fabbricato intorno al 1840» dichiarò. «Usato per un secolo – e quasi non mostra
segni di usura».

Jack, il primogenito di mio nonno, aveva quattordici anni quando, nel 1867, furono scoperti i giacimenti diamantiferi nei pressi di Kimberley, in Sudafrica, ed ebbe inizio la grande corsa ai diamanti. Negli anni Ottanta Jack, e insieme a lui i due fratelli Charlie e Henry (quest'ultimo, nato sordo, si esprimeva col linguaggio dei segni), andarono a far fortuna in Sudafrica come consulenti nelle miniere di diamanti, uranio e oro, accompagnati dalla sorella Rose. Nel 1873 il nonno si risposò, ed ebbe altri tredici figli, e le leggende di famiglia – forse una combinazione delle vicende dei figli più grandi, dei racconti di Rider Haggard sulle miniere di Re Salomone e delle vecchie leggende sulla Valle dei Diamanti – indussero Sydney e Abe, due figli di secondo letto, a raggiungere i fratellastri in Africa. Più tardi Dave e Mick, due dei fratelli più giovani, si unirono anch'essi agli altri già partiti, così che ci fu un momento in cui ben sette dei nove fratelli Landau lavoravano come consulenti minerari in Africa.

C'è una fotografia che un tempo era appesa in casa nostra e ora è nella mia: un gruppo di famiglia immortalato nel 1902 – il nonno, con la barba e l'aria patriarcale, la sua seconda moglie, Chaya, e i loro tredici figli. Mia madre vi compare bambina di sei o sette anni, mentre la sorellina Dooggie – l'ultima dei diciotto – come una cosina soffice sul pavimento. Guardando attentamente si capisce che le immagini di Abe e Sydney furono montate in un secondo tempo (il fotografo aveva disposto gli altri membri della famiglia in modo che restasse spazio per loro): all'epoca, infatti, erano ancora in Sudafrica – bloccati lì, e forse in pericolo, a causa della guerra boera.[2]

I fratellastri più anziani, che si erano sposati e ormai avevano messo radici in Sudafrica, rimasero laggiù. Sebbene in famiglia continuassero a circolare storie sul loro conto, amplificate dalla mitopoiesi fa-

miliare fino a diventare leggenda, essi non misero
più piede in Inghilterra. I fratelli più giovani, invece, e cioè Sydney, Abe, Mick e Dave, fecero ritorno
in patria allo scoppio della prima guerra mondiale,
armati di racconti esotici e di trofei – compresi minerali di ogni genere – che testimoniavano dei loro
anni in miniera.

A zio Dave piaceva maneggiare i metalli e i minerali riposti nella sua vetrina, lasciarmeli toccare
e parlarmi a lungo delle loro meraviglie. Credo
che considerasse tutta la Terra come un gigantesco
laboratorio naturale, dove calore e pressione inne-
scavano non solo imponenti movimenti geologici,
ma anche innumerevoli miracoli chimici. «Guarda
questi diamanti» mi diceva, mostrandomi un e-
semplare dalla famosa miniera di Kimberley. «Sono vecchi quasi quanto la Terra. Si sono formati
migliaia di milioni di anni fa, nelle viscere della
Terra, in condizioni di pressione inimmaginabili.
Poi furono portati in superficie sotto forma di kimberlite, percorrendo centinaia di chilometri, dal
mantello terrestre attraverso la crosta, fino a raggiungere lo strato più esterno. Probabilmente non
riusciremo mai a vedere direttamente l'interno
della Terra, ma la kimberlite con i suoi diamanti è
un campione di come dev'essere». E soggiunse:
«Qualcuno ha provato a fabbricare i diamanti, ma
l'uomo non è in grado di raggiungere le temperature e le pressioni necessarie».[3]

Durante una delle mie visite, zio Dave mi mostrò
un grosso lingotto di alluminio. Dopo aver saggiato
la densità dei metalli affini al platino, rimasi meravi-
gliato dalla sua leggerezza – era appena più pesante
di un pezzo di legno. «Ti mostrerò una cosa interessante» mi disse. Prese un pezzo di alluminio più piccolo, dalla superficie levigata e lucente, e lo cospar-
se di mercurio. Tutt'a un tratto – come se l'avesse

colpita una terribile malattia – la superficie dell'alluminio si ruppe e da essa fuoriuscì rapidamente una sostanza bianca simile a un fungo, che divenne alta mezzo centimetro, poi un centimetro e mezzo, e continuò a crescere e a crescere finché l'alluminio non ne fu completamente corroso. «Tu hai già visto che il ferro arrugginisce ossidandosi, cioè combinandosi con l'ossigeno dell'aria» mi disse zio Dave. «Ma qui, nel caso dell'alluminio, il processo è un milione di volte più veloce. Quel grosso lingotto è ancora abbastanza lucente perché è coperto da un sottile strato di ossido che lo protegge da ulteriori cambiamenti. Ma se lo si strofina con il mercurio, lo strato superficiale va via, e l'alluminio, ormai senza alcuna protezione, si combina con l'ossigeno nell'arco di qualche secondo».

Tutto questo – vedere un metallo lucente e scintillante ridursi così velocemente a una massa di ossido che si sgretolava – mi sembrava magico, sorprendente, e anche un po' spaventoso. Mi faceva pensare a una maledizione o a un incantesimo, a quel genere di disintegrazione a cui a volte assistevo nei miei sogni. Mi faceva pensare al mercurio come a una forza del male, il distruttore dei metalli. Avrebbe fatto lo stesso a qualsiasi metallo?

«Non preoccuparti» mi rispose zio Dave. «I metalli che usiamo qui sono perfettamente al sicuro. Se mettessi questo piccolo lingotto di tungsteno nel mercurio, non gli accadrebbe nulla. Se lo riponessi per un milione di anni, lo ritroverei brillante e lucente come adesso». In un mondo tanto precario, dunque, almeno il tungsteno era stabile.

«Hai visto» proseguì zio Dave «che quando lo strato superficiale viene corroso, l'alluminio si combina molto rapidamente con l'ossigeno dell'aria per formare quest'ossido bianco che si chiama allumina. È un po' come quando arrugginisce il ferro; la ruggine è un ossido di ferro. Alcuni metalli sono così avidi di ossigeno che si combinano con esso – annerendo e formando un ossido – nel momento stesso in cui sono esposti all'aria. Alcuni arrivano addirittura al punto di estrarre l'ossigeno dall'acqua, e quindi vanno tenuti in un recipiente sigillato, immersi nell'olio». Zio Dave mi mostrò alcuni pezzi di metallo dalla superficie biancastra in un flacone di olio. Ne pescò uno e lo tagliò col suo temperino. Rimasi stupito da quanto fosse tenero; non avevo mai visto tagliare un metallo in quel modo. La superficie di taglio era d'una lucentezza brillante, argentea. Era calcio, mi spiegò, ed era così attivo che non si trovava mai in natura come metallo puro, ma solo sotto forma di composti o minerali dai quali doveva essere estratto. Le bianche scogliere di Dover, mi disse, erano di gesso; altre erano fatte di calcare – entrambe forme diverse di carbonato di calcio, uno dei principali componenti della crosta terrestre. Intanto, mentre parlavamo, il calcio metallico si era completamente ossidato, e la sua superficie lucente era diventata bianca, opaca, simile a gesso. «Sta diventando calce,» disse zio Dave «ossido di calcio».

Prima o poi, comunque, i soliloqui e le dimostrazioni di zio Dave davanti alla vetrina dei campioni convergevano tutti sul *suo* metallo. «Tungsteno» diceva. «Al principio nessuno si rese conto di quanto fosse perfetto. Ha il più alto punto di fusione fra tutti i metalli, è più resistente dell'acciaio e mantiene la sua forza anche ad alte temperature: un metallo ideale!».

Zio Dave aveva nel suo ufficio diverse barrette e lingotti di tungsteno. Usava alcuni di questi oggetti come fermacarte, ma altri non avevano nessuna funzione identificabile, salvo quella di compiacere il loro proprietario e fabbricante. E in effetti, al confronto, le barre d'acciaio e perfino quelle di piombo sembravano leggere e un poco porose. «Questi pezzi di tungsteno hanno una concentrazione di massa straordinaria» mi diceva. «Sarebbero proiettili mortali – molto più del piombo».

Al principio del secolo, aggiunse, qualcuno aveva provato a fabbricare palle di cannone con il tungsteno, ma il metallo s'era rivelata troppo difficile da lavorare – sebbene a volte fosse usato per i pesi degli orologi a pendolo. Se si volesse pesare la Terra, ipotizzava zio Dave, usando come «contrappeso» una massa molto densa e compatta, non ci sarebbe nulla di più adatto di un'enorme sfera di tungsteno. Una palla di soli sessanta centimetri di diametro, calcolò, sarebbe pesata più di due tonnellate.

Zio Dave mi raccontò che la scheelite, uno dei minerali del tungsteno, era stata chiamata così in onore del grande fisico svedese Carl Wilhelm Scheele, il quale era stato il primo a dimostrare che conteneva un nuovo elemento. Il minerale era talmente denso che i minatori lo chiamavano *tung sten*, «pietra pesante», nome successivamente attribuito allo stesso elemento. La scheelite fu scoperta sotto forma di bellissimi cristalli color arancione che, esposti alla luce ultravioletta, emettevano una fluorescenza azzurro brillante. Zio Dave teneva in ufficio alcuni campioni di scheelite e di altri minerali fluorescenti in una vetrina speciale. In una sera di novembre, la tenue luce di Farringdon Road parve trasformata quando egli accese la sua lampada Wood e i pezzi di metallo luminescenti riposti nella vetrina improvvisamente presero a emettere bagliori arancione, turchese, cremisi e verdi.

Sebbene la scheelite fosse la più importante fonte di tungsteno, il metallo era stato ottenuto per la prima volta da un altro minerale, la wolframite. E in effetti a volte il tungsteno era chiamato wolframio, e conservava ancora il simbolo chimico W. Tutto questo mi eccitava, perché il mio secondo nome era Wolf. Abbondanti filoni di minerali di tungsteno si trovavano spesso associati a minerali di stagno, e in tal caso il tungsteno rendeva più difficile isolare lo stagno. Ecco perché, continuava zio Dave, il metallo era stato originariamente chiamato wolframio – perché proprio come un animale affamato,* «predava» lo stagno. Mi piaceva il nome *wolframio,* quella sua spiccata animalità, quel suo evocare un mistico lupo predatore – e pensavo ad esso come a un legame fra zio Tungsteno – zio Wolfram – e me stesso, O. Wolf Sacks.

«La natura ci offre il rame e l'argento e l'oro allo stato nativo, ossia come metalli puri,» mi spiegava zio Dave «e nell'America meridionale e negli Urali ci regala anche i metalli affini al platino». Gli piaceva estrarre dalla vetrina i metalli nativi: fili ritorti e pezzetti lucenti di rame rosato; argento duro e annerito; grani d'oro estratti dai minatori in Sudafrica. «Pensa» diceva «come dev'essere stato vedere un metallo per la prima volta – un improvviso sfavillio di luce solare riflessa, improvvisi fulgori su una roccia o nel fondo di un corso d'acqua!».

La maggior parte dei metalli, però, si trovava sotto forma di ossidi, o «terre». Le terre, mi disse, erano minerali conosciuti per la loro insolubilità, incombustibilità e infusibilità e per essere, come scrisse un chimico del diciottesimo secolo, «spogliati del loro splendore metallico». Ciò nondimeno, ci si rese conto che erano vicinissime ai metalli e potevano essere convertite in essi se riscaldate con il carbone; viceversa, i metalli puri, se riscaldati all'aria, si convertivano in questi ossidi. Che cosa davvero accadesse in questi processi, tuttavia, non era stato compreso. Una profonda conoscenza pratica, mi spiegava zio Dave, può precedere di molto la teoria; in termi-

* L'etimologia della parola rimanda a *Wolf,* «lupo», in varie lingue anglosassoni [*N.d.T.*].

ni pratici si sapeva che era possibile fondere i minerali e ottenere i metalli, sebbene mancasse una corretta comprensione di ciò che realmente accadeva nel processo.

Zio Dave ricostruì per me la prima fusione di un metallo: era possibile che gli uomini delle caverne avessero usato rocce contenenti un minerale del rame – forse della malachite verde – per delimitare un fuoco su cui cuocere il cibo, e all'improvviso si fossero accorti che, mentre il legno carbonizzava, la roccia verde stava sanguinando, trasformandosi in un liquido rosso, il rame fuso.

Oggi sappiamo, proseguiva zio Dave, che quando si riscaldano gli ossidi metallici con il carbone, il carbonio presente in quest'ultimo si combina con il loro ossigeno «riducendoli» e liberando il metallo puro. Se non avessimo acquisito la capacità di ridurre i metalli presenti negli ossidi, diceva zio Dave, non avremmo conosciuto metallo alcuno – a parte quei pochi che si rinvengono allo stato nativo. Non ci sarebbe mai stata un'età del bronzo, e meno che mai un'età del ferro; né sarebbero mai state possibili le affascinanti scoperte del diciottesimo secolo, quando furono estratti diciotto nuovi metalli (compreso il tungsteno!) dai loro minerali.

Zio Dave mi mostrò un poco di ossido tungstico puro ottenuto dalla scheelite, la stessa sostanza preparata a suo tempo dagli scopritori del tungsteno, Scheele e i fratelli d'Elhuyar.[4] Presi la bottiglia dalle sue mani; conteneva una polvere gialla densa e sorprendentemente pesante – pesante quasi come il ferro. «Non dobbiamo far altro che riscaldarla con un po' di carbonio in un crogiolo, fino a portarla al calor rosso». Mescolò l'ossido giallo al carbonio e mise il crogiolo in un angolo dell'enorme forno. Pochi minuti dopo, lo estrasse con delle lunghe tenaglie e non appena si fu raffreddato, potei constatare che era avvenuto un cambiamento emozionante. Il carbonio se n'era andato, come gran parte della polvere gialla, e al loro posto c'erano alcuni granuli d'un metallo grigio debolmente lucente, lo stesso che avevano visto i fratelli d'Elhuyar nel 1783.

«Esiste anche un altro modo per ottenerlo» mi disse zio Dave. «È più spettacolare». Mescolò un poco di ossido tungstico con alluminio finemente polverizzato, e poi aggiunse dello zucchero, del perclorato di potassio e qualche goccia di acido solforico. Lo zucchero, il perclorato e l'acido presero immediatamente fuoco, accendendo l'alluminio e l'ossido tungstico, che bruciarono furiosamente emettendo una pioggia di scintille luminose. Quando le scintille si esaurirono, vidi nel crogiolo un globulo di tugsteno, ancora bianco incandescente. «Questa è una delle reazioni più violente in assoluto» mi spiegò zio Dave. «Lo chiamano processo alluminotermico; puoi capire perché. È capace di generare una temperatura anche superiore ai 3000 °C – sufficiente a fondere il tungsteno. Avrai visto che ho dovuto usare un crogiolo speciale, rivestito di ossido di magnesio, affinché resistesse alla temperatura. È un lavoro delicato, i recipienti possono esplodere se non si fa attenzione – in guerra, naturalmente, questo processo era usato per le bombe incendiarie. Ma, nelle condizioni giuste, è un metodo meraviglioso, ed è stato impiegato per ottenere tutti i metalli difficili: cromo, molibdeno, tungsteno, titanio, zirconio, vanadio, niobio e tantalio».

Raschiammo dal crogiolo i grani di tungsteno, li sciacquammo attentamente in acqua distillata, li esaminammo con la lente d'ingrandimento e li pesammo. Zio Dave tirò fuori un minuscolo cilindro graduato da 0,5 ml, lo riempì d'acqua fino alla tacca di 0,4 ml e poi vi immerse i grani di tungsteno. Il livello dell'acqua salì di un ventesimo di millimetro. Presi nota delle cifre esatte e le usai per i miei calcoli – giacché il nostro campione di tungsteno pesava un po' meno di un grammo, aveva una densità di 19. «Molto bene,» disse zio Dave «questo è proprio il valore ricavato dai d'Elhuyar quando lo calcolarono la prima volta negli anni Ottanta del diciottesimo secolo.

«Ci sono diversi metalli, qui, tutti sotto forma di piccoli grani. Perché non ti eserciti un po' a pesarli, a misurarne il volume e a calcolarne la densità?». Passai un'ora intera in questa eccitante occupazione e scoprii che i campioni di zio Dave coprivano una gamma smisurata di densità: si passava da un metallo argenteo, un poco annerito, con una densità inferiore a 2, a uno dei suoi grani di osmiridio – lo avevo riconosciuto – quasi dodici volte più denso. Quando effettuai il calcolo su un piccolo grano giallo, trovai che la sua densità era esattamente quella del tungsteno: 19,3, per la precisione. «Vedi,» mi spiegò zio Dave «la densità dell'oro è quasi uguale a quella del tungsteno, mentre l'argento è molto più leggero. È facile accorgersi della differenza fra l'oro puro e l'argento dorato – ma sarebbe difficile distinguere del tungsteno placcato in oro».

Scheele era uno dei grandi eroi di zio Dave. Non solo aveva scoperto l'acido tungstico e l'acido molibdico (dal quale venne ottenuto il nuovo elemento, il molibdeno), ma anche l'acido fluoridrico, l'idrogeno solforato, l'arsina, l'acido prussico e una dozzina di acidi organici. E tutto questo – non mancava di sottolineare zio Dave – per conto suo, senza assistenti, senza fondi, senza un incarico universitario che gli garantisse un salario, ma lavorando da solo, cercando di far quadrare i conti come farmacista in una cittadina della provincia svedese. Aveva scoperto anche l'ossigeno – non per puro caso, ma producendolo in diversi modi – e il cloro; e indicò la strada da seguire per la scoperta del manganese, del bario e di una dozzina di altre sostanze.

Scheele, mi raccontava zio Dave, era interamente consacrato al suo lavoro; non dava alcun peso alla fama e al denaro e condivideva le sue conoscenze, quali che fossero, con chiunque. Ero impressionato dalla generosità di Scheele, non meno che da quel suo essere pieno di risorse, dal modo in cui (a tutti gli effetti) egli regalò la vera e propria scoperta di alcuni elementi ad allievi e amici: quella del manganese a Johan Gahn, quella del molibdeno a Peter Hjelm e quella dello stesso tungsteno ai fratelli d'Elhuyar.

Si diceva che Scheele non dimenticasse mai nulla che fosse legato alla chimica. Non dimenticava mai l'aspetto, la consistenza o l'odore di una sostanza, né il modo in cui essa si trasformava nel corso delle reazioni chimiche; e non dimenticava nemmeno qualsiasi cosa avesse letto o sentito dire sui fenomeni della chimica. Sembrava indifferente o distratto nei confronti di moltissime altre cose, poiché era consacrato a un'unica grande passione: la chimica. Fu proprio questo assorbimento completo e appassionato nei fenomeni – questo suo osservare tutto senza dimenticare nulla – a costituire il punto di forza di Scheele.

Per me, Scheele era la personificazione della poesia della scienza. Mi sembrava che nella storia d'amore inestinguibile di chi dedica un'intera vita alla scienza ci fossero un'integrità e una bontà essenziali. Non avevo mai pensato molto a che cosa avrei fatto da «grande» – era difficilissimo anche solo pensare di crescere – ma adesso lo sapevo: volevo fare il chimico. Un chimico come Scheele, un chimico del diciottesimo secolo che si affacciava al vasto orizzonte della sua nuova scienza, capace di contemplare tutto il mondo delle sostanze naturali e dei minerali ancora in attesa di essere scoperti, di analizzarli, di sondare i loro segreti e di scoprire le meraviglie di nuovi metalli sconosciuti.

V
LUCE PER LE MASSE

Come molti dei suoi fratelli e delle sue sorelle, e come il padre di tutti loro, zio Tungsteno era una complessa miscela, un intellettuale e al tempo stesso un tipo pratico. Amava la chimica, ma non era un chimico «puro» come Mick, suo fratello minore; in Dave c'era anche l'imprenditore, l'uomo d'affari. Era un industriale ed economicamente stava abbastanza bene – le lampadine e i tubi a vuoto di sua produzione si vendevano sempre senza difficoltà, e questo gli bastava. Aveva una conoscenza personale e amichevole, fin nei dettagli, di tutti quelli che lavoravano per lui. Non aveva alcun desiderio di espandere la sua attività, di farla diventare enorme, cosa che avrebbe potuto fare facilmente. Rimase, com'era stato fin dall'inizio, un appassionato dei metalli e dei materiali, infinitamente affascinato dalle loro proprietà. Passava centinaia di ore a controllare i processi che si svolgevano nei suoi stabilimenti: la sinterizzazione e la trafilatura del tungsteno, la fabbricazione delle matasse e dei supporti di molibdeno per i filamenti, l'operazione di riempimento del-

le lampadine con l'argon nella vecchia fabbrica di
Farringdon, la soffiatura dei bulbi di vetro e la loro
smerigliatura con l'acido fluoridrico nel nuovo stabilimento di Hoxton. In realtà non era necessario
che facesse tutto questo – disponeva di collaboratori competenti e le sue apparecchiature funzionavano perfettamente; il fatto è che gli piaceva farlo, e a
volte mentre era lì pensava a come perfezionare le
procedure esistenti o all'introduzione di nuovi processi. Zio Dave non aveva un reale bisogno dei laboratori, piccoli ma splendidamente attrezzati, che
aveva allestito nei suoi stabilimenti; ma era un uomo curioso e non poteva fare a meno dei suoi esperimenti, e benché in qualche caso essi avessero applicazioni immediate per l'attività industriale, molti,
per quanto mi era dato di capire, li effettuava per il
puro piacere che ne traeva – per divertimento insomma. Né aveva un reale bisogno di conoscere, come in effetti conosceva, fin nei minimi dettagli enciclopedici, la storia dell'illuminazione e delle lampadine a incandescenza, o quella della chimica e della
fisica alla base di queste tecnologie. Piuttosto, desiderava sentirsi parte di una tradizione – tradizione
che al tempo stesso era scienza pura, scienza applicata, artigianato e industria.

Con la lampadina a incandescenza – amava raccontare zio Dave – uno dei sogni di Edison, quello
della luce per le masse, era finalmente divenuto
realtà. Se qualcuno avesse potuto osservare la Terra
dallo spazio esterno e l'avesse vista ruotare e tuffare
ogni ventiquattr'ore il suo volto illuminato nell'ombra della notte, avrebbe visto, nelle pieghe di quel-
l'oscurità, milioni, anzi centinaia di milioni di lampadine accendersi e far luce col loro tungsteno riscaldato al calor bianco e avrebbe così capito che
l'uomo aveva finalmente sconfitto le tenebre. Secondo zio Dave, la lampadina aveva mutato le con-

suetudini sociali e la vita umana più di qualsiasi altra invenzione a cui gli venisse di pensare.

Per molti aspetti, mi raccontava zio Dave, la storia delle scoperte chimiche fu inseparabile dalle ricerche sulla luce. Prima del 1800 c'erano solo le candele o le semplici lampade a olio che erano state usate per migliaia di anni. La loro luce era debole, e le strade erano buie e pericolose, al punto che se non c'era la luna piena non si poteva uscire di notte, a meno di non portarsi dietro una lanterna. C'era un enorme bisogno di una forma di illuminazione efficiente che si prestasse a un uso pratico e sicuro nelle case come sulle strade.

Al principio del diciannovesimo secolo fu introdotta l'illuminazione stradale a gas, e se ne sperimentarono diverse forme. Ugelli diversi producevano fiamme di forma diversa: c'era l'ala di pipistrello, la coda di pesce, e poi lo sperone e la cresta di gallo – mi piacevano questi nomi, mentre zio Dave me li snocciolava, proprio come mi piacevano le belle forme delle fiamme.

D'altra parte, le fiamme a gas, con i bagliori delle loro particelle di carbonio, non erano molto più luminose delle candele. Occorreva qualcos'altro, un materiale che potesse dare una luce di speciale intensità una volta riscaldato in una fiamma a gas. Questa sostanza era l'ossido di calcio – la calce (*lime*) – che, debitamente riscaldato, emetteva un'intensa luce bianco-verdastra. Questa *limelight*, disse zio Dave, era stata scoperta intorno al 1820, e in origine era stata utilizzata per le luci di scena dei teatri: ecco perché nel mondo dello spettacolo si continuava a parlare di riflettori *limelight*, anche se non si usava più la calce per l'incandescenza. Si poteva ottenere una luce ugualmente brillante impiegando anche altre terre – ossidi di zirconio, torio, magnesio, alluminio, e zinco. («Si chiama *zincia*?» chiesi, incuriosito dallo zinco.* «No,» rispose zio Dave sorridendo «non l'ho mai sentito chiamare così»).

Verso il 1870 fu chiaro che alcune miscele emettevano una luce più intensa di qualsiasi ossido preso singolarmente. Nel 1891, dopo innumerevoli esperimenti, l'austriaco Auer von Werlsbach scoprì la combinazione ideale: una miscela al 99 per cento di ossido di torio e all'1 per cento di ossido di cerio. Questo rapporto era assolutamente critico: miscele 100:1 o 98:1 si dimostrarono infatti meno efficaci.

Fino a quel punto si era usato ossido in barrette o bastoncini, ma Auer scoprì che con «un tessuto di forma appropriata», una reticella di ramia, si sarebbe potuto impregnare con la miscela una superficie maggiore, ottenendo una luce più brillante. Queste reticelle avrebbero rivoluzionato l'illuminazione a gas, rendendola competitiva con la luce elettrica, che muoveva allora i primi passi.

Mio zio Abe, di qualche anno maggiore di zio Dave, conservava un vivo ricordo di quella scoperta, e di come la loro casa di Leman Street, in precedenza dotata di un'illuminazione un po' fioca, si fosse improvvisamente trasformata grazie alle nuove reticelle a incandescenza. Si ricordava anche di una grande corsa al torio: nell'arco di qualche settimana, il prezzo dell'elemento decuplicò e cominciò una ricerca disperata di nuove fonti da cui procurarselo.

Anche Edison, in America, era un pioniere della sperimentazione sull'incandescenza delle terre rare, ma non ebbe il successo di Auer, e verso la fine degli anni Settanta si dedicò al perfezionamento di un tipo di luce diversa – una luce elettrica. In Inghilterra, negli anni Sessanta, Joseph Swan e diversi

---

* In inglese, le denominazioni dei primi quattro composti citati sono *zirconia*, *thoria*, *magnesia*, *alumina*, laddove l'ossido di zinco è semplicemente *zinc oxide* [N.d.T.].

altri ricercatori avevano cominciato a sperimentare lampadine con filamento in platino (zio Dave ne aveva alcune nella sua vetrina), ed Edison, amante della competizione, decise di raccogliere la sfida. Come Swan, si trovò tuttavia dinnanzi a una grave difficoltà: il punto di fusione del platino, per quanto elevato, non lo era abbastanza.

Edison sperimentò molti altri metalli con punto di fusione superiore, ma nessuno si rivelò adatto come materiale per i filamenti. Poi, nel 1879, ebbe un lampo di genio. Il carbonio aveva un punto di fusione molto più alto di qualsiasi metallo – nessuno era mai riuscito a fonderlo – e sebbene conducesse l'elettricità, aveva un'elevata resistenza, il che l'avrebbe fatto riscaldare e reso incandescente più facilmente. Edison tentò di fabbricare spirali di carbonio elementare simili alle spirali metalliche dei primi filamenti; le spirali di carbonio, però, si rompevano. La soluzione – quasi assurda nella sua semplicità, sebbene per arrivarci fosse occorso un colpo di genio da parte sua – fu di prendere della fibra organica (carta, legno, bambù, fili di lino o di cotone) e bruciarla, lasciando uno scheletro di carbonio sufficientemente robusto per stare insieme e condurre una corrente. Se questi filamenti erano inseriti in un bulbo in cui era stato praticato il vuoto, la lampadina così ottenuta poteva fornire luce costante per centinaia di ore.

Le lampadine di Edison aprirono la strada a una vera e propria rivoluzione – sebbene, naturalmente, dovessero essere collegate a un sistema interamente nuovo di dinamo e linee elettriche. «La prima centrale elettrica utilizzata per l'illuminazione fu costruita da Edison proprio qui nel 1882» disse zio Tungsteno, portandomi alla finestra e accennando alle strade sottostanti. «Furono installate grandi dinamo a vapore sul viadotto Holburn, laggiù, che alimentavano tremila lampadine elettriche sia lungo il viadotto che su Farringdon Bridge Road».

I successivi anni Ottanta videro il dominio delle lampadine elettriche e la costituzione di un'intera rete di centrali e linee elettriche. Nel 1891, comunque, le reticelle a incandescenza di Auer, assai efficienti ed economiche (anche perché sfruttavano le linee a gas già esistenti), rappresentavano una concorrenza temibile per la giovane industria elettrica. I miei zii mi avevano raccontato della competizione fra l'illuminazione elettrica e quella a gas, a cui avevano assistito in gioventù, e di come l'ago della bilancia continuasse a spostarsi a favore dell'una o dell'altra soluzione. Nell'incertezza sull'esito finale del confronto, molte abitazioni di quell'epoca – compresa la nostra – mantenevano il doppio sistema. (Dopo cinquant'anni, quand'ero un ragazzo, molte strade di Londra, soprattutto nella City, erano ancora illuminate con lampade a gas, e a volte, al crepuscolo, capitava di vedere il lampionaio col suo lungo bastone andare da un lampione all'altro, accendendoli uno per uno. Mi piaceva starlo a guardare).

Nonostante tutti i loro pregi, d'altra parte, i filamenti di carbonio presentavano dei problemi. Erano fragili, e con l'uso lo diventavano ancora di più. Senza contare che funzionavano solo a temperature relativamente basse, e quindi davano una luce gialla e opaca, e non di un bianco brillante.

C'era un modo per risolvere questo problema? Occorreva un materiale con un punto di fusione alto quasi come quello del carbonio, o almeno intorno a 3000 °C, dotato però di una robustezza che un filamento di carbonio non avrebbe mai potuto avere; si conoscevano solo tre metalli con queste caratteristiche: l'osmio, il tantalio e il tungsteno. A questo punto del racconto, zio Dave sembrava animarsi. Aveva un'ammirazione sconfinata per il genio di Edison, ma i filamenti di carbonio, questo era evi-

dente, non gli erano simpatici. Pensava che un filamento come si deve potesse essere solo di metallo,
giacché solo i metalli possono essere tirati in fili
adatti allo scopo. Un filamento di fuliggine, diceva
arricciando il naso con una nota di disprezzo, era
una contraddizione in termini, ed era davvero sorprendente che tenesse tanto bene.

Le prime lampade con filamento di osmio furono
fabbricate da Auer nel 1897 (zio Dave ne aveva una
nella sua vetrina), ma l'osmio era rarissimo – la produzione mondiale totale non arrivava a sette chilogrammi all'anno – e costava un'enormità. Senza
contare che era quasi impossibile tirare l'osmio in
fili, e quindi la polvere d'osmio doveva essere misce-
lata a un legante, immessa in uno stampo, e successivamente sottoposta a trattamento per bruciare e
rimuovere il legante. Come se non bastasse, questi
filamenti di osmio erano estremamente delicati e se
le lampadine venivano capovolte si rompevano.

Il tantalio era conosciuto da un secolo o forse più,
sebbene vi fossero sempre state grandi difficoltà a
purificarlo e a lavorarlo. Nel 1905 si riuscì a purificarlo abbastanza per poterlo tirare in fili, e iniziò
così la produzione in serie di lampadine a incandescenza economiche, competitive con quelle con filamento di carbonio, cosa impossibile nel caso dell'o-
smio. Per ottenere la resistenza necessaria ci voleva
però un filo finissimo e lungo, disposto a zig-zag nel-
l'ampolla in modo da costituire un complesso filamento a forma di gabbia. Sebbene a elevata temperatura il tantalio si ammorbidisse un poco, questi
filamenti ebbero comunque un grande successo, e
finirono col mettere in difficoltà l'egemonia dell'illuminazione a gas. «All'improvviso,» raccontava zio
Dave «le lampadine al tantalio presero a fureg-
giare».

E continuarono a farlo fino allo scoppio della prima guerra mondiale; tuttavia, anche nel periodo

che coincise con l'acme della loro popolarità, erano
in corso esperimenti con un altro metallo. Le prime
lampade con filamento di tungsteno effettivamente
utilizzabili furono prodotte nel 1911, e potevano
funzionare per breve tempo a temperature altissi-
me, sebbene si annerissero subito a causa dell'evaporazione del tungsteno e della sua deposizione sulla superficie interna del vetro. Questo mise alla prova la genialità di Irving Langmuir, un chimico americano che suggerì l'uso di un gas inerte che eserci-
tasse una pressione positiva sul filamento, riducen-
done così l'evaporazione. Occorreva un gas assolutamente inerte, e un ovvio candidato fu l'argon, isolato quindici anni prima (sebbene non fosse ancora
disponibile, se non in piccole quantità per l'uso da
laboratorio). Tuttavia, il gas inerte sollevò un altro
problema: la massiccia perdita di calore per conve-
zione attraverso il gas. Langmuir comprese che la
soluzione era costituita da un filamento il più possibile compatto – un'elica strettamente avvolta, e non
una struttura aperta a tela di ragno. Questo avvolgimento poteva essere di tungsteno, e nel 1913 il quadro era completo: un filo di tungsteno tirato molto
sottile, in eliche avvolte strettamente, il tutto posto
in un bulbo di vetro riempito di argon. Era evidente
che il tantalio aveva le ore contate, e che il tungsteno – più resistente, più economico, più funzionale –
lo avrebbe rimpiazzato (ciò avvenne però solo dopo
la guerra, quando l'argon si rese disponibile in
quantità industriali). Fu a questo punto che molti si
diedero alla fabbricazione di lampadine al tungsteno; zio Dave e diversi suoi fratelli (e tre fratelli di
sua moglie, i Wechsler, anch'essi chimici) misero insieme le loro risorse e fondarono un'azienda loro,
la Tungstalite.

A zio Dave piaceva raccontarmi questa saga, vissu-
ta in gran parte in prima persona, e i cui pionieri
erano per lui veri e propri eroi – anche perché era-

no stati capaci di combinare la passione per la scienza pura con un forte senso pratico e l'inclinazione per gli affari. (Langmuir, mi raccontò, fu il primo chimico industriale a vincere un premio Nobel).

Le lampadine di zio Dave erano più grandi di quelle della Osram, della General Electric o di altre sul mercato – più grandi, più pesanti e quasi assurdamente robuste –, apparentemente destinate a durare per l'eternità. A volte morivo dalla voglia che si esaurissero, per avere la possibilità di romperle (cosa non facile) ed estrarre il filamento di tungsteno e il supporto di molibdeno, e divertirmi poi ad andare nel sottoscala, nella mia credenza d'angolo, a costruirmi una lampadina nuova di zecca, avvolta nel suo cilindro di cartone ondulato. La gente normale acquistava le lampadine elettriche una alla volta, ma a noi arrivavano i cartoni direttamente dalla fabbrica, in un sol colpo dozzine di lampadine – in massima parte da 60 e 100 watt, sebbene usassimo anche piccole lampadine da 15 watt per le credenze e le luci da notte e un'abbagliante lampada da 300 watt come faro sul portico davanti all'ingresso. Zio Tungsteno produceva lampadine di tutte le dimensioni e di tutti i tipi, da minuscole lampadine da 1,5 volt, progettate per piccole torce tascabili a forma di stilografica, a immense lampade per l'illuminazione dei campi da football o per i riflettori. C'erano anche lampadine di forme speciali, fatte appositamente per i quadranti di particolari strumenti, per gli oftalmoscopi e altri strumenti medici; inoltre, nonostante il suo attaccamento al tungsteno, zio Dave produceva anche lampadine con filamenti di tantalio usate nei proiettori per sale cinematografiche o sui treni. Questi filamenti erano meno efficienti, meno adatti di quelli di tungsteno a reggere a temperature elevate, ma si pensava che resistessero meglio alle vibrazioni. Quando partivano – pfft! – mi divertivo a rompere anche queste in modo da estrarre il filo di tantalio e aggiungerlo alla mia collezione, sempre più ricca, di metalli e sostanze chimiche.

Le lampadine di zio Dave, e il mio gusto per l'improvvisazione, mi stimolarono a realizzare un sistema d'illuminazione per l'interno della mia buia credenza nel sottoscala. Quello spazio mi aveva sempre affascinato e anche un po' spaventato – privo com'era di una luce sua, sembrava scomparire, nei suoi recessi più lontani, nel segreto e nel mistero. Usai una lampadina da 6 watt, a forma di limone, del tipo usato per le luci della nostra auto e una batteria da 9 volt progettata per un fanale elettrico. Montai in modo alquanto raffazzonato un interruttore sulla parete e portai i fili dall'interruttore alla lampadina e alla batteria. Ero assurdamente orgoglioso di questo piccolo impianto, e mi facevo un obbligo di mostrarlo agli ospiti in visita a casa nostra. La sua luce, però, penetrava nei recessi della credenza, e nel bandire le tenebre, cancellava pure il mistero. Decisi allora che troppa luce non fosse sempre una buona cosa – c'erano luoghi che era meglio lasciare con tutti i loro segreti intatti.

VI
IL PAESE DELLA STIBNITE

Basaltic columns, coast of Illawarra, New South Wales.

Almeno per i primi tempi dopo il mio ritorno a Londra, quando cominciai a frequentare The Hall, la mia nuova scuola, dovevo essere un tipo un po' solitario. Il mio amico Eric Korn, che mi conosceva da prima della guerra – avevamo all'incirca la stessa età e le nostre bambinaie ci portavano a giocare insieme a Brondesbury Park –, intuiva che doveva essermi capitato qualcosa. Ero stato aggressivo e normale, diceva, prima della guerra: attaccavo briga, mi difendevo, dicevo quello che pensavo, e ora invece sembravo impaurito, timido, non prendevo l'iniziativa nelle zuffe e nemmeno nelle conversazioni, ero chiuso e tenevo le distanze. Dalla scuola mi tenevo effettivamente a distanza, in tutti i sensi. Temevo di finire ancora una volta vittima dei bulli o di essere picchiato, e mi resi conto in ritardo che la scuola poteva anche essere un buon posto. Tuttavia mi lasciai persuadere – o forse ci fui costretto, non ricordo bene – a entrare negli scout, tra i lupetti. Pensavano che il contatto con altri ragazzini della mia età mi avrebbe fatto bene, mi avrebbe insegnato capacità «indispensabili» per la vita all'aria aperta, come accendere un fuoco, montare una tenda, seguire una pista – sebbene non fosse assolutamente chiaro in che modo avrei potuto mettere a frutto queste abilità nell'ambiente urbano di Londra. Per qualche ragione, non mi impadronii mai davvero di esse. Non avevo alcun senso dell'orientamento e nessuna memoria visiva – quando giocavamo a Kim's Game, in cui occorreva memorizzare la disposizione di una serie di oggetti, ero così inetto da far pensare che potessi avere un deficit mentale. I miei fuochi non si accendevano mai, oppure si spegnevano nel giro di qualche secondo; i miei tentativi di accendere un falò strofinando due bastoncini non ebbero mai successo (sebbene per qualche tempo mi fosse riuscito di nasconderlo, prendendo a prestito l'accendino di mio fratello); quanto ai miei sforzi di piantare una tenda, si attiravano l'ilarità universale.

L'unica cosa che mi piaceva veramente dei lupetti era il fatto che indossassimo tutti la stessa uniforme (attutiva il mio disagio, la mia sensazione di essere diverso); e mi piacevano pure le invocazioni al lupo grigio Akela, e la nostra identificazione con i lupacchiotti del *Libro della giungla* – un tenero mito fondatore congeniale al mio lato romantico. Ma la vera e propria vita da scout, almeno nel mio caso, fu un rovinoso fallimento.

Questo emerse clamorosamente il giorno in cui ci chiesero di preparare un *damper* speciale – come faceva Baden-Powell, il fondatore degli scout, quand'era in Africa. Io sapevo soltanto che i *damper* erano schiacciate di farina non lievitata – alquanto dure – cotte al forno; quando cercai la farina nella nostra cucina da campo, però, trovai il vaso vuoto. Non volevo chiedere se ce ne fosse dell'altra, né uscire a comprarla – dopo tutto dovevamo essere autosufficienti e pieni di risorse! – e quindi mi guardai ancora intorno finché, con grande soddisfazione, scoprii del cemento lasciato dagli operai che stavano costruendo un muro. Non saprei dire in virtù di quale processo mentale mi persuasi che il cemento sarebbe andato bene come la farina; comunque lo usai, ne feci una pasta, la aromatizzai (con dell'aglio), ne ricavai una forma ovale simile a un *damper*, e misi il tutto in forno. Divenne duro, molto duro, ma d'altra parte i *damper* erano *effettivamente* durissimi. Quando lo portai all'indomani al nostro raduno e lo porsi a Mr Baron, il capo scout, egli rimase sorpreso ma anche, io credo, compiaciuto, o forse affascinato, dal suo peso, forse pensando al nutrimento insolitamente sostanzioso che esso prometteva. Lo mise in bocca e ci affondò i denti, e fu ricompensato da un forte scricchiolio – un dente che si spezzava. Istantaneamente sputò quella roba; seguirono una o due risatine sciocche, e poi un silenzio terribile: tutti, nella muta dei lupetti, mi stavano fissando.

«Come hai preparato il *damper*, Sacks?». La voce di Baron era tranquilla, carica di minaccia. «Cosa diavolo ci hai messo?».

«Cemento, signore: non trovavo la farina».

Il silenzio si fece più profondo, più esteso; tutto sembrò congelare in una sorta di *tableau* immobile. Lottando eroicamente per non esplodere e (suppongo) per non mettermi le mani addosso, Mr Baron fece un discorsetto accorato. Benché, certo, introverso, incompetente, tremendamente pasticcione, mi aveva giudicato un tipo abbastanza simpatico e tutto sommato un ragazzo a posto. Ma ora questa faccenda del *damper* sollevava ben altri interrogativi: mi ero reso conto di che cosa stavo facendo, o forse, davvero, avevo intenzione di fare del male a qualcuno? Avrei voluto dire che era solo un gioco, ma non mi riuscì di proferir verbo. Cos'ero allora, un povero imbecille, o un malvagio, o un pazzo? In ogni caso, mi ero comportato molto, molto male, avevo offeso il mio capo, e tradito gli ideali del gruppo. Non ero degno di essere uno scout – e con queste parole, sbrigativamente, Mr Baron mi espulse.

Ai tempi, l'espressione *acting out* non era ancora stata introdotta, ma il concetto fu spesso oggetto di discussione a meno di due chilometri dalla scuola, alla Hampstead Clinic di Anna Freud, dove ella stava osservando ogni sorta di comportamenti disturbati e criminali in ragazzini che erano passati attraverso l'esperienza traumatica della separazione.

La Willesden Public Library era uno strano edificio triangolare che sorgeva su un angolo di Willesden Lane, a quattro passi da casa nostra. Vista da fuori era ingannevolmente piccola, ma all'interno era grande, con decine di nicchie e reparti pieni di libri, più di quanti ne avessi mai visti in tutta la mia vita. Una volta che la bibliotecaria si fu assicurata che ero in grado di maneggiare i libri e usare lo schedario, mi diede libero accesso, consentendomi di ordinare libri dalla biblioteca centrale e perfino, a volte, di consultare volumi rari. Ero un lettore vorace ma mancavo di sistematicità: gironzolavo fra gli scaffali, sfioravo i libri, davo loro una scorsa a mio piacimento e, sebbene i miei interessi avessero già messo salde radici nella scienza, sceglievo talvolta anche libri d'avventura o racconti polizieschi. La mia scuola, The Hall, non prevedeva l'insegnamento delle scienze, e quindi non mi interessava molto: il nostro curriculum, a quel punto, era tutto basato sui classici. Questo, d'altra parte, non aveva molta importanza, giacché furono le letture personali in biblioteca la base della mia vera istruzione, e quando non ero da zio Dave, dividevo il tempo libero fra la biblioteca e le meraviglie dei musei di South Kensington, che ebbero per me un ruolo essenziale durante tutta l'infanzia e l'adolescenza.

I musei, soprattutto, mi consentivano di vagare a

modo mio, a piacimento, da una vetrina all'altra, da un'esposizione all'altra, senza essere costretto a seguire programmi, a frequentare lezioni, a sostenere esami o a entrare in competizione con chicchessia. C'era qualcosa di passivo e di coercitivo nello starsene seduti a scuola; nei musei, invece, uno poteva essere attivo ed esplorare, come nel mondo. I musei – e anche il giardino zoologico, e l'orto botanico di Kew – mi facevano venir voglia di uscire a esplorare il mondo da solo, di diventare cercatore di rocce, collezionista di piante, zoologo o paleontologo. (Ancora oggi, dopo cinquant'anni, ogni volta che visito una nuova città o un nuovo paese, le attrazioni che cerco sono sempre i musei di storia naturale e gli orti botanici).

Al Museo di Geologia si entrava, come in un tempio, attraverso un grande arco di marmo fiancheggiato da enormi vasi di fluorite del Derbyshire. Il pianterreno era dedicato a vetrine e contenitori stipati di minerali e gemme. C'erano diorama di vulcani, pozzanghere di fanghiglia ribollente, lava che andava raffreddandosi, minerali che cristallizzavano, il lento processo dell'ossidazione e della riduzione, il sollevamento e lo sprofondamento, il mescolamento e la metamorfosi; in questo modo non solo ci si poteva fare un'idea dei prodotti dell'attività della Terra – le sue rocce, i suoi minerali – ma anche dei vari processi, fisici e chimici, che continuamente li generavano.

Al piano superiore c'era una colossale massa di stibnite – prismi di solfuro di antimonio, simili a lance di un nero lucente. Avevo visto il solfuro di antimonio – un'insignificante polvere nera – nel laboratorio di zio Dave, ma qui al museo era sotto forma di cristalli alti anche più di un metro e mezzo. Avevo una venerazione per quei prismi, ed essi divennero per me una sorta di totem o di feticcio. Stando a quanto recitava il cartellino, questi favolosi cristalli, i più grandi del genere esistenti al mondo, provenivano dalla miniera di Ichinokawa, sull'isola giapponese di Shikoku. Da grande, pensavo, quando fossi stato in grado di viaggiare da solo, avrei visitato quell'isola per porgere i miei rispetti alla divinità. In seguito appresi che la stibnite si trova in molti altri luoghi, ma, nella mia mente, quella sua prima immagine si legò indissolubilmente al Giappone, al punto che anche in seguito esso rimase per me il Paese della Stibnite. Allo stesso modo, l'Australia divenne il Paese dell'Opale, proprio come era anche il Paese del Canguro e dell'Ornitorinco.

Nel museo c'era anche un'enorme massa di galena – doveva pesare più di una tonnellata – costituita di cubi lucenti grigio scuro di dodici-quindici centimetri di larghezza, nei quali erano spesso inclusi cubi più piccoli. Questi, a loro volta, contenevano cubi ancor più piccoli, che a quanto pare si sviluppavano dai più grandi, come potevo constatare scrutando attraverso la mia lente d'ingrandimento. Quando gliene parlai, zio Dave mi spiegò che la galena aveva una struttura cubica a diversi livelli, e che se avessi potuto osservarla ingrandita un milione di volte, avrei ancora visto delle strutture cubiche, con altri cubi più piccoli attaccati. La forma dei cubi di galena, e in generale di tutti i cristalli, mi raccontò zio Dave, era un'espressione del modo in cui i loro atomi erano disposti nello spazio: in altre parole, dei loro modelli o reticoli tridimensionali fissi. Questo accadeva perché i loro legami, che erano di natura elettrostatica, e l'effettiva configurazione degli atomi in un reticolo cristallino, riflettevano la disposizione nel minor spazio possibile permessa dalle forze di attrazione e repulsione fra gli atomi. Il fatto che un cristallo fosse costituito dalla ripetizione di innumerevoli reticoli identici – che fosse, a tutti gli effetti, un singolo gigantesco reticolo autoreplicante – mi sembrava meraviglioso. I cristalli erano come colossali microscopi che consentivano di osservare la reale configurazione assunta dagli atomi al loro interno. Potevo quasi vedere, con l'occhio della mente, gli atomi di piombo e quelli di zolfo che componevano la galena – li immaginavo vibrare leggermente per effetto dell'energia elettrica, ma per il resto fermamente stabili nella loro posizione, uniti gli uni agli altri e coordinati in un reticolo cubico infinito.

Avevo delle visioni (soprattutto dopo aver ascoltato le storie sulla vita dei miei zii negli anni in cui si dedicavano alle prospezioni) in cui immaginavo di essere io stesso una specie di geologo in erba, armato di scalpello e martello, intento a raccogliere sacchi di trofei, e sognavo di imbattermi in minerali mai-descritti-prima. Tentai una piccola prospezione nel nostro giardino, ma trovai ben poco, a parte alcuni strani frammenti di marmo e selce. Morivo dalla voglia di fare escursioni geologiche e vedere io stesso i diversi tipi di roccia e la ricchezza del mondo minerale. Questo desiderio era alimentato dalle mie letture: non solo descrizioni di grandi naturalisti ed esploratori, ma anche scritti più modesti che mi capitavano fra le mani, come il libretto di Dana *The Geological Story*, con le sue bellissime illustrazioni, e il mio preferito, l'ottocentesco *Playbook of Metals*, che aveva come sottotitolo *Personal Narratives of Visits to Coal, Lead, Copper and Tin Mines*. Desideravo visitare io stesso diverse miniere, e non solo quelle inglesi di rame e piombo e stagno, ma anche quelle di oro e diamanti che avevano attirato i miei zii in Sudafrica. In mancanza di tutto questo, però, il museo poteva offrirmi un microcosmo a immagine del mondo – conciso, attraente, un distillato dell'esperienza di innumerevoli collezionisti ed esploratori, dei tesori materiali che essi avevano raccolto, come delle loro riflessioni e dei loro pensieri.

Divoravo le informazioni fornite dai cartellini posti accanto a ogni esemplare. Fra le delizie della mineralogia c'erano i suoi termini, bellissimi e spesso antichi. *Vug*, mi spiegava zio Dave, era un termine usato dai vecchi minatori di stagno della Cornovaglia, e veniva da una parola del dialetto della zona, *vooga* (o *fouga*) che indicava una camera sotterranea; in ultima analisi, questa parola derivava dal latino *fovea*, fossa, spelonca. Mi affascinava pensare che questa strana brutta parola testimoniasse l'antichità dell'attività estrattiva, fino a prima della colonizzazione dell'Inghilterra da parte dei Romani, che vi erano stati attirati proprio dalle miniere di stagno della Cornovaglia. Il nome stesso del minerale contenente lo stagno, la cassiterite, veniva da Cassiteridi, le «Isole dello Stagno» dei Romani.

I nomi dei minerali mi affascinavano in modo particolare – il loro suono, le loro associazioni, il loro modo di trasmettere un'idea di genti e luoghi. I nomi più lontani nel tempo davano un senso di antichità e alchimia: corindone e galena, orpimento e realgar. (Orpimento e realgar, due solfuri di arsenico, si legavano eufonicamente, e mi facevano pensare a una coppia dell'opera, come Tristano e Isotta). Poi c'erano le piriti – l'oro degli sciocchi, in cubi vistosi e metallici – e il calcedonio, il rubino, lo zaffiro e lo spinello. Zircone aveva un suono orientaleggiante, calomelano aveva un che di greco – quella sua dolcezza melliflua, quel suo «mel», smentiti dalla tossicità. C'era il sale ammoniaco – cloruro d'ammonio – che suonava medioevale. E poi c'erano ancora il cinabro, il pesante solfuro di mercurio rosso, e il massicot e il minio, i due ossidi gemelli del piombo.

Alcuni minerali, poi, prendevano il nome da persone. Uno dei più comuni, responsabile di gran parte del colore rosso esistente al mondo, era l'idrossido di ferro denominato goethite. Era semplicemente in onore di Goethe, oppure era stato scoperto proprio da lui? Avevo letto che Goethe aveva una passione per la mineralogia e la chimica. Molti minerali presero il nome di chimici famosi – c'è la gaylussite, la scheelite, la berzelianite, la bunsenite, la liebigite, la crookesite e la splendida, prismatica proustite, di color grigio argento e dai riflessi rossi. La samarskite prendeva il nome dal colonnello Samarski, un ingegnere minerario. C'erano poi altri nomi evocativi, con un carattere più specifico: per esempio la stolzite, un tungstato di piombo, e anche la scholzite. Chi erano Stolz e Scholz? I loro nomi mi sembravano molto prussiani, e questo, subito dopo la guerra, evocava sentimenti antitedeschi. Immaginavo Stolz e Scholz come ufficiali nazisti dalla voce abbaiante, con bastone da stocco e monocolo.

Altri nomi mi affascinavano semplicemente per il loro suono o per le immagini che evocavano. Mi piacevano le parole derivanti dalle lingue classiche – come diasporo, anatasio, microlite e policrasio – e il fatto che descrivessero semplici caratteristiche: la forma, il colore e le geometrie dei cristalli e le proprietà ottiche dei minerali. Uno dei miei grandi favoriti era la criolite, «pietra di ghiaccio», proveniente dalla Groenlandia, con un indice di rifrazione talmente basso che era trasparente, quasi spettrale e, proprio come il ghiaccio, invisibile nell'acqua.[1]

Molti elementi devono il loro nome al folclore o alla mitologia, ed esso a volte rivela un poco della loro storia. Un *kobold* era un folletto o uno spirito maligno, un *nickel* era un demone: entrambi i termini erano usati dai minatori sassoni quando i minerali del cobalto e del nichel si dimostravano infidi e non cedevano quanto avrebbero dovuto. Il nome tantalio evocava l'immagine di Tantalo, nell'Inferno, torturato dalla vista dell'acqua che si ritraeva ogni qualvolta egli si chinava per bere; l'elemento ricevette quel nome, stando a quanto lessi, perché il

suo ossido non riusciva a «bere l'acqua» – in altre
parole, era incapace di dissolversi negli acidi. Il niobio prese il nome da Niobe, la figlia di Tantalo, perché i due elementi erano sempre rinvenuti insieme.
(I miei libri risalenti agli anni intorno al 1860 elen-
cavano, in questa famiglia, anche un terzo elemento, il pelopio – Pelope era il figlio di Tantalo, che il
padre cucinò e servì agli dèi; in seguito, però, ci si
avvide che quest'ultimo elemento non esisteva).
    Altri elementi avevano nomi astronomici. C'era
l'uranio, scoperto nel diciottesimo secolo e che portava il nome del pianeta Urano; qualche anno dopo
il palladio e il cerio furono così chiamati per associazione con Pallade e Cerere, due asteroidi di recente scoperta. Il tellurio aveva un bel nome greco
legato alla Terra, e venne spontaneo, quando si scoprì il suo analogo più leggero, chiamarlo selenio, al-
lacciandolo così alla Luna.[2]
    Mi piaceva leggere la storia degli elementi e della
loro scoperta – non solo gli aspetti chimici, ma anche quelli umani dell'impresa; tutto questo, e anche
di più, lo appresi da un bellissimo libro di Mary El-
vira Weeks, *The Discovery of the Elements*, pubblicato
subito prima della guerra. Lì mi feci un'idea assai
reale della vita di molti chimici, della grande varietà
di carattere che essi mostravano, e delle loro frequenti stravaganze. Sempre lì, trovai citazioni dalle
lettere dei primi chimici, che rispecchiavano i loro
sentimenti di eccitazione e disperazione mentre bran-
colavano nel buio e cercavano a tentoni la strada
che li avrebbe condotti alle loro scoperte, perden-
dola più volte, imboccando vicoli ciechi, ma alla fine
raggiungendo gli obiettivi che avevano inseguito.
    La storia e la geografia della mia infanzia, la storia
e la geografia che mi toccavano, erano basate più
sulla chimica che non sulle guerre o sugli eventi
mondiali. Seguivo le vicende dei pionieri della chimica più da vicino di quelle delle forze che si com-

battevano in guerra (e forse, in effetti, esse mi aiuta-
rono a isolarmi dalle spaventose realtà che avevo intorno). Desideravo moltissimo recarmi nell'«ultima
Tule», la terra nel lontano Nord, patria dell'elemento tulio, e visitare il piccolo villaggio di Ytterby
in Svezia, che aveva dato il suo nome ad almeno
quattro elementi chimici (itterbio, terbio, erbio e ittrio). Sognavo la Groenlandia, dove immaginavo vi
fossero intere catene montuose – trasparenti, a malapena visibili – di criolite spettrale. Volevo andare a
Strontian, in Scozia, e vedere il piccolo villaggio che
aveva dato il suo nome allo stronzio. Tutta la Gran
Bretagna, per me, poteva essere esplorata servendosi – come chiave di lettura – dei suoi numerosi minerali di piombo: c'era la matlockite, così nominata
dalla località di Matlock, nel Derbyshire; la leadhilli-
te, che prendeva il nome da Leadhills, nel Lanark-
shire; la lanarkite, anch'essa proveniente dagli stessi
luoghi; e lo spendido solfato di piombo, l'anglesite,
da Anglesey, nel Galles. (C'era anche la città di
Lead, nel South Dakota – una città, mi piaceva immaginare, effettivamente costruita di piombo metallico). I nomi geografici degli elementi e dei minerali risaltavano per me come altrettante luci sulla
mappa del mondo.

La vista dei minerali, al museo, mi spingeva ad acquistare per pochi penny presso un negozio locale
piccoli sacchetti di «minerali assortiti», contenenti
pezzetti di pirite, galena, fluorite, cuprite, ematite,
gesso, siderite, malachite e diverse forme di quarzo,
ai quali zio Dave aggiungeva campioni più rari, per
esempio minuscoli frammenti di scheelite sfaldatisi
dal suo esemplare più grande. La maggior parte dei
miei campioni era piuttosto malconcia, e spesso si
trattava di frammenti così minuscoli che un vero
collezionista li avrebbe disdegnati; a me, tuttavia,

davano la sensazione di possedere un campione della natura tutto per me.

Fu proprio osservando i minerali al Museo di Geologia e studiandone le formule chimiche che imparai la loro composizione. In alcuni casi – per esempio quello del cinabro, un solfuro di mercurio contenente sempre la stessa proporzione di mercurio e zolfo, indipendentemente da dove fosse stato rinvenuto il campione – la loro composizione era semplice e costante. Nel caso di molti altri minerali, però – compresa la scheelite, che era quello preferito da zio Dave –, le cose andavano diversamente. Sebbene in teoria la scheelite fosse un tungstato di calcio puro, alcuni campioni contenevano anche una certa quantità di molibdato di calcio. Quest'ultimo si trovava in natura allo stato puro nella powellite, ma alcuni esemplari di questo minerale contenevano anche piccole quantità di tungstato di calcio. In effetti, si poteva avere qualsiasi forma intermedia fra i due, partendo da un minerale contenente il 99 per cento di tungstato e l'1 per cento di molibdato, per arrivare all'altro estremo con il 99 per cento di molibdato e l'1 per cento di tungstato. Questo perché il tungsteno e il molibdeno avevano atomi – ioni – di dimensioni simili, così che nel reticolo cristallino del minerale lo ione di un elemento poteva sostituire l'altro. Ma soprattutto, ciò accadeva perché tungsteno e molibdeno appartenevano allo stesso gruppo o famiglia chimici, e pertanto la natura li trattava, con le loro proprietà fisiche e chimiche simili, più o meno allo stesso modo. Sia il tungsteno che il molibdeno, per esempio, tendevano a formare composti simili con altri elementi, e a trovarsi in natura come sali acidi che cristallizzavano dalla soluzione in condizioni simili.

Questi due elementi formavano una coppia naturale, erano fratelli chimici. Questa relazione fraterna era ancora più stretta nel caso del niobio e del tantalio, che solitamente si rinvenivano insieme negli stessi minerali. Il grado di affinità fraterna si avvicinava a quello dei gemelli identici nel caso dello zirconio e dell'afnio, che non solo erano immancabilmente associati negli stessi minerali, ma erano chimicamente così simili che occorse un secolo per distinguerli – la Natura stessa ci riusciva a malapena.

Gironzolando per le sale del Museo di Geologia, mi feci anche un'idea della gamma enorme delle migliaia di minerali presenti nella crosta terrestre, e dell'abbondanza relativa degli elementi che li costituivano. L'ossigeno e il silicio facevano la parte del leone – i minerali di silicato erano più numerosi di qualsiasi altro, per non parlare di tutte le sabbie del mondo. E con le rocce più comuni – gessi e feldspati, graniti e dolomiti – era facile capire come magnesio, alluminio, calcio, sodio e potassio costituissero almeno i nove decimi della crosta terrestre. Anche il ferro era comune; sembrava che a causa sua ci fossero intere aree dell'Australia rosse come Marte. E io ero in grado di aggiungere alla mia collezione personale piccoli frammenti di tutti questi elementi, nella forma dei loro minerali.

Il diciottesimo secolo, mi ricordava zio Dave, era stato un periodo grandioso per la scoperta e l'isolamento di nuovi metalli (non solo il tungsteno, ma anche una dozzina di altri); per i chimici dell'epoca la maggior difficoltà era stata quella di scoprire il modo per separare questi nuovi metalli dai loro minerali. Ecco come nacque la chimica, la chimica vera: studiando un numero infinito di minerali diversi, analizzandoli, scomponendoli per capire che cosa contenessero. La vera analisi chimica – lo studio volto a comprendere con che cosa reagissero i vari minerali, o come si comportassero quando li si riscaldava o li si scioglieva – richiedeva ovviamente un laboratorio; alcune osservazioni elementari, d'altra parte, potevano essere compiute quasi ovunque. Si poteva pesare un minerale, stimarne la densità, osservare la sua luminosità e il colore del graffio che lasciava su un piatto di porcellana. La durezza variava enormemente, e se ne poteva facilmente ricavare una grossolana approssimazione: il talco e il gesso si potevano incidere con l'unghia; la calcite con una moneta; la fluorite e l'apatite con un coltello d'acciaio; l'ortoclasio con una lima di acciaio. Il quarzo poteva graffiare il vetro, e il corindone qualsiasi cosa, tranne il diamante.

Un classico modo per determinare la densità relativa o il peso specifico di un campione consisteva nel pesare due volte un frammento del minerale, in aria e in acqua, per ottenere il rapporto fra la sua densità e quella dell'acqua. Un altro semplice sistema, che mi piaceva molto, era quello di osservare il galleggiamento di diversi minerali in liquidi di peso specifico diverso – in questo caso si dovevano usare liquidi «pesanti», poiché tutti i minerali, tranne il ghiaccio, erano più densi dell'acqua. Avevo una serie di questi liquidi pesanti; prima di tutto il bromoformio, che aveva una densità quasi tripla a quella dell'acqua; poi lo ioduro di metilene, ancora più denso, e poi la soluzione di Clerici, una soluzione satura di due sali di tallio. Quest'ultima aveva un peso specifico ben superiore a quattro, e anche se aveva l'aspetto di comunissima acqua, molti minerali e perfino alcuni metalli vi galleggiavano facilmente. Mi divertivo un mondo a portare la mia bottiglietta di soluzione di Clerici a scuola, chiedere a qualche compagno di tenermela, e poi guardare la sua espressione stupita quando scopriva che pesava circa cinque volte di più di quello che si sarebbe aspettato.

A scuola ero un tipo schivo (in una nota scolastica venivo definito «insicuro») e Braefield aveva aggiunto al mio temperamento una timidezza particolare; tuttavia, quando ero in possesso di una meraviglia naturale – indipendentemente dal fatto che si

trattasse del frammento di una bomba; o di un pezzo di bismuto con le sue terrazze di prismi, simili a
un villaggio azteco in miniatura; o della mia bottiglietta di soluzione di Clerici, così densa da piegarti
il braccio, disorientando i sensi; o magari di un campione di gallio, che ti si fondeva in mano (in seguito
mi procurai uno stampo, e mi fabbricai un cucchiai-
no da tè di gallio, che si ritirava e si scioglieva mentre lo si usava per mescolare il tè) –, con questi tesori fra le mani, vincevo tutta l'insicurezza, e mi acco-
stavo agli altri con disinvoltura, dimentico di tutte le
mie paure.

VII

SVAGHI CHIMICI

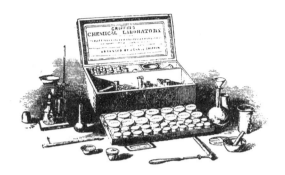

I miei genitori e i miei fratelli mi avevano insegnato, ancor prima della guerra, qualche nozione di chimica da cucina: versare dell'aceto su un pezzo di gesso in un bicchiere e osservarne l'effervescenza, poi versare il gas pesante così sprigionato, come un'invisibile cataratta, sulla fiamma di una candela, spegnendola immediatamente. Oppure: prendere un cavolo rosso sottaceto e aggiungere dell'ammoniaca per uso domestico che lo neutralizzasse. L'operazione avrebbe prodotto una sorprendente trasformazione, giacché il succo avrebbe virato passando attraverso ogni sorta di colore, dal rosso alle diverse sfumature del viola, al turchese e al blu, per approdare infine al verde.

Dopo la guerra, visto il mio nuovo interesse per i minerali e i colori, mio fratello David, che nelle lezioni di chimica a scuola aveva osservato la formazione di alcuni cristalli, mi mostrò come ottenerli io stesso. Mi fece vedere come preparare una soluzione sovrasatura sciogliendo un sale – per esempio allume o solfato di rame – in acqua molto calda, e poi lasciando raffreddare il tutto. Per innescare il processo occorreva immergere qualcosa nella soluzione, per esempio un filo o un pezzetto di metallo. La prima volta provai con un filo di lana e una soluzione di solfato di rame, e in qualche ora essa generò una splendida catena di cristalli di un azzurro brillante che si arrampicavano sul filo. Poi scoprii che, usando una soluzione di allume e un buon seme per innescare il processo di cristallizzazione, il cristallo si sarebbe sviluppato in modo omogeneo, su ogni faccia, e alla fine avrei ottenuto un unico, grosso cristallo di allume di rocca perfettamente ottaedrico.

In seguito requisii il tavolo di cucina per fare un «giardino chimico», seminando una soluzione sciropposa di silicato di sodio, con sali di ferro, rame, cromo e manganese di diverso colore. Quest'operazione non produceva cristalli, ma generava nel silicato delle crescite contorte, dall'aspetto vegetale – strutture che si distendevano, gemmavano, esplodevano e continuavano a cambiar forma davanti ai miei occhi.[1] Questo tipo di crescita, mi spiegò David, era dovuto all'osmosi, poiché il gel di silice si comportava come una membrana semipermeabile, permettendo che l'acqua fosse attirata verso la soluzione minerale più concentrata. Questi processi, mi disse, avevano un ruolo fondamentale negli organismi viventi, ma si verificavano anche nella crosta terrestre, e questo mi ricordò le gigantesche masse di ematite nodulari, reniformi, che avevo visto al museo – l'etichetta recitava, appunto, *kidney ore* (sebbene una volta Marcus mi avesse detto che erano reni fossili di dinosauro).

Questi esperimenti mi piacevano moltissimo e cercavo di immaginare i processi che si svolgevano sotto i miei occhi; tuttavia, non ebbi una vera passione per la chimica – il desiderio di comporre, isolare, decomporre, di assistere a trasformazioni, di veder scomparire sostanze familiari e ricomparire, in loro vece, sostanze nuove – ebbene, non provai davvero tutto questo finché non vidi il laboratorio di zio Dave e toccai con mano la sua passione per ogni sorta di esperimenti. A quel punto desiderai moltissimo avere un laboratorio tutto mio – non il bancone di zio Dave, non il tavolo di cucina, ma un luogo dove potessi compiere i miei esperimenti chimici senza che nessuno mi disturbasse. Tanto per cominciare, volevo mettere le mani sulla cobaltite e la niccolite, e sui composti o i minerali del manganese e del molibdeno, dell'uranio e del cromo – tutti quei meravigliosi elementi scoperti nel diciottesimo secolo. Volevo polverizzarli, trattarli con gli acidi, arrostirli, ridurli – fare qualsiasi cosa occorresse – pur di riuscire a estrarne i metalli da solo. Sapevo, avendo consultato un catalogo di prodotti chimici allo stabilimento, che quei metalli potevano essere acquistati già purificati, ma io pensavo che sarebbe stato decisamente molto più divertente e di gran lunga più emozionante arrivarci per conto mio. In questo modo, sarei entrato nella chimica – avrei cominciato a scoprirla da me, proprio come avevano fatto i suoi pionieri: avrei rivissuto in prima persona la sua storia.

Fu così che allestii in casa un piccolo laboratorio chimico. Mi appropriai di una stanza sul retro che non veniva mai usata: in origine era una lavanderia, aveva acqua corrente, un lavandino e uno scarico, diversi armadi e scaffali. Cosa assai opportuna, questa stanza dava direttamente sul giardino, e quindi se avessi preparato qualcosa, e quel qualcosa avesse poi preso fuoco, o bollendo si fosse versato, o avesse emesso dei fumi nocivi, avrei sempre potuto precipitarmi fuori e buttarlo nel prato. Ben presto sull'erba comparvero chiazze carbonizzate e scolorite, ma i miei genitori ritenevano che fosse un piccolo prezzo da pagare per la mia sicurezza – e forse, anche per la loro. Tuttavia, vedendo a volte masse incandescenti lanciate in aria, e la turbolenza e la trascuratezza con cui in genere facevo le cose, si allarmarono e mi costrinsero a pianificare gli esperimenti e a essere preparato ad agire in caso di incendi o esplosioni.

Zio Dave mi consigliò scrupolosamente sulla scelta dell'attrezzatura – provette, beute, cilindri graduati, imbuti, pipette, un becco Bunsen, crogioli, vetri d'orologio, un'ansa di platino, un essiccatore, un cannello ossidrico, una storta, una serie di spatole, una bilancia. Mi consigliò anche sui reagenti fondamentali: acidi e basi – alcuni dei quali mi passò lui stesso dal suo laboratorio – insieme a una serie di bottiglie di tutte le dimensioni, di varie forme e colori (verde o marrone scuro per reagenti fotosensibili), con tappi di vetro smerigliato a tenuta perfetta.

Ogni mese, o pressappoco, rifornivo il mio laboratorio visitando un venditore di prodotti chimici che stava a Finchley in un grande capannone isolato dai vicini (i quali, immaginavo io, dovevano considerarlo con una certa trepidazione, come un luogo che poteva esplodere o esalare fumi tossici da un momento all'altro). Mettevo da parte le mie paghette per intere settimane – a volte capitava che uno dei miei zii, approvando la mia segreta passione, mi facesse scivolare in mano una mezza corona – e poi prendevo una serie di treni e autobus per recarmi al negozio.

Mi piaceva curiosare da Griffin & Tatlock proprio come può piacere curiosare in una libreria. Le sostanze chimiche più economiche erano tenute in enormi vasi di vetro tappati; quelle più rare e costose in bottiglie più piccole dietro al banco. L'acido fluoridrico – roba pericolosa, usato per intaccare il vetro – non poteva essere tenuto in recipienti di quel materiale ed era conservato in speciali bottiglie di guttaperca marrone. Dietro i vasi e le bottiglie stipati sugli scaffali, c'erano le grandi damigiane degli acidi – acido solforico, acido nitrico, acquaragia; bottiglie sferiche di porcellana contenenti mercurio (tre chilogrammi del quale stavano in una bottiglietta delle dimensioni di un pugno); e lastre e lingotti dei metalli più comuni. I negozianti impararono ben presto a conoscermi – uno scolaro appassionato e piuttosto piccolo per la sua età che passava ore aggirandosi tra flaconi e bottiglie tenendosi stretti i suoi risparmi – e sebbene a volte mi mettessero in guardia – «Vacci piano con quello!» –, mi fecero sempre avere quello che volevo.

La mia prima passione fu per il lato spettacolare – la schiuma, l'incandescenza, gli odori pungenti e le esplosioni: esperienze quasi per definizione legate all'iniziazione alla chimica. Una delle mie guide fu un libro di J.J. Griffin, *Chemical Recreations*, pubblicato nel 1850, che avevo trovato in un negozio di libri usati. Griffin aveva uno stile semplice, pratico e soprattutto divertente; era chiaro che per lui la chimica era uno spasso, ed egli l'aveva resa tale anche per i suoi lettori che, io credo, dovevano essere stati spesso ragazzi come me, giacché nel libro c'erano parti come «La chimica per le vacanze», comprendente il «Plum Pudding volatile» («quando si toglie il coperchio ... esso si stacca dal piatto e sale sul soffitto»), «Una fontana di fuoco» (qui si usava il fosforo: «l'operatore deve fare attenzione a non bruciarsi»), e «Brillante deflagrazione» (anche qui, eravamo avvertiti di «togliere immediatamente le mani»). Ero divertito dalla menzione di una formula speciale (tungstato di sodio) per rendere refrattari al fuoco i vestiti delle signore e i tendaggi – gli incendi erano così comuni nell'epoca vittoriana? – e la usai per rendere a prova di fuoco uno dei miei fazzoletti.

Il libro si apriva con «Esperimenti elementari», i primi dei quali erano effettuati con tinture vegetali, osservando i loro cambiamenti di colore in seguito all'esposizione ad acidi e basi. La tintura vegetale più comune era il tornasole – veniva ottenuta da un lichene, spiegava Griffin. Usando alcune delle cartine al tornasole che mio padre teneva nel dispensario, constatai che viravano al rosso con diversi acidi e al blu con l'ammoniaca, una sostanza alcalina.

Griffin suggeriva alcuni esperimenti con la candeggina – in questo caso, invece dell'acqua di cloro suggerita dal libro, usai la polvere candeggiante di mia madre, e con essa trattai le cartine al tornasole, il succo di cavolo e un fazzoletto rosso di mio padre. Griffin suggeriva anche di tenere una rosa rossa su un campione di zolfo mentre bruciava, in modo che l'anidride solforosa così prodotta la scolorisse. L'immersione in acqua, miracolosamente, ne ripristinava il colore originale.

Da qui Griffin passava (con me al seguito) agli «inchiostri simpatici», che diventavano visibili solo se riscaldati o trattati in modo speciale. Io giocavo con molti di essi – con i sali di piombo, che diventavano neri se trattati con solfuro di idrogeno; con i sali d'argento, che si annerivano se esposti alla luce; e con i sali di cobalto, che diventavano visibili se disidratati o riscaldati. Tutto questo era divertente, certo, ma era anche chimica.

In giro per casa c'erano altri vecchi libri di chimica, alcuni dei quali erano appartenuti ai miei genitori quando studiavano medicina, mentre altri, più recenti, erano dei miei fratelli maggiori, Marcus e David. Uno di questi ultimi era *Practical Chemistry* di Valentin, un libro che faceva pensare a una bestia da soma – piatto, senza ispirazione, pedestre, ideato come manuale pratico e ciò nondimeno, ai miei occhi pieno di meraviglie. All'interno della copertina, corrose, scolorite e macchiate (a suo tempo era stato in laboratorio), recava queste parole: «Con i migliori auguri e congratulazioni 21/1/'13 – Mick»: era stato regalato a mia madre, per il suo diciottesimo compleanno, dal fratello venticinquenne Mick, allora già ricercatore chimico. Zio Mick, un fratello minore di Dave, era andato in Sudafrica con i fratelli, e poi, una volta fatto ritorno, aveva lavorato in una miniera di stagno. Mi avevano raccontato che si era innamorato dello stagno proprio come zio Dave si era innamorato del tungsteno, e a volte in famiglia lo chiamavano zio Stagno. Non ho mai conosciuto zio Mick, perché morì di cancro lo stesso anno in cui io nacqui, appena quarantacinquenne – stando a quanto si pensava in famiglia, vittima degli elevati livelli di radioattività presenti nelle miniere d'uranio africane. Mia madre, tuttavia, aveva avuto con lui un rapporto molto intimo, e il ricordo e l'immagine del fratello erano rimasti vividi nella sua mente. L'idea che quello fosse stato il libro di chimica di mia madre, e prima ancora del giovane zio chimico mai conosciuto che glielo aveva regalato, lo rendeva particolarmente prezioso ai miei occhi.

In epoca vittoriana ci fu un grande interesse popolare per la chimica, e molte famiglie avevano il proprio laboratorio, come anche stereoscopi e serre in cui coltivare felci. *Chemical Recreations*, il libro di Griffin, era stato originariamente pubblicato intorno al 1830 ed ebbe un tale successo che venne continuamente rivisto e ristampato in nuove edizioni; io avevo la decima.[2]

Un volume affine a quello di Griffin, pubblicato pressappoco nello stesso periodo e con la stessa rilegatura verde e oro, era *The Science of Home Life*, di A.J. Bernays, che si concentrava sul carbone, il gas illuminante, le candele, il sapone, il vetro, la porcellana, la terracotta e i disinfettanti – insomma, su tutti i materiali che potevano figurare in una casa vittoriana (e che in larga misura figuravano ancora nelle case di un secolo dopo).

Molto diverso per stile e contenuto, sebbene ugualmente ideato per risvegliare il senso di meraviglia dei lettori («La vita comune dell'uomo è piena di meraviglie, chimiche e fisiologiche. La maggior parte di noi attraversa la propria vita senza vederle e senza accorgersi di esse...»), era *The Chemistry of Common Life*, di J.F.W. Johnston, scritto nello stesso periodo. Questo libro aveva alcuni capitoli affascinanti su «I profumi che ci piacciono», «Gli odori che ci disgustano», «I colori che ammiriamo», «Il corpo che amiamo», «I narcotici a cui indulgiamo». Essi mi introdussero non solo alla chimica, ma mi offrirono anche una panoramica su comportamenti e culture umane esotici.

Un libro molto più antico, di cui riuscii a procurarmi una copia malconcia per sei penny – priva di copertina e di qualche pagina –, era *The Chemical Pocket-Book or Memoranda Chemica*, scritto nel 1803. L'autore era tal James Parkinson, di Hoxton, che avrei nuovamente incontrato dedicandomi alla biologia, in quanto fondatore della paleontologia, e poi ancora, da studente di medicina, come autore del celebre *Essay on the Shaking Palsy* – condizione divenuta poi famosa come morbo di Parkinson. Ma per me, allora undicenne, Parkinson era solo l'autore di questo piccolo delizioso libretto. Grazie ad esso mi feci un'idea molto viva di come, al principio del diciannovesimo secolo, la chimica si stesse espandendo in modo quasi esplosivo; Parkinson parlava, per esempio, di dieci nuovi metalli – uranio, tellurio, cromo, columbio, tantalio, cerio, palladio, rodio, osmio e iridio –, tutti scoperti negli anni immediatamente precedenti.

Fu sul libro di Griffin che per la prima volta mi feci un'idea chiara di ciò che si intendesse per «acidi»

e «alcali», e di come questi princìpi si combinassero
per produrre i «sali». Zio Dave mi dimostrò la contrapposizione fra acidi e basi misurando quantità
precise di acido cloridrico e di soda caustica che poi
miscelò in un recipiente. La mistura divenne caldis-
sima, ma quando si raffreddò zio Dave mi disse:
«Ora provala: bevila». Bevila? – era forse ammatti-
to? Ciò nondimeno, lo feci, e non sapeva che di sale. «Vedi,» mi spiegò «un acido e una base si uni-
scono e si neutralizzano l'un l'altro; si combinano e
generano un sale».

Ma questo miracolo, gli chiesi io, poteva aver luogo anche in senso inverso? Si poteva fare in modo
che l'acqua salata producesse di nuovo l'acido e la
base? «No,» rispose zio Dave «questo richiederebbe
troppa energia. Hai visto quanto calore si è liberato
quando l'acido e la base hanno reagito; per invertire il senso della reazione occorrerebbe la stessa
quantità di calore. Senza contare che il sale» aggiunse «è molto stabile. Il sodio e il cloruro si lega-
no molto strettamente, e nessun comune processo
chimico può scinderli. Per separarli occorre usare
una corrente elettrica».

Un giorno mi mostrò tutto questo in modo più
spettacolare, mettendo un pezzo di sodio in un recipiente pieno di cloro. Ci fu una violenta conflagra-
zione, il sodio prese fuoco e bruciò magicamente
nel cloro verde giallastro; quando tutto finì, però, il
prodotto non fu altro che comune sale da cucina.
Da quel momento – avendo visto come i violenti opposti si unissero per generarlo e l'entità delle energie, delle forze elementari, ora imbrigliate in esso –
la mia considerazione per il sale si accrebbe.

Anche in questo caso, zio Dave mi mostrò che le
proporzioni dovevano essere esatte: 23 parti di sodio e 35,5 parti di cloro, in peso. Fui colpito da questi numeri, perché mi erano già familiari: li avevo incontrati in certi elenchi riportati nei miei libri; era-

no i «pesi atomici» di questi elementi. Avevo imparato tutti quei numeri a memoria, nello stesso modo
inconsapevole con cui si imparano le tabelline. Ma
quando zio Dave tirò fuori questi stessi numeri a
proposito della combinazione chimica di due elementi, nella mia testa cominciò a emergere un lento, sotterraneo interrogativo.

Oltre alla collezione di campioni di minerali, ne
avevo anche una di monete, sistemate in un armadietto di legno di mogano lucidissimo, con le antine
che si aprivano come le porte di un piccolo teatro,
rivelando una serie di sottili vassoi con appositi al-
loggiamenti circolari, rivestiti di velluto: alcuni del
diametro di soli sei millimetri (per i groat, i pezzi da
tre penny d'argento, e i Maundy Money, minuscole
monete d'argento che si davano ai poveri a Pasqua),
altri di quasi cinque centimetri (per le corone, che
io adoravo; e per i giganteschi pezzi da due penny
coniati alla fine del diciottesimo secolo, ancor più
grandi delle corone).

C'erano anche gli album per i francobolli, e i
francobolli che mi piacevano di più erano quelli di
isole remote, che mostravano scene e piante locali,
francobolli che da soli potevano rappresentare il
surrogato di un viaggio. Adoravo quelli che mostravano diversi minerali, e quelli con particolarità di
vario tipo: francobolli triangolari, non perforati,
con la filigrana invertita o ai quali mancavano delle
lettere o delle scritte stampate sul dorso. Uno dei
miei preferiti era un curioso francobollo serbo-
croato del 1914 che, mi dissero, mostrava i lineamenti dell'arciduca Ferdinando assassinato, visto
da un certo angolo.

La collezione che mi stava più a cuore, però, era
una singolare raccolta di biglietti d'autobus. A quei
tempi, a Londra, ogni qualvolta si prendeva un autobus si acquistava un cartoncino oblungo colorato

recante lettere e numeri. Fu dopo aver acquistato un O16 e un S32 (le mie iniziali, ma anche i simboli chimici dell'ossigeno e dello zolfo, e accanto ad essi, per un caso fortuito, anche i loro pesi atomici) che decisi di raccogliere i biglietti d'autobus «chimici», per vedere quanti dei novantadue elementi sarei riuscito a procurarmi. Fui straordinariamente fortunato, o così almeno mi sembrò (sebbene fosse solo una questione di caso), perché i biglietti si andarono rapidamente accumulando e ben presto ne ebbi un'intera collezione (W184, il tungsteno, mi diede un particolare piacere, anche perché era l'altra mia iniziale, che mi mancava). Ci furono, certo, alcuni pezzi difficili: fatto irritante, il cloro aveva un peso atomico di 35,5, che non era un numero intero; senza darmi per vinto, raccolsi un Cl355, e gli aggiunsi un minuscolo punto decimale. Le singole lettere erano più facili da trovare: ebbi subito un H1, un B11, un C12, un N14 e un F19, oltre all'O16 originale. Quando mi resi conto che i numeri atomici erano ancor più importanti dei pesi atomici, cominciai a raccogliere anche quelli. Alla fine, avevo tutti gli elementi conosciuti, da H1 a U92. Nella mia mente, ogni elemento divenne indissolubilmente associato a un numero, e ogni numero a un elemento. Mi piaceva portare con me la mia piccola raccolta di biglietti d'autobus chimici; mi dava la sensazione di avere, in tasca e in un piccolissimo spazio, l'intero Universo con le sue unità costruttive.

VIII

CHIMICA, ODORI PESTILENZIALI ED ESPLOSIONI

Attratti dai suoni, dai bagliori e dagli odori che venivano dal mio laboratorio, David e Marcus, ormai studenti di medicina, a volte si univano ai miei esperimenti – in quelle occasioni, la differenza di età, rispettivamente di nove e dieci anni, pesava pochissimo. Una volta, mentre armeggiavo con idrogeno e ossigeno, ci fu una fragorosa esplosione e una fiammata quasi invisibile bruciò completamente le sopracciglia di Marcus. Lui però la prese bene, e spesso, insieme a David, mi suggeriva altri esperimenti.

Mescolavamo il perclorato di potassio con lo zucchero, lo mettevamo sul gradino del retro e lo colpivamo con un martello. Questo causava un'esplosione decisamente appagante. Farlo con il triioduro di azoto – che si preparava facilmente aggiungendo ammoniaca concentrata allo iodio, recuperando il prodotto su carta da filtro e portando a secco con etere – era una faccenda un po' più delicata. Il triioduro di azoto era infatti incredibilmente sensibile al tatto; bastava toccarlo con un bastoncino – un bastoncino *lungo* (o anche una penna) – e quello esplodeva con incredibile violenza.

Costruimmo insieme un «vulcano» dando fuoco a una piramide di cristalli arancione di dicromato d'ammonio, che poi s'incendiavano furiosamente raggiungendo il calor rosso, lanciando una pioggia di scintille in tutte le direzioni e gonfiandosi portentosamente come un vulcano in miniatura nel pieno di un'eruzione. Alla fine, quando il fenomeno si estingueva, al posto della bella piramide di cristalli c'era un'enorme pila lanuginosa di ossido cromico verde scuro.

Un altro esperimento, suggerito da David, consisteva nel versare dell'acido solforico concentrato, dall'aspetto untuoso, su un poco di zucchero, che istantaneamente diventava nero, si riscaldava, fumava e si espandeva, formando una mostruosa colonna di carbonio che si ergeva alta al di sopra del bordo del recipiente. «Attento!» mi avvertì David, mentre osservavo la trasformazione. «Sarai *tu* a trasformarti in una colonna di carbonio se ti verserai addosso dell'acido». E poi mi raccontò storie orribili, probabilmente inventate, di lanci di vetriolo nella zona di East London, e di pazienti che aveva visto arrivare in ospedale con il volto interamente cancellato dalle ustioni. (Non sapevo bene se credergli o no: quando ero più piccolo mi aveva raccontato che se avessi guardato i sacerdoti, i *kohanim*, quando ci benedicevano nello *shul* – con la testa coperta da un grande scialle, un *tallit*, mentre pregavano, perché in quel momento erano irradiati dalla luce accecante di Dio – i miei occhi si sarebbero fusi nelle orbite e mi sarebbero colati sulle guance come uova fritte).[1]

Passavo molto tempo nel laboratorio esaminando i colori delle sostanze chimiche e giocando con essi. C'erano colori che avevano su di me un potere speciale e misterioso – soprattutto i blu puri e molto intensi. Da bambino mi ero innamorato dell'azzurro deciso e brillante della soluzione di Fehling riposta nel dispensario di mio padre, proprio come mi piaceva il cono di blu puro al centro della fiamma di una candela. Scoprii che potevo ottenere degli azzurri molto intensi con alcuni composti del cobalto, con quelli del cuprammonio e con composti del ferro complessi come il blu di Prussia.

Ma fra tutti i blu, il più bello e misterioso era per me quello ottenuto sciogliendo i metalli alcalini in ammoniaca liquida (un procedimento che mi aveva mostrato zio Dave). Al principio, già il fatto che i metalli *potessero* essere sciolti mi sorprese; i metalli alcalini, d'altra parte, erano tutti solubili in ammoniaca liquida (alcuni in modo straordinario – basti pensare che il cesio si scioglieva completamente in una quantità di ammoniaca pari a un terzo del suo peso). Quando le soluzioni si facevano più concentrate, improvvisamente cambiavano carattere, trasformandosi in bronzei liquidi lucenti che galleggiavano sul blu – e in questo stato conducevano l'elettricità con la stessa efficienza di un metallo liquido come il mercurio. I metalli alcalino-terrosi funzionavano altrettanto bene, e non importava se il soluto fosse il sodio o il potassio, il calcio o il bario: le soluzioni ammoniacali, in ogni caso, erano dello stesso azzurro intenso, a indicare la presenza di una sostanza, di una struttura, insomma di qualcosa, comune a tutti loro. Era il colore dell'azzurrite custodita al Museo di Geologia, il colore stesso del cielo.

Molti dei cosiddetti elementi di transizione impartivano colori caratteristici ai propri composti – la maggior parte dei sali di cobalto e manganese era rosa; mentre quelli di rame erano prevalentemente di un azzurro intenso, oppure di un azzurro verdastro; moltissimi sali di ferro erano di color verde pallido e quelli di nichel di un verde più intenso. Allo stesso modo, quando erano presenti in piccolissime quantità, gli elementi di transizione conferivano a molte gemme il loro particolare colore. Gli zaffiri, per esempio, dal punto di vista chimico, fondamentalmente non erano altro che corindone, un ossido di alluminio incolore, ma potevano assumere qualsiasi colore dello spettro: se un poco di cromo andava a rimpiazzare parte dell'alluminio, diventavano rosso rubino; con un poco di titanio, assumevano un blu profondo; con del ferro bivalente, erano verdi; con ferro trivalente, gialli. E con un pizzico di vanadio, il corindone cominciava a somigliare all'alessandrite, oscillando magicamente fra il verde e il rosso – rosso se esposto alla luce a incandescenza, verde alla luce del giorno. Almeno nel caso di certi elementi, una minima quantità di atomi poteva produrre un colore caratteristico. Nessun chimico avrebbe saputo «condire» il corindone con mano tanto leggera – qualche atomo di questo metallo, qualche ione di quell'altro – per produrre un intero spettro di colori.

Questi elementi «coloranti» non erano molti: da quanto potevo capire, i principali erano il titanio, il vanadio, il cromo, il manganese, il ferro, il cobalto, il nichel e il rame. Non potei fare a meno di notare che erano tutti vicini in termini di peso atomico – sebbene all'epoca non avessi idea se questo significasse qualcosa, o se si trattasse solo di una coincidenza. Una caratteristica di tutti questi elementi, come appresi poi, era che avessero un certo numero di possibili stati di valenza, a differenza della maggior parte degli altri, che ne avevano solo uno. Il sodio, per esempio, poteva combinarsi con il cloro solo in un modo, e cioè nella proporzione di un atomo di sodio per ogni atomo di cloro. Tra ferro e cloro, invece, le combinazioni possibili erano due: un atomo di ferro poteva combinarsi con due atomi di cloro per formare il cloruro ferroso ($FeCl_2$) oppure con tre atomi di cloro, dando il cloruro ferrico ($FeCl_3$). Sotto molti aspetti – colore incluso – questi due cloruri erano diversissimi.

Poiché aveva quattro stati d'ossidazione o di valenza nettamente diversi, ma facilmente convertibili gli uni negli altri, il vanadio era un elemento ideale per fare esperimenti. Il sistema più semplice per ridurre il vanadio era quello di prendere una provetta piena di una soluzione di vanadato d'ammonio (pentavalente) e di aggiungervi dei pezzettini di amalgama di zinco. Quest'ultimo reagiva immediatamente, e la soluzione virava dal giallo al blu reale (il colore del vanadio tetravalente). A questo punto si poteva rimuovere l'amalgama oppure lasciarlo reagire ulteriormente, finché la soluzione virava al verde, il colore del vanadio trivalente. Se si aspettava ancora un poco, il verde scompariva ed era rimpiazzato da uno splendido lilla, il colore del vanadio bivalente. L'esperimento inverso era ancora più spettacolare, soprattutto se si stratificava del permanganato di potassio, di un bel viola intenso, sopra il lilla delicato; nell'arco di qualche ora, questo sarebbe stato ossidato e avrebbe formato strati separati, uno sull'altro, di vanadio bivalente color lilla sul fondo, poi vanadio trivalente verde, poi vanadio tetravalente blu e infine vanadio pentavalente giallo (e in cima a questo, uno strato di un intenso color marrone riferibile al permanganato originale, diventato marrone perché mescolato al biossido di manganese).

Questi esperimenti con il colore mi convinsero dell'esistenza d'una relazione molto intima (sebbene inintelligibile) fra il carattere atomico di molti elementi e il colore dei loro composti o dei loro minerali. Lo stesso colore si mostrava in qualsiasi composto si prendesse in considerazione. Poteva trattarsi, per esempio, del carbonato manganoso, o anche del nitrato o del solfato o di qualsiasi altra cosa: avevano tutti lo stesso colore rosa dello ione manganese divalente (i permanganati, invece, erano tutti d'un color viola scuro). Da tutto questo mi feci una vaga sensazione – di certo all'epoca non l'avrei potuta formulare in modo preciso – che il colore di questi ioni metallici, il loro colore chimico, fosse legato alla configurazione specifica dei loro atomi mentre passavano da uno stato di ossidazione all'altro. In particolare, che cos'era che dava agli elementi di transizione i loro colori caratteristici? Queste sostanze, i loro atomi, erano in qualche modo «sintonizzati»?[2]

Moltissima chimica sembrava avere a che fare con il calore – a volte lo assorbiva, altre volte lo generava. Spesso occorreva fornire del calore per innescare una reazione, che poi però sarebbe andata avanti da sola, in certi casi in modo violento. Se ci si limitava a mescolare della limatura di ferro con dello zolfo, non succedeva niente: usando un magnete si poteva ancora recuperare il ferro. Ma se si cominciava a riscaldare la mistura, improvvisamente essa prendeva a emettere bagliori, diventava incandescente e si generava qualcosa di totalmente nuovo: solfuro di ferro. Questa sembrava una reazione elementare, quasi primordiale, e io immaginavo che avesse luogo su vasta scala all'interno della Terra, dove il ferro fuso e lo zolfo venivano a contatto.

Uno dei miei primi ricordi (all'epoca avevo solo due anni) è lo spettacolo dell'incendio di Crystal Palace. I miei fratelli mi portarono a vederlo da Parliament Hill, il punto più alto di Hampstead Heath; tutt'intorno al palazzo in fiamme il cielo notturno era illuminato in un modo selvaggio e bellissimo. E ogni 5 novembre, in memoria di Guy Fawkes, facevamo dei fuochi d'artificio in giardino: piccole stelle filanti piene di polvere di ferro; bengala rossi e ver-

di; e petardi che mi facevano piagnucolare di paura
e desiderare di strisciare sotto il riparo più vicino,
proprio come faceva il nostro cane. Se siano state
queste esperienze, o forse un amore primordiale per
il fuoco, furono comunque fiamme e incendi, esplosioni e colori a esercitare su di me un'attrazione così
speciale (e a volte impregnata di paura).

Mi piaceva mescolare lo iodio e lo zinco, oppure
lo iodio e l'antimonio – in questo caso non c'era alcun bisogno di fornire calore –, e vedere come si ri-
scaldassero spontaneamente, emettendo una nuvo-
la di vapore di iodio color porpora sopra il recipiente. La reazione era più violenta se, al posto dello zinco o dell'antimonio, si usava dell'alluminio. Se aggiungevo due o tre gocce d'acqua alla miscela, essa
prendeva fuoco e bruciava con una fiamma viola,
diffondendo dappertutto una fine polvere marrone
di ioduro.

Il magnesio, come l'alluminio, era un metallo che
mi affascinava con i suoi paradossi: in forma massiccia era abbastanza forte e stabile da poter essere usato nella costruzione di ponti e aeroplani; ma una
volta innescata l'ossidazione o la combustione era
attivo in modo quasi terrificante. Lo si poteva mettere in acqua fredda, e non succedeva niente. Se lo
si immergeva in acqua calda cominciava a gorgo-
gliare liberando idrogeno; ma se si accendeva un
pezzo di nastro di magnesio, avrebbe continuato a
bruciare con una luce accecante sott'acqua, o anche in un'atmosfera di anidride carbonica, che normalmente soffoca una fiamma. Questo mi ricordava
le bombe incendiarie usate durante la guerra, di come non potessero essere spente dall'anidride carbonica o dall'acqua e nemmeno dalla sabbia. In effetti, se si riscaldava il magnesio con la sabbia, che è
biossido di silicio – che cosa potrebbe mai essere
più inerte della sabbia? –, il magnesio bruciava emettendo una luce brillante, estraendo l'ossigeno dalla

sabbia e producendo silicio allo stato elementare o una miscela di quest'ultimo e siliciuro di magnesio. (Ciò nondimeno, la sabbia era stata usata per soffocare i roghi innescati dalle bombe incendiarie, sebbene fosse inutile per spegnere il magnesio; durante la guerra, a Londra, si vedevano dappertutto secchi di sabbia; ogni casa aveva il suo). Se a questo punto si versava il siliciuro in acido cloridrico diluito, quello reagiva per formare un gas spontaneamente infiammabile, il siliciuro di idrogeno o silano – le bolle di gas salivano dalla soluzione, formando anelli di fumo, e prendevano fuoco con piccole esplosioni non appena affioravano in superficie.

Per bruciare i materiali, si usava un «cucchiaio da deflagrazione» con un manico lunghissimo, che si poteva calare con circospezione, insieme al suo piccolo carico di combustibile, in un cilindro contenente aria, ossigeno, cloro o quello che si voleva. Se si usava l'ossigeno, le fiamme erano molto più belle e luminose. Se si faceva fondere dello zolfo e poi lo si calava nell'ossigeno, prendeva fuoco e bruciava emettendo una fiamma azzurra luminosa e generando anidride solforosa: pungente, solleticante, ma soffocante. La lana d'acciaio, trafugata in cucina, era sorprendentemente infiammabile. Anch'essa bruciava vivacemente nell'ossigeno, producendo una pioggia di scintille simile a quella delle stelle filanti della notte di Guy Fawkes, oltre a una polvere marrone, sporca, di ossido di ferro.

Con questo genere di chimica si giocava col fuoco, in senso letterale e metaforico. Venivano sguinzagliate enormi energie, forze plutoniche, e io avevo la percezione, emozionante ma precaria, di avere la situazione sotto controllo – a volte solo per un pelo. Era così soprattutto nel caso delle reazioni fortemente esotermiche dell'alluminio e del magnesio; potevo usarle per ridurre i minerali metallici, o anche per produrre silicio elementare dalla sabbia, ma bastava una piccola disattenzione, un errore di calcolo, e ci si ritrovava con una bomba fra le mani.

L'esplorazione – la scoperta – chimica era resa ancor più romantica proprio dal pericolo cui era associata. Provavo una gioia infantile nel giocare con queste sostanze pericolose, ed ero colpito, nelle mie letture, dalla quantità di incidenti accaduti ai pionieri. I naturalisti divorati da animali feroci o uccisi da piante o insetti nocivi erano pochi; pochi erano anche i fisici che avevano perso la vista fissando i cieli, o che si erano spezzati una gamba su un piano inclinato; ma molti chimici avevano perso gli occhi, gli arti e anche la vita, di solito causando inavvertitamente delle esplosioni o producendo sostanze tossiche. Tutti i primi scienziati impegnati nella ricerca sul fosforo si erano gravemente ustionati. Bunsen, studiando il cianuro di cacodile, perse l'occhio destro in un'esplosione, e per poco non ci lasciò anche la vita. In seguito, diversi sperimentatori, cercando di ottenere il diamante dalla grafite servendosi di «bombe» ad alta temperatura e pressione, rischiarono di spedire se stessi e i propri collaboratori nel regno dei cieli. Humphry Davy, uno dei miei eroi preferiti, era rimasto quasi asfissiato dall'ossido nitroso, si avvelenò col perossido di azoto e si procurò gravi ustioni ai polmoni con l'acido fluoridrico. Davy sperimentò anche il primo esplosivo «ad alto potenziale», il tricloruro d'azoto, che era costato le dita e gli occhi a molte persone. Scoprì inoltre diversi nuovi modi per combinare l'azoto e il cloro, e una volta causò una violenta esplosione mentre era in visita a casa di un amico. In quell'occasione lo stesso Davy rimase parzialmente accecato e non si riprese del tutto per quattro mesi. (La fonte non descriveva i danni riportati dalla casa dell'amico).

Tutta una parte di *The Discovery of the Elements* era

dedicata ai «Martiri del fluoro». Sebbene il cloro elementare fosse stato isolato dall'acido cloridrico negli anni Settanta del diciottesimo secolo, il fluoro, suo parente di gran lunga più reattivo, non fu ottenuto facilmente. Avevo letto che tutti i primi sperimentatori «patirono la spaventosa tortura dell'intossicazione da acido fluoridrico» e almeno due di essi ne morirono. Il fluoro venne finalmente isolato nel 1886, dopo quasi un secolo di pericolosi tentativi.

La lettura di questa storia mi affascinò, e all'istante, avventato com'ero, decisi di produrre il fluoro per conto mio. Procurarmi l'acido fluoridrico fu cosa facile: zio Tungsteno ne usava grandi quantità per smerigliare le sue lampadine e ne avevo viste grandi damigiane nello stabilimento di Hoxton. Ma quando raccontai a casa la storia dei martiri del fluoro, i miei genitori mi proibirono di farci degli esperimenti in casa. (Scesi al compromesso di tenere dell'acido fluoridrico in una bottiglietta di guttaperca nel mio laboratorio, ma ne avevo una paura tale che non la aprii mai).

Fu solo più tardi, quando ripensai a tutto questo, che rimasi sbalordito dalla disinvoltura con cui Griffin (e gli autori degli altri miei libri) proponevano l'uso di sostanze fortemente tossiche. Non ebbi la minima difficoltà a procurarmi del cianuro di potassio dal farmacista in fondo alla strada: era normalmente usato dagli entomologi per uccidere gli insetti da collezione in un'apposita bottiglia – con quella roba, però, avrei potuto facilmente uccidermi anch'io. In un paio d'anni, misi insieme un arsenale di sostanze chimiche che avrebbe potuto avvelenare o far saltare in aria tutta la strada; ma ero un ragazzo attento – o, forse, fui solo fortunato.[3]

Se in laboratorio il mio naso era stimolato da certi odori forti – quello pungente e irritante dell'am-

moniaca o dell'anidride solforosa, e l'orribile tanfo
del solfuro di idrogeno – esso era sollecitato in modo assai più piacevole in giardino, all'aria aperta, e
in cucina, al chiuso: dal profumo dei cibi, delle es-
senze e delle spezie. Che cosa conferiva al caffè il
suo aroma? Quali erano le sostanze essenziali nei
chiodi di garofano, nelle mele e nelle rose? Che cosa dava all'aglio, alle cipolle e ai ravanelli il loro
odore pungente? E la gomma: da che cosa traeva
quel suo odore particolare? Mi piaceva soprattutto
quello che emanava quando era calda, un odore
che mi sembrava avere un qualcosa di umano (sia la
gomma che gli esseri umani, seppi poi, contengono
l'isoprene, una sostanza odorosa). Perché il burro e
il latte prendevano quell'odore di rancido se «andavano a male», come accadeva quando faceva caldo?
Che cosa dava all'acquaragia, l'essenza di trementi-
na, il suo buon profumo di pino? Oltre a questi
odori «naturali», poi, c'erano quelli dell'alcol e
dell'acetone che mio padre usava nel suo ambulatorio, e quelli del cloroformio e dell'etere custoditi
nella borsa da ostetrica di mia madre. C'era l'odore
da farmacia, delicato e piacevole, dello iodoformio,
usato per disinfettare i tagli, e quello pungente del-
l'acido fenico, impiegato per disinfettare i gabinet-
ti (con un teschio e due tibie incrociate sull'etichetta).

I profumi, a quanto pareva, potevano essere di-
stillati usando tutte le parti di una pianta – dalle foglie, dai petali, dalle radici e dalla corteccia. Cercai
di estrarre alcune fragranze per distillazione a vapore, raccogliendo petali di rosa, boccioli di magnolia
e l'erba tagliata dal giardino e facendoli bollire con
acqua. I loro oli essenziali si volatilizzavano nel vapore e poi sedimentavano nel distillato quando esso
si raffreddava (l'olio essenziale estratto dalle cipolle
e dall'aglio, però, che era bruno e pesante, precipitava sul fondo). Altrimenti, si poteva usare del gras-

so – grasso di latte, grasso di pollo – per ottenere un estratto grasso, una pomata; oppure solventi come l'acetone o l'etere. Nel complesso, i miei tentativi di estrazione non ebbero un gran successo; comunque riuscii a produrre una discreta acqua di lavanda e a estrarre olio di garofano e olio di cannella con l'acetone. Le estrazioni più produttive furono quelle che seguirono alle mie visite a Hampstead Heath, quando raccolsi grossi sacchetti di aghi di pino e ottenni un bell'olio verde tonificante ricco di terpeni – il suo odore ricordava un poco il Balsamo del Frate che dovevo inalare, facendo i suffumigi, ogni volta che avevo un raffreddore.

Mi piaceva il profumo della frutta e della verdura, e prima di mangiare qualsiasi cosa l'assaggiavo e la annusavo. In giardino avevamo un pero, e con i suoi frutti mia madre preparava un succo denso, nel quale il profumo delle pere sembrava esaltato. E d'altra parte, avevo letto che l'odore della pera poteva essere ottenuto anche artificialmente (come si faceva per produrre certe caramelle, le «gocce di pera»), senza bisogno di usare alcun frutto. Bastava prendere un alcol – etilico, metilico, amilico, uno qualsiasi – e distillarlo con acido acetico per formare l'estere corrispondente. Ero sorpreso dal fatto che una cosa semplice come l'etilacetato potesse essere responsabile del complesso e delizioso profumo delle pere, e che leggerissime modificazioni chimiche potessero trasformarlo nel profumo di altri frutti: se al posto dell'alcol etilico si usava l'alcol isoamilico, ecco sprigionarsi il profumo delle mele mature; qualche altro piccolo ritocco avrebbe prodotto esteri profumati di banana, albicocca, ananas o uva. Questa fu la mia prima esperienza del potere della sintesi chimica.

Oltre alle piacevoli fragranze della frutta, c'erano anche molti odori brutalmente disgustosi che si potevano ottenere facilmente da semplici ingredienti, o estrarre dalle piante. A tal proposito zia Len, con le sue conoscenze di botanica, fu a volte mia complice; per esempio mi fece conoscere una pianta chiamata brinaiola, una specie di *Chenopodium*. Se veniva distillata in un mezzo alcalino – io usavo della soda – sprigionava un materiale volatile con un odore particolarmente orribile di crostacei o pesce marcio. La sostanza volatile, la trimetilamina, era sorprendentemente semplice: avrei pensato che la puzza di pesce marcio avesse una base chimica più complessa. In America, mi raccontò zia Len, c'era una pianta, una specie di simplocarpo, contenente composti che emettevano un tanfo di cadavere o di carne putrefatta; le chiesi se non potesse procurarmene qualche campione, ma lei – e forse fu una fortuna – non ne aveva l'opportunità.

Alcuni di questi orribili fetori mi incitarono a compiere delle birichinate. Ogni venerdì compravamo del pesce fresco, carpa e luccio, che mia madre macinava per cucinare il pesce ripieno per il Sabato secondo una ricetta ebraica. Un venerdì aggiunsi al pesce un poco di trimetilamina e quando mia madre l'annusò fece una smorfia e buttò via tutto.

Il mio interesse per gli odori mi indusse a domandarmi in che modo li riconosciamo e li classifichiamo, in che modo, insomma, il nostro naso possa istantaneamente discriminare gli esteri dalle aldeidi, o riconoscere – per così dire, a colpo d'occhio – una categoria come i terpeni. Per quanto il nostro senso dell'olfatto sia scadente rispetto a quello di un cane – Greta, per esempio, la nostra cagna, era in grado di individuare il suo cibo preferito quando ne aprivamo una lattina all'altro estremo della casa –, ciò nondimeno, sembrava che anche negli esseri umani fosse in funzione un analizzatore chimico, non meno sofisticato dell'occhio o dell'orecchio. Non sembrava esserci, per gli odori, alcun ordine semplice come la scala musicale o i colori dello spettro; tuttavia, il naso era davvero straordinario nel compiere categorizzazioni che in qualche modo corrispondevano alla struttura fondamentale delle molecole chimiche. Tutti gli alogeni, per quanto diversi, avevano un odore da alogeni. Il cloroformio aveva esattamente lo stesso odore del bromoformio e lo stesso tipo di odore (sebbene non identico) del tetracloruro di carbonio (un liquido per il lavaggio a secco). La maggior parte degli esteri aveva odori di frutta; gli alcol – quanto meno i più semplici – avevano odori «alcolici», tutti simili; e anche le aldeidi e i chetoni avevano odori caratteristici.

(Erano sicuramente possibili errori e sorprese; zio Dave mi raccontò di come il fosgene – cloruro di carbonile, il terribile gas velenoso usato durante la prima guerra mondiale –, invece di segnalare il pericolo sprigionando un odore da alogeno, avesse un ingannevole profumo di fieno appena tagliato. Questo profumo dolce, rustico, evocativo delle fragranze dei campi della loro fanciullezza, fu l'ultima sensazione provata dai soldati intossicati dal fosgene subito prima di morire).

Gli odori terribili, le puzze, sembravano sempre emanare da composti contenenti zolfo (gli odori dell'aglio e della cipolla erano semplici solfuri organici, legati fra loro da una parentela chimica non meno stretta di quella botanica) e raggiungevano l'apice negli alcoli solforati, i mercaptani. Lessi che il responsabile del tanfo emesso dalle puzzole era il butilmercaptano – piacevole e rinfrescante se molto diluito, ma spaventoso e soffocante da vicino. (Qualche anno dopo, mi divertì scoprire, leggendo *Passo di danza*, che Aldous Huxley aveva chiamato uno dei suoi personaggi meno piacevoli Mercaptano).

Riflettendo su tutti i composti maleodoranti dello zolfo e sul tanfo atroce dei composti del selenio e del tellurio, decisi che questi tre elementi formassero una categoria olfattiva oltre che chimica, e da quel momento in poi pensai a loro come ai «puzzogeni».

Avevo annusato un po' di solfuro di idrogeno nel laboratorio di zio Dave – puzzava di uova marce, scoregge e (a quanto mi disse lui) di vulcani. Un sistema semplice per produrlo era quello di versare dell'acido cloridrico diluito su un poco di solfuro ferroso. (Il solfuro ferroso, una gran massa, lo avevo prodotto io stesso riscaldando ferro e zolfo insieme finché non avvvamparono e reagirono combinandosi). Mentre ci versavo sopra l'acido cloridrico, il solfuro ferroso prese a ribollire ed emise istantaneamente un'enorme quantità di solfuro di idrogeno, puzzolente e soffocante. Corsi ad aprire la porta che dava sul giardino e uscii fuori barcollando; mi sentivo stomacato e nauseato, e ricordai che quel gas era molto velenoso. Nel frattempo l'infernale solfuro (ne avevo prodotto una grossa quantità) stava ancora emettendo nubi di gas tossico che ben presto permeò la casa. In linea di massima i miei genitori si erano dimostrati sempre sorprendentemente tolleranti nei confronti dei miei esperimenti; a questo punto però decisero di installare una cappa che assorbisse i fumi e insistettero affinché usassi quantità di reagenti meno generose.

Quando l'aria tornò respirabile, moralmente e fisicamente, e la cappa fu installata, decisi di produrre altri gas – semplici composti dell'idrogeno con elementi diversi dallo zolfo. Sapendo che il selenio e il tellurio erano strettamente affini ad esso, essendo compresi nello stesso gruppo chimico, impiegai la medesima ricetta di base: combinare il selenio o il tellurio con il ferro, e poi trattare il seleniuro o il tellururo ferroso con acidi. Se l'odore del solfuro di idrogeno era cattivo, quello del seleniuro di idrogeno era cento volte peggiore – un odore indescrivibilmente orribile e disgustoso che mi fece soffocare e lacrimare, e ricordare ravanelli o cavoli in putrefazione (a quell'epoca odiavo con tutte le mie forze il cavolo e i cavoletti di Bruxelles, giacché lessati – sfatti – erano stati la base della nostra alimentazione a Braefield).

Il seleniuro di idrogeno, pensavo, era probabilmente l'odore peggiore del mondo. Ma il tellururo d'idrogeno lo seguiva a ruota – anch'esso aveva un tanfo infernale. Un inferno dei giorni nostri, decisi, non sarebbe stato solcato solo da fiumi di zolfo incandescente, ma sarebbe stato anche costellato da laghi ribollenti di selenio e tellurio.

IX
VISITE A DOMICILIO

Mio padre non era un tipo incline a lasciarsi andare alle emozioni o che concedesse molta intimità, almeno non nell'ambito familiare. Ci furono tuttavia occasioni, momenti preziosi, in cui lo sentii vicino. Ho ricordi, fin da piccolo, di lui che leggeva nella biblioteca, talmente concentrato che nulla avrebbe potuto distrarre la sua attenzione; qualunque cosa fosse esterna al cerchio di luce proiettato dalla lampada gli era del tutto indifferente. Perlopiù aveva tra le mani la Bibbia o il Talmud, benché avesse una vasta collezione di libri sulla lingua ebraica, che parlava correntemente, e sul giudaismo – la sua era la biblioteca di un filologo e di un erudito. Il fatto di vederlo così intensamente coinvolto, e di osservare le espressioni che si disegnavano sul suo viso – un sorriso involontario, una smorfia, un'aria di perplessità o di compiacimento: immagino che sia stato questo ad avviarmi precocemente alla lettura; e così a volte, anche prima della guerra, lo raggiungevo in biblioteca col mio libro e mi mettevo a leggere accanto a lui, godendo di una profonda quanto silenziosa compagnia.

Se non c'erano visite a domicilio da fare in serata, dopo cena mio padre si metteva comodo con un sigaro a forma di siluro. Lo palpava delicatamente, poi se lo portava al naso per verificarne aroma e freschezza, e se entrambi erano di suo gradimento, praticava col temperino un'incisione a V sulla punta. Lo accendeva con cura, servendosi di un lungo fiammifero e ruotandolo affinché bruciasse in modo uniforme. Quando dava una tirata, la punta del sigaro mandava un bagliore rosso, e la prima esalazione era un sospiro di soddisfazione. Mentre leggeva, sbuffava delicatamente e l'aria impregnata di fumo diventava azzurrina e opalescente, avvolgendoci tutti e due in una nube fragrante. Mi piaceva l'odore dei suoi meravigliosi Havana, e vedere il grigio cilindro di cenere diventare sempre più lungo – mentre mi chiedevo per quanto ancora avrebbe resistito in equilibrio prima di cadergli sul libro.

Quando andavamo a nuotare insieme, soprattutto, sentivo che eravamo vicini, che ero davvero suo figlio. Mio padre aveva avuto la passione del nuoto fin da ragazzino (e prima di lui anche suo padre era stato un buon nuotatore); da giovane era stato un campione, vincendo per tre anni di fila la gara delle quindici miglia al largo dell'isola di Wight. Ci aveva fatto familiarizzare tutti con l'acqua da piccoli, portandoci agli Highgate Ponds a Hampstead Heath.

La sua caratteristica bracciata, lenta, misurata – una bracciata mangiachilometri –, non era la più congeniale a un bambino. Ciò nondimeno vedevo bene come il mio vecchio, enorme e goffo sulla terraferma, nell'acqua si trasformasse diventando elegante come una focena; e io, un po' a disagio, nervoso e anche abbastanza impacciato, riscoprivo la stessa deliziosa trasformazione in me stesso, trovando in acqua una nuova identità, un nuovo modo di essere. Ho un vivo ricordo di una vacanza estiva al mare – avevo compiuto cinque anni il mese prima; corsi nella camera dei miei e diedi uno strattone alla grande massa da cetaceo di mio padre. «Vieni pa'!» gli dissi. «Andiamo a farci un nuotata». Lui si girò lentamente e aprì un occhio. «Che ti prende, a svegliare così un vecchio di quarantatré anni alle sei di mattina?». Se penso a quei lontani episodi, ora che mio padre è morto e che io stesso ho passato la sessantina, mi vien da ridere – e da piangere.

In seguito andavamo a nuotare insieme nella grande piscina all'aperto di Hendon, oppure a Welsh Harp di Edgware Road, un laghetto – non ho mai capito se fosse naturale o artificiale – dove papà un tempo teneva una barca. Dopo la guerra – ormai avevo dodici anni – cominciai a star dietro alle sue bracciate e a tenere il suo ritmo, nuotando all'unisono con lui.

A volte, la domenica mattina, accompagnavo mio padre nelle visite a domicilio. Era la cosa che gli piaceva di più, perché – a parte l'aspetto medico – erano anche occasioni sociali e amichevoli; gli consentivano di entrare in una famiglia, in una casa, di conoscere tutti con le loro vicende, di vedere insomma il quadro complessivo e il contesto della condizione del malato. La medicina, per mio padre, non si ridusse mai a un puro fatto diagnostico: la malattia andava vista e compresa nel contesto della vita del paziente, della sua peculiare personalità, dei suoi sentimenti, delle sue reazioni.

Aveva con sé un foglio dattiloscritto con gli indirizzi di una dozzina di pazienti, e mentre guidava mi raccontava, con grande umanità, che cosa avesse ciascuno di essi; io sedevo accanto a lui, sul sedile anteriore della macchina. Quando arrivavamo a destinazione scendevo anch'io, giacché di solito mi concedeva di portargli la borsa. A volte entravo nella stanza del malato con lui, e me ne stavo in disparte tranquillo mentre interrogava ed esaminava il paziente: operazioni rapide, lievi, che tuttavia sondavano in profondità mostrandogli la vera origine del male. Mi piaceva vederlo percuotere il torace del malato con le sue dita tozze e robuste, battendo allo stesso tempo con delicatezza e decisione e sentendo, percependo, gli organi sottostanti e le loro condizioni. Quando studiai a mia volta medicina, mi resi conto di che grande maestro della percussione fosse mio padre, e di come riuscisse a capire più lui, palpando, percuotendo e ascoltando un torace, di molti medici con una lastra sotto gli occhi.

Se il paziente era molto malato, o contagioso, io mi sedevo con il resto della famiglia in cucina o nella sala da pranzo. Dopo aver visitato il paziente al piano di sopra, mio padre scendeva, si lavava accuratamente le mani e si dirigeva in cucina. Era amante del cibo e sapeva esattamente cosa le famiglie dei suoi pazienti tenessero in frigo – quanto a loro, sembravano felicissime di offrire al buon dottore un boccone. Visitare il malato, incontrarne i familiari, conversare piacevolmente, sedersi a tavola – erano tutti aspetti inseparabili della professione medica, come la praticava lui.

Nel 1946, girare in auto nella City deserta della domenica mattina incuteva tristezza, perché le devastazioni dei bombardamenti erano ovunque e l'opera di ricostruzione era appena agli inizi; soprattutto nell'East End, dove forse un quinto degli edifici era stato raso al suolo. Ciò nondimeno, in quella zona viveva ancora una fiorente comunità ebraica, con ristoranti e negozi di specialità gastronomiche come in nessun'altra parte del mondo. Mio padre aveva ottenuto un impiego al London Hospital di Whitechapel Road e da giovane, siccome parlava yiddish, era stato per dieci anni il medico della locale comunità ebraica. Ripensava a quei primi tempi con un affetto particolare. A volte visitava il suo vecchio ambulatorio in New Road – era lì che erano nati tutti i miei fratelli e che ora esercitava un nipote medico, Neville.

Camminavamo su e giù per il «Lane», quel tratto di Petticoat Lane, fra Middlesex Street e Commercial Street, dove tutti gli ambulanti espongono le loro mercanzie sulle bancarelle. Benché i miei non vivessero lì da anni (dal 1930) mio padre, in molti casi, li conosceva ancora per nome. Chiacchierando con loro gli veniva naturale parlare yiddish; in quelle occasioni il mio vecchio papà – ma perché «vecchio»?, aveva una cinquantina d'anni e io oggi ne ho quindici più di lui allora – si trasformava: diventava un ragazzino, ringiovaniva, tirava fuori un suo sé precedente, con una verve, una vitalità che non gli conoscevo.

Andavamo sempre da Marks of the Lane, dove per sei penny si poteva comprare una *latke* (frittella di patate) e dove c'erano il salmone e le aringhe affumicati migliori di Londra – salmone di una morbidezza così incredibile da farne una delle poche, autentiche esperienze di paradiso in terra.

Mio padre aveva sempre un appetito gagliardo; per lui, lo strudel e le aringhe a casa dei pazienti, e le frittelle da Marks, erano un semplice antipasto, uno stuzzichino. Dopo qualche isolato, c'era una decina di eccellenti ristoranti kasher, ciascuno con le sue impareggiabili specialità. Si capitava da Bloom's su Aldgate, oppure da Ostwind's, dove ci si poteva deliziare con i meravigliosi profumi che salivano dal forno nello scantinato. Oppure approdavamo da Strongwater, dove facevano un tipo speciale di ravioli, i *varenika*, per i quali mio padre aveva sviluppato una pericolosa dipendenza. Di solito, però, finivamo da Silbertein's dove, oltre al ristorante di carne al piano terra, c'era, di sopra, una sala in cui servivano zuppe lattiginose – stupende! – e pesce. Mio padre, in particolare, adorava la carpa, e succhiava la testa del pesce, rumorosamente, con grandissimo gusto.

Quando si recava in auto dai pazienti, mio padre guidava in maniera tranquilla, senza mai scomporsi: aveva una Wolseley lenta e contegnosa, adatta a quei tempi di *austerity* – il razionamento della benzina era ancora in vigore. Prima della guerra, però, c'era stato un periodo in cui aveva esibito un altro lato di sé. Aveva un'auto americana, una Crysler, dotata di una potenza e un'accelerazione assolutamente inconsuete negli anni Trenta. Possedeva anche una motocicletta, una Scott Flying Squirrel, con motore a due tempi da 600 cc raffreddato ad acqua, e uno scappamento acuto come un urlo. Sviluppava circa trenta cavalli, e più che a una motocicletta – amava sottolineare mio padre – assomigliava a un cavallo alato. Se aveva una domenica mattina libera, preferiva prendere quella: voleva scuotersi di dosso la città e abbandonarsi al vento e alla strada, dimenticando per un poco il lavoro e le preoccupazioni. A volte facevo sogni in cui io stesso volavo a cavallo di una moto, e così decisi che da grande me ne sarei comprata una.

Nel 1955, quando uscì *Lo stampo* di T.E. Lawrence, ne lessi a mio padre un brano, «La strada», che Lawrence aveva scritto a proposito della sua motocicletta (a quell'epoca anch'io avevo una moto, una Norton):

«Una motocicletta tutta nervi, con una dose di sangue nelle vene, è meglio di tutti gli animali da sella del mondo, perché è un'estensione logica della nostre facoltà e perché la sua instancabile e soave regolarità è un invito, una provocazione a cercare l'eccesso».*

* T.E. Lawrence, *Lo stampo*, trad. it. di F. Bovoli, Adelphi, Milano, 1996, p. 249 [*N.d.T.*].

Papà sorrise e annuì, ripensando alle sue corse in motocicletta.

In un primo tempo, mio padre era stato in forse se fare una carriera accademica nel campo della neurologia, e aveva svolto un periodo di internato (insieme al padre di Jonathan Miller) al London Hospital sotto la direzione di Sir Henry Head, il famoso neurologo. In quel periodo, lo stesso Head, ancora all'apice delle sue facoltà, si era ammalato di morbo di Parkinson; mio padre mi raccontava che a volte la malattia lo faceva correre involontariamente, *festinare*, per tutta la lunghezza del vecchio reparto di neurologia, al punto che qualcuno dei suoi stessi pazienti doveva fermarlo. Non riuscivo a figurarmi la scena finché mio padre, che era un mimo straordinario, non mi fece l'imitazione di Head lanciandosi per Exeter Road a un passo che andava progressivamente accelerando, così che dovetti precipitarmi a trattenerlo. Egli riteneva che la sensibilità di Head alle difficoltà dei pazienti fosse stata acuita dal fatto di vivere il problema in prima persona; e io credo che le imitazioni di papà – sapeva simulare l'asma, le convulsioni, le paralisi, qualsiasi cosa –, essendo frutto della sua capacità di immedesimarsi negli altri, servissero allo stesso scopo.

Tuttavia, quando fu il momento di aprire uno studio, mio padre decise – nonostante questa prima esperienza in neurologia – che la medicina generale fosse più reale, più «viva». Probabilmente lo fu ben oltre le sue aspettative, giacché quando, nel settembre del 1918, aprì l'ambulatorio nell'East End, era appena esplosa la grande epidemia di spagnola. In ospedale mio padre aveva visto feriti di guerra, ma ciò a cui aveva assistito allora non era nulla di fronte allo spettacolo orrendo di individui in preda a tosse parossistica, boccheggianti, soffocati dal muco nei polmoni, che diventavano cianotici e cadevano morti stecchiti per strada. Si raccontava che una persona – uomo o donna – giovane e sana potesse morire di influenza nell'arco di tre ore dal contagio. In quei tre mesi di passione verso la fine del 1918, l'influenza fece più vittime della stessa guerra, e mio padre – ma non solo lui, ogni medico di allora – fu travolto dagli eventi, finendo col lavorare fino a quarantotto ore di fila.

Chiamò allora sua sorella Alida – una giovane vedova con due figli, tornata dal Sudafrica tre anni prima – perché gli facesse da assistente al dispensario. Pressappoco nello stesso periodo, prese con sé un altro giovane medico, Yitzchak Eban, perché lo aiutasse nello studio. Yitzchak era nato a Joniški, lo stesso piccolo villaggio della Lituania dove viveva la famiglia Sacks. Alida e Yitzchak erano stati compagni di giochi da bambini ma poi, nel 1895, qualche anno prima che i Sacks andassero a Londra, la famiglia di lui si era trasferita in Scozia. Ritrovatisi vent'anni dopo a lavorare fianco a fianco nell'atmosfera febbrile e drammatica dell'epidemia, Alida e Yitzchak si innamorarono e nel 1920 si sposarono.

Da bambini avemmo relativamente pochi contatti con zia Alida (ciò nondimeno, pensavo a lei come alla più intelligente e spiritosa delle mie zie: aveva intuizioni improvvise, improvvisi slanci intellettuali e sentimentali che finii per considerare tipici della mentalità Sacks, in contrapposizione ai processi mentali più metodici e analitici dei Landau). Zia Lina, invece, la sorella più grande di mio padre, era una presenza costante. Di quindici anni più vecchia di lui, era minuscola – con i tacchi, non arrivava a uno e cinquanta – ma possedeva una volontà di ferro, una determinazione spietata. Aveva capelli biondi ossigenati, spessi come quelli di un manichino, e mandava un odore che era un misto di aglio, sudore e patchouli. Era stata lei a occuparsi dell'arredamento della casa, ed era sempre lei a rifornire il 37 di Mapesbury Road di certe specialità che cucinava con le sue mani: il tortino di pesce (Marcus e David la chiamavano, per questo motivo, «Tortino-di-pesce» o, a volte, «Faccia-di-pesce»); ricchi, friabili sformati al formaggio; e, in occasione della Pasqua ebraica, palline di pane azzimo di una densità incredibile, degna del tellurio, che affondavano come piccoli planetesimi sotto la superficie della zuppa. Incurante delle buone maniere, quando era a casa si chinava sul tavolo e si soffiava il naso nella tovaglia. Nonostante questo, in compagnia era piacevolissima; in tali occasioni era brillante e civetta, ma sapeva anche ascoltare con attenzione, e giudicare carattere e motivazioni di ogni persona con cui venisse a contatto. Era abilissima nel carpirne le confidenze e, con la sua diabolica memoria, registrava ogni parola.[1]

Tale risolutezza e mancanza di scrupoli, d'altra parte, erano al servizio di una causa nobilissima, la raccolta di fondi per l'Università Ebraica di Gerusalemme. Zia Lina, si sarebbe detto, aveva un dossier su chiunque vivesse in Inghilterra – perlomeno a volte avevo questa impressione – e quando era sicura delle informazioni in suo possesso e delle proprie fonti, sollevava il telefono. «Lord G.? Sono Lina Halper». A quel punto, seguivano una pausa e un respiro affannoso – Lord G. sapeva bene che cosa aspettarsi. «Sì,» continuava lei affabilmente «sì, ci conosciamo. Ci sarebbe quella piccola storia – no, certo che no, non vogliamo scendere in dettagli – quella piccola storia a Bognor, nel marzo del '23... Ma no, è naturale che non ne voglio far menzione, sarà il nostro piccolo segreto – quanto posso segnare da parte sua? Facciamo cinquantamila? Non ho parole per dirle che cosa significherebbe per l'Università Ebraica». Con questo genere di estorsioni, Lina raccolse milioni di sterline per l'Università e probabilmente fu la più efficiente procacciatrice di fondi su cui l'ateneo abbia mai potuto contare.

Quando i Sacks arrivarono in Inghilterra dalla Lituania nel 1899, Lina – che era molto più grande dei suoi fratelli – aveva fatto loro da mamma; dopo la morte prematura del marito, aveva in un certo senso adottato mio padre rivaleggiando con mia madre per la sua compagnia e il suo affetto. Fui sempre consapevole della tensione, di quella rivalità non espressa, fra loro due, e avevo la sensazione che mio padre – molle, passivo, indeciso – fosse sballottato di qua e di là fra mia madre e mia zia.

Sebbene molti, in famiglia, la considerassero una sorta di mostro, Lina aveva un debole nei miei confronti e io lo avevo per lei. Soprattutto all'inizio della guerra, fu una presenza importante per me, e forse per tutti noi: al momento della dichiarazione di guerra, infatti, ci trovavamo a Bournemouth in vacanza, e i nostri genitori, essendo medici, dovettero partire immediatamente per Londra lasciando noi quattro con la bambinaia. Tornarono un paio di settimane dopo, e il mio sollievo – il nostro sollievo – fu prodigioso. Ricordo di essermi precipitato lungo il vialetto del giardino non appena sentii il clacson dell'automobile, e di essermi lanciato fisicamente nelle braccia di mia madre, con una tal veemenza che per poco non la travolsi. «Mi siete mancati» piansi. «Mi siete mancati moltissimo». Lei mi abbracciò – mi tenne stretto a lungo fra le braccia – e il senso di perdita, la paura, improvvisamente si dissolsero.

I nostri genitori promisero che sarebbero tornati prestissimo; avrebbero fatto in modo di venire il prossimo fine settimana, dissero, benché a Londra ci fosse tanto da fare: la mamma era impegnata con la chirurgia traumatica d'urgenza; quanto a mio padre, stava organizzando unità di soccorso per le vittime delle incursioni aeree. Il fine settimana successivo, però, non si fecero vivi. Passò un'altra settimana, e poi un'altra e un'altra ancora; a questo punto, credo che qualcosa, dentro di me, si fosse spezzato, perché quando tornarono, sei settimane dopo la loro prima visita, non corsi incontro a mia madre né l'abbracciai come la prima volta: la trattai con freddezza, in modo impersonale, come fosse un'estranea. Suppongo che lei fosse rimasta scioccata e sconcertata; non sapeva però come colmare l'abisso che si era aperto fra noi.

In quel frangente, quando gli effetti dell'assenza parentale erano ormai inconfondibili, arrivò Lina, prese in mano la casa, si mise a cucinare, a organizzare la nostra vita, e divenne per tutti noi una piccola madre, riempiendo il vuoto lasciato dall'assenza della nostra madre vera.

Questo breve interludio non durò a lungo: Marcus e David si iscrissero a medicina, e Michael e io fummo spediti a Braefield. Ma non dimenticherò mai la tenerezza che Lina mi dimostrò in quel periodo, e dopo la guerra presi l'abitudine di andare a trovarla a Londra, nella sua sontuosa casa dai soffitti alti in Elgin Avenue. In quelle occasioni mi offriva lo sformato al formaggio, a volte il suo tortino di pesce, e un bicchierino di vino dolce, mentre io la ascoltavo rievocare il suo vecchio paese. Mio padre aveva solo tre o quattro anni quando era partito, e non ne serbava alcuna memoria; Lina, invece, che all'epoca ne aveva quattordici, aveva ricordi vivi e affascinanti sia di Joniški, la *shtetl** vicino a Vilna dove erano nati tutti loro, sia dei suoi genitori, i miei nonni, quando erano relativamente giovani. Può darsi che avesse una particolare simpatia per me perché ero il più piccolo, oppure perché avevo lo stesso nome di suo padre, Elivelva, Oliver Wolf. Ave-

* «Cittadina» [*N.d.T.*].

vo anche la sensazione che fosse sola, e che le visite
del suo giovane nipote le facessero piacere.

E poi c'era il fratello di mio padre, Bennie, la pe-
cora nera della famiglia. Era stato scomunicato a di-
ciannove anni, quando, abbandonando l'ovile, se
n'era andato in Portogallo, sposando una gentile,
una *shikse*. Una cosa talmente scandalosa, talmente
scellerata agli occhi di tutti, che il suo nome non fu
più menzionato. Io, però, sapevo che c'era qualcosa
di nascosto, una sorta di segreto di famiglia: a volte
colsi certi silenzi, certe reticenze, sorpresi i miei genitori sussurrare fra di loro, e una volta vidi una foto di Bennie in una delle vetrinette di Lina (era di
un altro, disse, ma la sua voce tradiva l'imbarazzo).

Mio padre, che era sempre stato di costituzione
massiccia, dopo la guerra cominciò a ingrassare in
modo preoccupante; decise così di andare, a intervalli regolari, in un centro specializzato in cure dimagranti, nel Galles. Quei soggiorni non sembravano servire granché per quanto riguardava il peso,
ma al suo ritorno pareva contento e in buona salute,
e il suo pallore londinese lasciava spazio a una bella
abbronzatura. Solo molti anni dopo la sua morte,
un mazzo di biglietti aerei scoperti scorrendo le sue
carte mi rivelò la verità: papà non aveva mai messo
piede in quel centro per cure dimagranti. In tutti
quegli anni, con lealtà e in gran segreto, era andato
a trovare Bennie in Portogallo.

X

UN LINGUAGGIO CHIMICO

Zio Dave considerava tutta l'impresa scientifica
non esclusivamente sul piano intellettuale e tecnologico, ma anche su quello umano, e a me sembrò
naturale fare lo stesso. Quando allestii il mio laboratorio e cominciai a fare qualche esperimento chimico per conto mio, ero desideroso di imparare la storia della chimica in senso lato: scoprire che cosa facessero e come ragionassero i chimici, in quale atmosfera si muovessero nei secoli passati. Da tempo
ero affascinato dalla storia della nostra famiglia e
dal nostro albero genealogico – dai racconti sugli zii
andati in Sudafrica e su chi li aveva messi al mondo,
come pure sul primo antenato di mia madre di cui
avessimo una traccia documentata, un rabbino che
si diceva avesse un'inclinazione per l'alchimia, un
tal Lazar Weiskopf, vissuto a Lubecca nel diciassettesimo secolo. È possibile che tutto ciò abbia stimolato il mio amore per la storia in generale, come pure,
forse, la tendenza a considerarla in termini familiari. Fu così che gli scienziati, i primi chimici di cui

avevo letto nei libri, divennero in un certo senso miei antenati onorari, persone con le quali, nella fantasia, avevo una sorta di legame. Per potermi calare nel loro mondo, dovevo capire i loro meccanismi mentali.

La chimica come scienza – così avevo letto – nacque con l'opera di Robert Boyle, a metà del diciassettesimo secolo. Di vent'anni maggiore di Newton, Boyle visse in un'epoca in cui l'alchimia era ancora dominante, e in lui, accanto a idee autenticamente scientifiche, convivevano credenze e pratiche alchemiche. Ad esempio, credeva nella possibilità di creare l'oro, e pensava di aver trovato il modo di farlo (ma Newton, alchimista pure lui, gli consigliò di tacere). La sua curiosità – una « santa curiosità » ebbe a dire Einstein – era senza limiti e lo portò a esplorare una gamma amplissima di fenomeni: ai suoi occhi, tutte le meraviglie della natura rivelavano la gloria divina.

Studiò i cristalli e la loro struttura, e fu il primo a scoprirne i piani di clivaggio. Esplorò il colore, e sull'argomento scrisse un libro che avrebbe influenzato Newton. Ideò il primo indicatore chimico, una cartina imbevuta di sciroppo di violette che virava al rosso in presenza di fluidi acidi, e al verde se esposta a quelli alcalini. Scrisse il primo libro in lingua inglese sull'elettricità. Ottenne l'idrogeno – senza saperlo – immergendo chiodi di ferro in acido solforico. Scoprì che, diversamente dalla maggior parte dei fluidi, l'acqua congelando aumentava di volume. Dimostrò che versando dell'aceto su polvere di corallo si sviluppava un gas (in seguito identificato come anidride carbonica), e che le mosche, tenute in quest'«aria artificiale», dopo un po' morivano. Studiò le proprietà del sangue e s'interessò alla possibilità della trasfusione. Fece esperimenti sulla percezione degli odori e dei sapori. Fu il primo a descrivere le membrane semipermeabili. Descrisse il primo caso documentato di acromatopsia acquisita, una perdita totale della visione cromatica conseguente a un'infezione cerebrale.

Boyle descrisse tutte queste ricerche, e molte altre ancora, in un linguaggio di grande semplicità e chiarezza, ben diverso da quello arcano, enigmatico degli alchimisti. Chiunque poteva leggere i suoi scritti e ripeterne gli esperimenti; Boyle era fautore di una scienza aperta, in contrapposizione al carattere segreto, chiuso ed ermetico dell'alchimia.

Nonostante l'universalità dei suoi interessi, la chimica sembrava esercitare su di lui un fascino particolare (da ragazzo chiamava il suo laboratorio «una sorta di Elisio»). Desiderava soprattutto comprendere la natura della materia, e scrisse la sua opera più nota, *Il chimico scettico*, per sfatare la dottrina mistica dei Quattro Elementi e far confluire nella nuova razionalità illuminata della sua epoca l'enorme conoscenza empirica accumulata nel corso di secoli dall'alchimia e dall'arte farmaceutica.

Gli antichi riconducevano tutto a quattro princìpi fondamentali o elementi: terra, aria, fuoco e acqua, categorie non molto diverse, suppongo, da quelle che mi ero fatto io stesso a cinque anni (sebbene per me i metalli costituissero una quinta categoria, una categoria speciale); più difficile era immaginare i tre princìpi alchemici Zolfo, Mercurio e Sale, dove queste denominazioni non indicavano lo zolfo, il mercurio e il sale comuni, ma i loro corrispettivi «filosofici»: lo Zolfo conferiva a una sostanza colore e combustibilità; il Mercurio le donava durezza e lucentezza; il Sale, solidità e resistenza al fuoco.

Boyle mirava a sostituire queste arcaiche nozioni con un concetto razionale ed empirico, e fornì la prima definizione moderna di elemento: «... io ora intendo per elementi» scriveva «... certi corpi primitivi e semplici, o perfettamente non composti, che, non essendo costituiti da altre sostanze, né l'uno

dell'altro, sono gli ingredienti di cui sono direttamente costituiti tutti quelli chiamati corpi perfettamente composti, e nei quali, in ultima analisi, questi
sono scomposti». Ma dato che non dava esempi di tali «elementi» né spiegava in che modo la loro «purezza» dovesse venir stabilita, la sua definizione appariva troppo astratta per essere di qualche utilità.

Personalmente trovavo il libro illeggibile, ma rimasi incantato dai *Nuovi esperimenti*, pubblicati l'anno prima, nel 1660, dove Boyle esponeva – con gran
vivacità e dovizia di dettagli personali – più di quaranta esperimenti con la sua «macchina pneumati-
ca» (una pompa inventata dal suo assistente Robert
Hooke) grazie alla quale era in grado di aspirare
quasi completamente l'aria contenuta in un recipiente chiuso.[1] Questi esperimenti mostravano in
maniera quanto mai efficace che l'aria, lungi dal-
l'essere, come ritenuto anticamente, un mezzo evanescente e onnipervasivo, era una sostanza materiale con proprietà fisiche e chimiche ben precise, che
poteva essere compressa, rarefatta o addirittura pesata.

Togliendo progressivamente l'aria da un recipiente chiuso dove aveva messo una candela accesa
o un pezzo di carbone incandescente, Boyle scoprì
che a un certo punto la candela e il carbone si spegnevano, e che viceversa il carbone riprendeva ad
ardere non appena l'aria vi era reimmessa – dimostrando così che essa era necessaria per i fenomeni
di combustione. Scoprì inoltre che riducendo la
pressione del gas, piccoli animali – insetti, uccelli o
topi – andavano incontro a intensa sofferenza, ma
potevano riprendersi quando l'aria era lasciata ri-
fluire nel recipiente. Questa somiglianza fra combustione e respirazione non mancò di colpirlo.

Indagò poi se, in assenza di aria, si potesse ancora
udire il suono di un campanello (non si poteva); se
un magnete potesse esercitare la sua forza (poteva);

se gli insetti potessero volare (questo non riuscì a
stabilirlo, perché quando l'aria era troppo rarefatta
gli insetti «svenivano»); esaminò inoltre quali fossero gli effetti del vuoto sulla luminescenza delle lucciole (la luce emessa era meno brillante).

Mi piaceva leggere la descrizione di questi esperimenti e cercai di ripeterne alcuni per conto mio –
trovando che l'aspirapolvere era un buon sostituto
della pompa di Boyle. E mi piaceva, in generale, il
tono giocoso del libro, tutt'altra cosa dai dialoghi
filosofici del *Chimico scettico*. (Se ne era reso conto
anche Boyle: «Non disdegno di prender nota anche
di esperimenti divertenti, e penso che a volte i giochi dei ragazzi meritino d'essere oggetto dello studio dei filosofi»).

La figura di Boyle mi affascinava, come mi affascinavano la sua onnivora curiosità, la sua passione per
gli aneddoti e le sue occasionali battute (come
quando scrisse che preferiva occuparsi di ciò che
era «*luciferous rather than lucriferous*» [fonte di luce,
più che di lucro]). Riuscivo a farmi un'idea di lui
come persona, ed era un tipo che mi andava decisamente a genio, nonostante l'abisso di tre secoli che
ci separava.

Antoine Lavoisier, nato quasi un secolo dopo
Boyle, è universalmente noto come il vero fondatore, il padre, della chimica moderna. Prima di lui esisteva già una massa enorme di conoscenze chimiche – anche molto sofisticate – ereditate in parte
dagli alchimisti (furono loro i primi a mettere a
punto le attrezzature e le tecniche della distillazione e della cristallizzazione, e molti altri procedimenti chimici), in parte dagli speziali, e in parte,
naturalmente, dai primi metallurgisti e ingegneri
minerari.

Ciò nondimeno, sebbene si fossero esplorate innumerevoli reazioni chimiche, non erano mai state

effettuate, in maniera sistematica, misurazioni di peso o d'altro genere delle sostanze coinvolte. La composizione dell'acqua era sconosciuta, come quella della maggior parte delle altre sostanze. Più che in base ai loro costituenti, minerali e sali erano classificati in base alla struttura cristallina o ad altre proprietà fisiche. Né si aveva una chiara idea di che cosa fosse un elemento o un composto.

Come se non bastasse, non c'era un quadro generale in cui collocare i fenomeni chimici, a parte la teoria in certo modo mistica del flogisto, che avrebbe dovuto spiegare ogni sorta di trasformazioni. Il flogisto era il principio del Fuoco. Si pensava che i metalli fossero combustibili perché contenevano una certa quantità di flogisto, che liberavano quando erano riscaldati. Quando le loro terre venivano fuse con il carbone, invece, era quest'ultimo a donare il *suo* flogisto ricostituendo il metallo. Pertanto, il metallo era una sorta di materiale composto, o «composto», fatto della sua terra, del suo ossido e del flogisto. Ogni processo chimico – non solo la fusione e la calcinazione, ma anche l'azione di acidi e alcali, e la formazione dei sali – poteva essere attribuito all'aggiunta o alla sottrazione del flogisto.

Certo, il flogisto non aveva proprietà visibili: non poteva essere imbottigliato, mostrato o pesato – ma dopo tutto, non era la stessa cosa per l'elettricità? (Essa pure, nel Settecento, fonte di mistero e di fascino). Il flogisto esercitava un richiamo particolare – istintivo, poetico, mitico – giacché rendeva il fuoco qualcosa di materiale e di spirituale a un tempo. A parte le sue radici metafisiche, quella del flogisto fu d'altronde la prima teoria specificamente chimica (contrapposta a quella meccanica, corpuscolare, delineata da Boyle dopo il 1660); essa tentava di spiegare le proprietà e le reazioni chimiche in termini di presenza, assenza o trasferimento di un principio chimico specifico.

Fu in quest'atmosfera, per metà metafisica e per metà poetica, che Lavoisier – spirito pratico, profondamente analitico e logico, figlio dell'Illuminismo e ammiratore degli Enciclopedisti – si formò negli anni Settanta del secolo successivo. Appena venticinquenne, venne nominato membro dell'Académie des Sciences,[2] avendo effettuato ricerche pionieristiche in campo geologico e dato prova di grandi capacità sia come chimico sia come polemista (era stato premiato per il suo progetto di illuminazione notturna delle città, e aveva scritto un pregevole studio sulla solidificazione e l'indurimento del gesso). Successivamente, il suo acume e le sue ambizioni si concentrarono sulla teoria del flogisto: gli sembrava un'idea inconsistente, pura metafisica; e vide subito che per smantellarla bisognava condurre esperimenti meticolosamente quantitativi sulla combustione. Davvero le sostanze diminuivano di peso quando bruciavano – come ci si sarebbe aspettato se avessero realmente perso il loro flogisto nel processo? Stando all'esperienza comune, sembrava che in effetti le sostanze «si consumassero»: bruciando, una candela rimpiccioliva, le sostanze organiche si carbonizzavano e si restringevano, lo zolfo e il carbone svanivano completamente. Con i metalli, però, le cose sembravano andare diversamente.

Nel 1772 Lavoisier era venuto a conoscenza dei lavori di Guyton de Morveau, i cui esperimenti, eccezionalmente accurati e precisi, mostravano come i metalli *aumentassero* di peso quando venivano arrostiti all'aria.[3] Come si conciliava tutto questo con l'idea che qualcosa – il flogisto – andasse perduto nel processo? La spiegazione data da Guyton, che il flogisto fosse dotato di «leggerezza» e pertanto alleggerisse i metalli che lo contenevano, pareva a Lavoisier un'assurdità. Ciò nondimeno, gli impeccabili risultati di Guyton erano per lui più stimolanti di qualsiasi altra cosa in cui si fosse imbattuto in precedenza. Proprio come nel caso della mela di Newton, si era in presenza di un fatto, un fenomeno, che richiedeva una nuova teoria del mondo.

Il lavoro che lo attendeva, scrisse Lavoisier, «sembrava destinato a causare una rivoluzione nella fisica e nella chimica. Mi son visto costretto a considerare tutto quello che era stato fatto prima di me come una semplice indicazione ... come pezzi separati di una lunga catena». Lavoisier credeva che qualcuno, *lui*, dovesse unire tutti gli anelli di quella catena con «un'immensa serie di esperimenti ... così da pervenire a un tutto continuo» e formare una teoria.

Dopo aver affidato questo grandioso pensiero al suo quaderno di laboratorio, Lavoisier si accinse a un lavoro sistematico, ripetendo gli esperimenti di molti dei suoi predecessori, ma stavolta usando un apparato chiuso e pesando tutto scrupolosamente, prima e dopo la reazione – cosa che perfino i più meticolosi tra i chimici suoi contemporanei (e prima di loro lo stesso Boyle) avevano omesso di fare. Riscaldando in storte chiuse piombo e stagno fino all'incenerimento, riuscì a dimostrare che il peso totale dei reagenti restava invariato nel corso della reazione. Solo se si rompevano i recipienti, permettendo all'aria di affluire all'interno, il peso delle ceneri effettivamente aumentava: e l'aumento corrispondeva esattamente a quello che si osservava nei metalli durante la calcinazione. Secondo Lavoisier, doveva esser causato dalla «fissazione» dell'aria, o di qualche suo componente.

Nell'estate del 1774, in Inghilterra, Joseph Priestley scoprì che riscaldando il residuo calcinato di mercurio (l'ossido mercurico rosso) si liberava un'«aria» che, stranamente, sembrava perfino più forte o pura dell'aria comune:

«Una candela bruciava in quest'aria con fiamma sorprendentemente forte; e un pezzetto di legno portato al calor rosso crepitava e bruciava con rapidità prodigiosa, mostrando un aspetto simile, per certi versi, a quello del ferro incandescente al calor bianco, ed emettendo scintille in tutte le direzioni».

Affascinato, aveva indagato ulteriormente il fenomeno, scoprendo che in questa atmosfera i topi sopravvivevano quattro o cinque volte più a lungo. A questo punto, sicuro che la sua nuova «aria» fosse di natura benigna, aveva provato a respirarla lui stesso:

«La sensazione che avvertivo nei polmoni non era percettibilmente diversa da quella causata dall'aria comune; ma credo che per qualche tempo, in seguito, il mio respiro fosse particolarmente facile e leggero. Chissà che in futuro quest'aria pura non possa diventare un lusso alla moda? Finora, solo due topi, e io stesso, abbiamo avuto il privilegio di respirarla».

Nell'ottobre del 1774, Priestley si recò a Parigi per parlare dell'«aria deflogisticata» con Lavoisier. E Lavoisier vide in essa ciò che lo stesso Priestley non aveva colto: la chiave per arrivare a capire la vera natura di quanto accadeva durante la combustione e la calcinazione,[4] una cosa che fino a quel momento lo aveva sconcertato senza che riuscisse a venirne a capo. Lavoisier ripeté gli esperimenti di Priestley, li ampliò, li quantificò e li perfezionò. La combustione, ormai era chiaro, non comportava affatto la perdita di una sostanza (il flogisto), ma implicava piuttosto la combinazione del materiale combustibile con una parte dell'aria atmosferica, un gas per il quale egli coniò il termine *ossigeno*.[5]

La dimostrazione di Lavoisier, e cioè che la combustione era un processo chimico – un'ossidazione, diremmo oggi –, aveva molte altre implicazioni, e per lui rappresentò solo un frammento nel panorama, ben più ampio, di quella rivoluzione della chimica che aveva previsto. Arrostendo i metalli in storte chiuse, e dimostrando che non aveva luogo alcun evanescente incremento ponderale derivante da «particelle di fuoco», né alcuna diminuzione conseguente a perdita di flogisto, Lavoisier aveva dimostrato che in tali processi non c'era né creazione né distruzione di materia. Per di più questo principio di conservazione valeva non solo per la massa totale dei prodotti e dei reagenti, ma per ciascuno dei singoli elementi coinvolti. Facendo fermentare zucchero con lievito e acqua in un recipiente chiuso per ottenere l'alcol – com'egli fece in uno dei suoi esperimenti – la quantità totale di carbonio, idrogeno e ossigeno rimaneva invariata: essi potevano riaggregarsi chimicamente, ma le loro quantità restavano immodificate.

La conservazione della massa implicava la costanza dei processi di composizione e decomposizione. Ciò indusse Lavoisier a definire «elemento» un materiale non ulteriormente scomponibile con i mezzi esistenti; poté così compilare (insieme a Guyton de Morveau e ad altri) un primo elenco di autentici elementi: trentatré sostanze semplici distinte e non scomponibili, che andavano a rimpiazzare i Quattro Elementi degli antichi.[6] In tal modo fu in grado, per usare le sue parole, di tracciare un «bilancio», ovvero di tenere una precisa contabilità per ciascun elemento coinvolto in una reazione.

Lavoisier pensò che il linguaggio tradizionale della chimica fosse ormai inadeguato, e così mise mano a una vera rivoluzione terminologica, sostituendo le antiche denominazioni, pittoresche ma scarsamente informative – come burro di antimonio, bezoar di Giove, vetriolo azzurro, zucchero di piombo, liquore fumante di Libavius, fiori di zinco – con altri nomi: precisi, analitici, dal chiaro significato. Se qualcosa era composto di azoto, fosforo o zolfo, diventava un nitruro, un fosfuro o un solfuro. Se, grazie all'aggiunta di ossigeno, si formavano acidi, si parlava di acido nitrico, fosforico o solforico; e ci si

riferiva ai loro sali chiamandoli nitrati, fosfati e solfati. Se erano presenti quantità minori di ossigeno,
si parlava, in luogo di nitrati e fosfati, di nitriti o
fosfiti, e così via. Ogni sostanza, elementare o composta che fosse, avrebbe avuto così il suo nome, che
ne specificava la composizione e il carattere chimico; e questi termini, manipolati come in una sorta
di algebra, avrebbero istantaneamente indicato le
possibili interazioni e i possibili comportamenti delle varie sostanze in circostanze diverse. (Confesso
che, pur capendo benissimo i vantaggi di questa in-
novazione, rimpiangevo un po' i vecchi nomi, perché avevano una poesia e un'efficacia – nell'evocare
le qualità sensibili, o gli antecedenti ermetici, delle
sostanze – di cui non v'era traccia nei nuovi, siste-
matici ma del tutto privi di suggestione).

Lavoisier non introdusse i simboli degli elementi,
né fece uso di equazioni chimiche, ma pose le basi
per tutte queste cose, e io trovavo eccitante il suo
concetto di bilancio, quella sua algebra della realtà
applicata alle reazioni chimiche. Era come vedere
un linguaggio, o una musica, fissati per la prima volta nella scrittura. Disponendo di questo linguaggio
algebrico, poteva non essere necessario passare un
pomeriggio in laboratorio: si poteva fare chimica
anche usando una lavagna, o nella propria testa.

Tutte le imprese di Lavoisier – il linguaggio algebrico, la nomenclatura, la conservazione della massa, la definizione di elemento, la formulazione di
un'autentica teoria della combustione – erano orga-
nicamente collegate e formavano una struttura meravigliosa: una rivoluzionaria rifondazione della chimica, proprio come lui l'aveva sognata in modo tanto ambizioso nel 1773. La via che condusse alla sua
rivoluzione non fu né facile né diretta, sebbene nel
suo *Trattato elementare di chimica* egli la presenti come una cosa tanto ovvia; richiese quindici anni della vita intellettuale di un genio, quindici anni di fa-

tiche per aprirsi la strada nel labirinto dei pregiudizi, lottando contro la propria cecità non meno che contro quella altrui.

Tutto quel periodo in cui Lavoisier era andato pazientemente raccogliendo le sue munizioni fu segnato da dispute e conflitti; ma quando finalmente il *Trattato elementare* vide la luce – nel 1789, solo tre mesi prima della Rivoluzione – il mondo scientifico ne fu conquistato. Si trattava di un'architettura concettuale completamente nuova, paragonabile solo ai *Principia* di Newton. Ci furono alcune resistenze – quelle di Cavendish e Priestley furono le più illustri – ma nel 1791 Lavoisier poteva ormai dire: «Tutti i giovani chimici adottano la teoria e da questo concludo che la rivoluzione della chimica è stata approvata».

Tre anni dopo, nel pieno della maturità, Lavoisier perse la vita sotto la ghigliottina. Il grande matematico Lagrange, nel piangere la morte dell'amico e collega, disse: «È bastato un istante per tagliare quella testa, e forse non saranno sufficienti cent'anni per farne una uguale».

Leggere la storia di Lavoisier e dei chimici «pneumatici» suoi predecessori fu lo stimolo per altri esperimenti sul riscaldamento dei metalli, nonché sulla produzione dell'ossigeno. Mi sarebbe piaciuto arrivarci riscaldando l'ossido mercurico – nel modo in cui l'aveva ottenuto Priestley per la prima volta nel 1774 – ma finché non venne installata la cappa avevo paura dei fumi tossici del mercurio. C'erano tuttavia sostanze ricche di ossigeno, come l'acqua ossigenata o il permanganato di potassio, dalle quali era facile ricavarlo per semplice riscaldamento. Ricordo di aver gettato un pezzetto di legno ardente in una provetta piena di ossigeno e di averlo visto avvampare con una fiamma intensamente luminosa.

Ottenni anche altri gas. Decomposi l'acqua, usando l'elettrolisi; e poi la ricomposi, facendo reagire idrogeno e ossigeno. C'erano molti altri metodi per produrre l'idrogeno usando acidi o alcali – per esempio con lo zinco e l'acido solforico, o con i tappi di bottiglia in alluminio e la soda caustica. Era un peccato che quell'idrogeno gorgogliasse e andasse perduto, e così per chiudere i miei recipienti acquistai tappi di gomma e di sughero a tenuta, alcuni dei quali provvisti di un foro per farvi passare dei tubi di vetro. Nel laboratorio di zio Dave avevo imparato, fra l'altro, come ammorbidire i tubi di vetro sulla fiamma di un becco Bunsen per piegarli delicatamente ad angolo (ma ancora più divertente era soffiare delicatamente nel vetro fuso per ottenere sfere e forme di ogni genere dalla parete sottile). Con un tubo di vetro, potevo ora accendere l'idrogeno non appena fuoriusciva dal contenitore. Aveva una fiamma incolore – non gialla e fumosa come quella dei bruciatori a gas, o della stufa in cucina. Altrimenti, con un tubo di vetro delicatamente curvato, potevo immettere l'idrogeno in una soluzione saponosa per fare bolle di sapone all'idrogeno, che, essendo molto più leggere dell'aria, salivano rapidamente al soffitto e scoppiavano.

A volte, raccoglievo l'idrogeno sull'acqua, in un recipiente capovolto. Tenendolo sempre capovolto, me lo mettevo sul naso e vi respiravo dentro – il gas era inodore e insapore, e io non provavo alcuna sensazione, ma per qualche secondo la mia voce diventava acuta e stridula, una voce da Mickey Mouse che non riuscivo a riconoscere come mia.

Altre volte versavo dell'acido cloridrico sul gesso (e comunque l'esperimento avrebbe funzionato anche con un acido più debole come l'aceto), producendo l'effervescenza di un gas diverso, molto più pesante dell'idrogeno: l'anidride carbonica. Potevo raccoglierla in un recipiente e vedere un palloncino riempito d'aria, molto meno densa, galleggiare su di essa. Gli estintori della casa contenevano anidride carbonica, e a volte usavo anche quelli per procurarmi il gas.

Quando riempivo un palloncino di anidride carbonica, esso precipitava pesantemente sul pavimento, e ci rimaneva: mi chiedevo che sarebbe successo a riempire un pallone con un gas davvero denso, per esempio lo xeno (cinque volte più denso dell'aria). Quando ne accennai a zio Tungsteno, egli mi parlò di un composto del tungsteno – l'esafluoruro, per la precisione – quasi dodici volte più denso dell'aria: il vapore più pesante conosciuto. Io avevo delle fantasie, immaginavo che si potesse scoprire o produrre un gas denso come l'acqua, e poi farci il bagno e galleggiarci sopra come si galleggia nell'acqua. C'era qualcosa, nell'idea del galleggiamento – nel galleggiare e nell'affondare – che continuava a sconcertarmi e a eccitarmi.[7]

Ero ipnotizzato dai giganteschi palloni di sbarramento sospesi nel cielo di Londra durante la guerra, simili a enormi pesci luna aerei, con i corpi carnosi gonfi di idrogeno e le code trilobate. Erano fatti di un tessuto alluminato, e quando venivano colpiti dai raggi del sole mandavano riflessi brillanti. Erano ancorati al suolo con lunghi cavi che (così si pensava) avrebbero intrappolato gli aerei da guerra nemici, impedendo loro di volare così bassi. Quei palloni erano i nostri giganteschi protettori.

Uno era ancorato nel nostro campo da cricket, in Lymington Road, e divenne oggetto delle mie particolari, appassionate attenzioni. Quando nessuno guardava, toccavo delicatamente il suo tessuto leggermente rigonfio e lucente; a terra i palloni sembravano gonfi solo a metà, ma in quota l'idrogeno al loro interno si espandeva e li distendeva completamente. Mi piaceva toccare quei giganteschi palloni; la sensazione era indubbiamente quasi erotica, sebbene all'epoca non lo sapessi. Spesso, di notte, sognavo i palloni di sbarramento, immaginando me stesso affondare serenamente, come in una culla, nel loro gigantesco corpo soffice, sospeso, galleggiante, al di sopra del mondo pieno di confusione, in un'estasi empirea senza tempo. Chiunque, pensavo, doveva essere entusiasta dei palloni: quel loro tendere verso l'alto invitava all'ottimismo e faceva battere il cuore per l'emozione. Quello di Lymington Road, comunque, era speciale: immaginavo che mi riconoscesse e rispondesse alle mie carezze, fremendo (proprio come me) in una sorta di rapimento. Non era umano, non era animale – in un certo senso però era animato; avevo dieci anni e quello fu il mio primo oggetto d'amore: un precursore.

XI

HUMPHRY DAVY: UN CHIMICO-POETA

Credo di aver sentito nominare per la prima volta Humphry Davy poco prima della guerra, quando mia madre mi portò all'ultimo piano del Museo della Scienza, a vedere il plastico di una miniera di carbone con le gallerie polverose illuminate da flebili lampade. Lì mi mostrò la lampada di sicurezza di Davy – ce n'erano svariati modelli – e mi spiegò come funzionava: aveva salvato, disse, innumerevoli vite. Poi indicò, lì vicino, la lampada di Landau, inventata da suo padre il secolo prima, negli anni Settanta: fondamentalmente, si trattava di un'ingegnosa variante di quella di Davy. Fu così che, nella mia mente, questi divenne una sorta di antenato, uno della famiglia.

Nato nel 1778, Davy si formò nei primi anni della rivoluzione iniziata da Lavoisier. Furono anni di scoperte – il periodo in cui la chimica diventò maggiorenne – ma anche un momento di grandi chiarimenti teorici. Davy, figlio di un artigiano, lavorava come apprendista presso un farmacista-chirurgo di Penzance, ma presto cominciò a coltivare ben altre ambizioni. Soprattutto, cominciò a sentirsi attratto dalla chimica. Lesse il trattato di Lavoisier e giunse a conoscerlo a fondo, un'impresa notevolissima per un diciottenne che aveva ricevuto una scarsa istruzione formale. Grandi (forse grandiose) visioni cominciarono ad agitarsi nella sua mente: non avrebbe potuto essere *lui* il nuovo Lavoisier, o magari il nuovo Newton? (Uno dei suoi quaderni di appunti, risalenti a quel periodo, recava l'intestazione «Newton and Davy»).

Lavoisier aveva lasciato un fantasma del flogisto nella concezione del calore, o «calorico», come elemento; nel suo primo, fondamentale esperimento, Davy fuse del ghiaccio per attrito, mostrando così che il calore, lungi dall'essere una sostanza materiale come riteneva Lavoisier, era movimento, ossia una forma di energia. Esultante, Davy dichiarò: «La non-esistenza del calorico, o del fluido di calore, è ora provata». I risultati di quegli esperimenti furono presentati in un lungo *Essay on Heat and Light*, al tempo stesso una critica di Lavoisier e la visione di una nuova chimica, finalmente purgata di tutti i residui alchemici e metafisici.

Le notizie sul talento del giovane Davy e sulle sue nuove, e forse rivoluzionarie, teorie concernenti la materia e l'energia non mancarono di colpire il chimico Thomas Beddoes, che decise di pubblicarne il saggio e lo invitò al suo laboratorio, lo Pneumatic Institute di Bristol. Qui Davy analizzò gli ossidi di azoto che erano stati isolati per la prima volta da Priestley – l'ossido nitroso, o protossido di azoto, (N_2O), l'ossido nitrico (NO) e il perossido di azoto (NO_2), marrone e velenoso –, mise a raffronto le loro proprietà e fece una memorabile descrizione degli effetti dell'inalazione del protossido di azoto, il cosiddetto gas esilarante. Essa ricorda, per acume psicologico, quella resa un secolo dopo da William James, ed è forse la prima, nella letteratura occidentale, che abbia a che fare con un'esperienza psichedelica: «Quasi immediatamente, si produsse un brivido esteso dal torace alle estremità ... Le mie impressioni visive erano abbacinanti e chiaramente amplificate, sentivo distintamente ogni suono nella stanza ... Aumentando le sensazioni di piacere, persi ogni legame con le cose esterne; successioni di intense immagini mi attraversarono la mente, ed erano collegate alle parole in modo tale da produrre percezioni perfettamente nuove. Mi trovavo in un mondo di idee appena connesse e modificate. Teorizzavo, immaginavo di fare delle scoperte». Davy scoprì fra l'altro che il protossido di azoto era un anestetico e ne suggerì l'impiego in chirurgia (tuttavia, non approfondì la questione, e l'anestesia generale fu introdotta solo intorno al 1846, dopo la sua morte).

Nel 1800 Davy lesse un articolo di Alessandro Volta con la descrizione della sua pila, la prima batteria: un sandwich di due diversi metalli separati da pezzi di cartone imbevuto di acqua salata, capace di generare una corrente elettrica costante. Sebbene l'elettrostatica – fenomeni come fulmini o scintille – fosse stata indagata già nel secolo precedente, non si era ancora riusciti a ottenere una corrente elettrica continua. In seguito Davy scriverà che l'articolo di Volta aveva dato la sveglia agli scienziati europei; nel suo caso diede immediatamente forma a quella che ora considerava l'opera della sua vita.

Davy convinse Beddoes a costruire una pila imponente – un centinaio di doppie piastre di rame e zinco, di poco meno di quaranta centimetri quadrati di superficie, che occupavano un'intera stanza – e qualche mese dopo iniziò i suoi primi esperimenti. Gli venne quasi subito il sospetto che la corrente elettrica fosse generata da modificazioni chimiche nelle piastre metalliche, e si chiese se non potesse valere anche l'inverso – cioè se non si potessero indurre modificazioni chimiche mediante il passaggio di una corrente elettrica.

L'acqua poteva essere ottenuta (come aveva dimostrato Cavendish) facendo detonare una miscela di idrogeno e ossigeno.[1] Era possibile, sfruttando le potenzialità della corrente elettrica, fare il cammino inverso? Nel suo primissimo esperimento di elettrochimica, Davy mostrò che facendo passare una corrente elettrica nell'acqua (previa l'aggiunta di un po' di acido affinché conducesse) era possibile scomporla nei suoi costituenti idrogeno e ossigeno, che comparivano ai poli (o elettrodi) opposti della batteria; solo vari anni dopo si vide che i due gas si liberavano in proporzioni esatte e costanti.

Con quella batteria, si poteva non solo effettuare l'elettrolisi dell'acqua, ma anche riscaldare dei fili metallici: un filo di platino, ad esempio, poteva essere reso incandescente; e se la corrente era fatta passare in barrette di carbonio, e queste venivano poi separate un poco, un arco elettrico abbacinante le avrebbe unite come un ponte («così intenso» scrisse Davy «che perfino la luce del sole, al confronto, appariva fioca»). Quasi per caso, Davy s'era imbattuto in quelle che sarebbero diventate le due principali forme di illuminazione elettrica – quella a incandescenza e quella ad arco; tuttavia, non si preoccupò di svilupparle, ma prese a studiare altre cose.[2]

Nel 1789, Lavoisier aveva incluso tra gli elementi le «terre alcaline» (magnesia, calce e barite) pensando che contenessero nuovi elementi; Davy aggiunse all'elenco gli alcali (soda e potassa) sospettando che essi pure contenessero nuovi elementi. A quell'epoca, però, era impossibile isolarli con mezzi chimici. Davy si chiese se i poteri radicalmente nuovi dell'elettricità non potessero riuscire là dove la chimica ordinaria aveva fallito. Dapprima attaccò gli alcali, e all'inizio del 1807 eseguì i famosi esperimenti nel corso dei quali, utilizzando una corrente elettrica, isolò il potassio e il sodio metallici. Quando vi riuscì, era a tal punto in estasi che, stando a quanto registrò il suo assistente, si mise a ballare di gioia.[3]

Uno dei miei più grandi piaceri fu di ripetere gli esperimenti di Davy: mi identificavo a tal punto con lui che quasi credevo di essere io in procinto di scoprire quegli elementi. Avevo letto di come Davy avesse scoperto prima di tutto il potassio, e come quest'ultimo reagisse con l'acqua; così ne tagliai un cubetto (si tagliava come il burro, e la superficie esposta riluceva di un bianco argenteo brillante – ma solo per un attimo, perché anneriva immediatamente). Presi il cubetto e con attenzione lo calai in un recipiente d'acqua, facendo un passo indietro – appena in tempo, giacché il potassio prese fuoco all'istante, agitandosi freneticamente nel recipiente come una massa fusa sormontata da una fiamma violetta, schizzando e crepitando mentre lanciava lapilli incandescenti in tutte le direzioni. Pochi secondi e il piccolo globulo era completamente consumato, e nell'acqua del recipiente era tornata la tranquillità. Ora, però, l'acqua era calda e saponosa; era diventata una soluzione di potassa caustica che, essendo alcalina, faceva virare al blu una cartina al tornasole.

Il sodio era molto più economico del potassio, e meno violento; quindi decisi di osservare la sua azione all'aperto. Me ne procurai un pezzo abbastanza grosso, circa un chilo e mezzo, e feci un'escursione agli Highgate Ponds, a Hampstead Heath, con i miei due amici più cari, Eric e Jonathan. Quando giungemmo sul posto salimmo su un pon-

ticello; poi io, con delle pinze, tirai fuori il sodio
dall'olio e lo lanciai in acqua. Prese fuoco istantaneamente e schizzò roteando sulla superficie come
una meteora impazzita, sormontato da un'enorme
fiammata gialla. Esultammo tutti – questa era chimica, la chimica della vendetta!

C'erano poi altri membri della famiglia dei metalli alcalini, ancor più reattivi del sodio e del potassio:
metalli come il rubidio e il cesio (e c'era anche il litio, che era il più leggero e meno reattivo). Era un
gioco affascinante confrontare le reazioni di tutti e
cinque mettendo dei pezzettini di ognuno nell'acqua. Bisognava farlo con attenzione, usando le pinze, e munire se stessi e i propri ospiti di occhiali: il litio si muoveva tranquillamente sulla superficie del-
l'acqua, reagendo con essa ed emettendo idrogeno,
finché si consumava tutto; un pezzo di sodio si sarebbe spostato sulla superficie con un sibilo stizzo-
so, ma se era piccolo non avrebbe preso fuoco; il potassio, invece, avvampava nell'istante stesso in cui
entrava in contatto con l'acqua, bruciando con una
pallida fiamma color malva e lanciando globuli incandescenti ovunque; il rubidio era ancor più reattivo, schizzava con violenza avvampando con una
fiamma rosso violetto; quanto al cesio, scoprii che al
contatto con l'acqua esplodeva, mandando in fran-
tumi il contenitore di vetro. Dopo questa dimostrazione, uno non avrebbe mai più dimenticato le proprietà dei metalli alcalini.

Prima che Humphry Davy scoprisse il sodio e il
potassio, si pensava che i metalli fossero tutte sostanze dure, dense e infusibili, mentre qui ce n'erano alcuni morbidi come burro, più leggeri dell'acqua, che fondevano facilmente, e che manifestava-
no una violenza chimica, un'avidità di combinarsi,
maggiore di qualunque cosa vista prima. (Davy era
rimasto talmente colpito dall'infiammabilità del sodio e del potassio, e dalla loro capacità di galleggia-

re sull'acqua, da chiedersi se non potessero esistere
dei depositi di queste sostanze sotto la crosta terrestre, depositi che, esplodendo all'impatto con l'acqua, fossero responsabili delle eruzioni vulcaniche).
Potevano, i metalli alcalini, venir considerati veri
metalli? Davy affrontò questo problema esattamente due mesi dopo:

«La maggior parte dei filosofi ai quali è stata posta questa domanda ha risposto affermativamente.
Essi sono simili ai metalli per opacità, lucentezza,
malleabilità, potere di condurre il calore e l'elettricità e proprietà di combinazione chimica».

Dopo il successo ottenuto nell'isolare i primi metalli alcalini, Davy si rivolse alle terre alcaline; le sottopose a elettrolisi e nell'arco di qualche settimana
isolò altri quattro elementi metallici – il calcio, il
magnesio, lo stronzio e il bario – tutti altamente
reattivi e in grado di bruciare, come i metalli alcalini, producendo fiamme dai colori brillanti. Essi formavano chiaramente un altro gruppo naturale.

I metalli alcalini non esistono in natura allo stato puro; né esistono come elementi i metalli alcalino-terrosi – anch'essi, infatti, sono troppo reattivi e
si combinano istantaneamente con altri elementi.[4]
Quello che si trova, invece, sono sali complessi o
semplici di questi elementi. Sebbene allo stato cristallino i sali tendano a non essere buoni conduttori, disciolti in acqua o fusi conducono bene una corrente elettrica; essa anzi li decomporrà, liberando la
loro componente metallica (per esempio il sodio) a
un polo, e l'elemento non metallico (per esempio il
cloro) all'altro. Davy ne dedusse che nel sale gli elementi erano presenti come particelle cariche – altrimenti, perché sarebbero stati attratti dagli elettrodi? Perché il sodio migra sempre verso un elettrodo
e il cloro verso l'altro? Faraday, allievo di Davy,
chiamò «ioni» queste particelle cariche di un elemento, distinguendo ulteriormente gli ioni positivi

e negativi come «cationi» e «anioni». Il sodio e il
cloro elettricamente carichi erano, rispettivamente,
uno dei cationi e degli anioni più forti.

Per Davy, l'elettrolisi fu una rivelazione: la materia stessa non era qualcosa di inerte, tenuta insieme
dalla «gravità», come pensava Newton, ma era carica e tenuta insieme da forze elettriche. L'affinità
chimica e le forze elettriche, speculava Davy, erano
la stessa cosa. Per Newton e Boyle esisteva una sola
forza, la gravitazione universale, responsabile non
solo della coesione di stelle e pianeti, ma degli stessi
atomi di cui essi erano composti. Ora, per Davy, c'e-
ra una seconda forza cosmica, non meno potente
della gravità, che operava però a livello di minuscole distanze interatomiche, nel mondo invisibile,
quasi inimmaginabile, degli atomi chimici. La gravità, pensava Davy, poteva essere il segreto della
massa, ma l'elettricità era il segreto della materia.

Davy amava fare esperimenti in pubblico e le sue
famose conferenze, o conferenze-dimostrazioni, erano emozionanti, eloquenti e spesso letteralmente
esplosive. Prendevano spunto dai dettagli più riposti dei suoi esperimenti per arrivare alla speculazio-
ne sull'Universo e sulla vita, ed erano tenute con
uno stile e una ricchezza di linguaggio ineguagliabi-
li.[5] Ben presto egli divenne il più famoso e influente
conferenziere d'Inghilterra, attirando ogni volta un'e-
norme folla che bloccava il traffico. Perfino Coleridge, il più grande oratore dell'epoca, andava alle
conferenze di Davy, non solo per riempire i suoi tac-
cuini di chimica, ma per «rinverdire» la sua «riserva di metafore».

Ai primi dell'Ottocento, l'unità delle due culture,
umanistica e scientifica, esisteva ancora; quella dis-
sociazione della sensibilità che si sarebbe prodotta
di lì a poco era ancora di là da venire – e il periodo
che Davy passò a Bristol vide nascere una stretta

amicizia fra lui, Coleridge e i poeti romantici. Lo stesso Davy, all'epoca, scriveva – e talvolta pubblicava – poesie; i suoi quaderni contenevano, mescolati, dettagli di esperimenti, poesie e riflessioni filosofiche; nella sua mente, a quanto pare, non c'erano compartimenti stagni.[6]

Nei primi tempi della rivoluzione industriale c'era una gran voglia di scienza, e soprattutto di chimica; si credeva che fosse un modo nuovo e potente (ma non arrogante) non solo per comprendere il mondo, ma anche per guidarlo verso una condizione migliore. Lo stesso Davy pareva incarnare questo nuovo ottimismo, capace com'era di cavalcare la cresta di una nuova grande onda di potere scientifico e tecnologico, che prometteva, o minacciava, di trasformare il mondo. Per cominciare, aveva scoperto una dozzina di elementi; poi aveva suggerito nuove tecniche di illuminazione ed elaborato una teoria elettrica della combinazione chimica, della materia e dello stesso Universo – e tutto questo a neppure trent'anni.

Nel 1812, Davy, figlio di un intagliatore, fu nominato cavaliere in riconoscimento dei suoi servigi all'Impero britannico – primo scienziato dopo Isaac Newton a venire insignito di quell'onorificenza. Nello stesso anno si sposò, ma la cosa non sembrò minimamente distrarlo dalle sue ricerche chimiche. Quando partì per il continente in viaggio di nozze, mise in programma una serie di esperimenti e di incontri con i colleghi chimici; così portò con sé una gran quantità di apparecchiature chimiche e materiali – «una pompa a vuoto, un motore elettrico, una batteria galvanica ... un cannello ossidrico, recipienti di varie dimensioni di platino e di vetro, e i comuni reagenti chimici» – oltre al suo giovane assistente, Michael Faraday. (Faraday, all'epoca poco più che ventenne, aveva seguito con entusiasmo le conferenze di Davy e per ingraziarselo gliene regalò una brillante trascrizione annotata).

A Parigi, Davy ricevette la visita di Ampère e Gay-Lussac, che avevano portato con sé, per avere un suo parere, un campione di una sostanza nera e lucente, ottenuta dalle alghe marine, dotata di una straordinaria proprietà: quando veniva riscaldata non fondeva, ma si trasformava immediatamente in un vapore di un intenso color viola. L'anno prima, Davy aveva identificato nell'«aria di acido muriatico» descritta da Scheele, di un giallo verdastro, un nuovo elemento, il cloro. Con il suo spiccato senso della realtà[7] e il suo genio per l'analogia, intuì che questo solido nero, odoroso, volatile e altamente reattivo poteva essere un altro elemento, un analogo del cloro, e ben presto trovò la conferma della sua ipotesi. Davy aveva già tentato, inutilmente, di isolare il «radicale fluorico» di Lavoisier, e aveva capito che l'elemento in esso contenuto, il fluoro, doveva essere più leggero e ancor più attivo del cloro. Ma era pure sicuro, data la grande differenza tra le proprietà fisiche e chimiche del cloro e dello iodio, che ci fosse tra loro un elemento intermedio, non ancora scoperto. (Tale elemento, il bromo, esisteva davvero; non fu però Davy a scoprirlo, ma un giovane chimico francese, Balard, nel 1826. Lo stesso Liebig, si seppe poi, aveva ottenuto prima di allora l'elemento liquido, color marrone, scambiandolo erroneamente per «cloruro di iodio liquido»; avuta notizia della scoperta di Balard, Liebig ripose il flacone che lo conteneva nel suo «armadio degli errori»).

Dalla Francia, sposi e accompagnatori mossero alla volta dell'Italia: raccolsero cristalli sul bordo del cratere del Vesuvio, analizzarono i gas emessi dalle bocche naturali nelle montagne (Davy scoprì che erano identici al gas di palude o gas metano) e compirono, impresa mai tentata prima, l'analisi chimica di campioni di pittura di antichi capolavori («semplici atomi», dichiarò Davy).

A Firenze, Davy provò a bruciare un diamante in condizioni controllate, usando una gigantesca lente d'ingrandimento. Nonostante Lavoisier avesse dimostrato l'infiammabilità del diamante, Davy era riluttante a credere che diamante e carbone fossero il medesimo elemento. Era piuttosto raro che gli elementi si presentassero in più forme fisiche completamente diverse (tutto ciò accadeva prima della scoperta del fosforo rosso o degli allotropi dello zolfo). Davy si chiedeva se non potessero rappresentare diverse forme di «aggregazione» degli stessi atomi, ma solo molto tempo dopo, con la nascita della chimica strutturale, questo poté venir stabilito con certezza (si vide allora che la durezza del diamante era dovuta alla forma tetraedrica dei suoi reticoli atomici, mentre la morbidezza e l'untuosità della grafite erano riconducibili alla disposizione dei suoi reticoli esagonali in lamine parallele).

Terminata la luna di miele, Davy fece ritorno a Londra, dove affrontò una delle maggiori sfide pratiche della sua vita. La rivoluzione industriale, che proprio allora stava decollando, divorava immense quantità di carbone; nelle miniere si scavavano pozzi sempre più profondi, abbastanza profondi da imbattersi in gas velenosi e infiammabili come il grisù (il metano) e l'anidride carbonica. Un canarino in gabbia, portato giù nei pozzi, poteva segnalare la presenza di un gas asfissiante come l'anidride carbonica; ma la prima indicazione della presenza di metano era, troppo spesso, un'esplosione fatale. C'era un disperato bisogno di una lampada per minatori che potesse essere portata nelle oscure profondità dei pozzi senza alcun pericolo di far detonare eventuali sacche di metano.

Davy fece un'osservazione fondamentale – e cioè

che una fiamma non poteva passare attraverso una reticella metallica, fintanto che questa era mantenuta fredda.[8] Fabbricò allora una serie di lampade basate su questo principio; la più semplice e affidabile era una lampada a olio ove l'aria poteva entrare o uscire solo attraverso una rete di filo metallico. Le lampade, opportunamente perfezionate, furono collaudate nel 1816 e non solo si dimostrarono sicure ma si rivelarono anche attendibili indicatori della presenza di metano, che poteva essere rilevata grazie alla fiamma.

In seguito, Davy scoprì che se un filo di platino veniva messo in una miscela esplosiva, sarebbe diventato incandescente al calor rosso. Aveva scoperto il miracolo della catalisi: come cioè alcune sostanze, per esempio i metalli affini al platino, possano indurre una reazione chimica continua sulle proprie superfici, senza esserne essi stessi consumati. L'ansa di platino che tenevamo sopra la cucina a gas, per esempio, diventava incandescente quando era esposta al flusso del gas, accendendolo una volta raggiunto il calor rosso. Questo principio di catalisi sarebbe divenuto indispensabile in migliaia di processi industriali.[9]

Humphry Davy e le sue scoperte facevano ormai parte della nostra vita – in che misura lo avrei compreso pienamente in seguito – con le posate placcate mediante galvanostegia, gli accendigas catalitici, la fotografia (di cui era stato un pioniere, ottenendo immagini su pelle trent'anni o più prima che altri riscoprissero il processo), e le accecanti lampade ad arco usate nei cinema locali. L'alluminio, un tempo più costoso dell'oro (Napoleone III, notoriamente, era solito dare agli ospiti piatti d'oro, mentre lui pranzava sull'alluminio), era diventato disponibile e a buon mercato solo grazie al procedimento di estrazione elettrolitica di Davy. Quanto alle innumerevoli sostanze sintetiche che ci circondano –

dai fertilizzanti ai telefoni di lucente bachelite –, tutte furono possibili grazie alla magia della catalisi. Essenzialmente, però, fu la personalità di Davy ad affascinarmi: non era un tipo modesto come Scheele, né sistematico come Lavoisier, ma esuberante e pieno di entusiasmo giovanile, con un meraviglioso gusto per l'avventura, e alle volte pericolosamente impulsivo, sempre sul punto di spingersi troppo in là. Fu soprattutto questo a catturare la mia fantasia.

XII

IMMAGINI

La fotografia divenne un'altra delle mie passioni, e il mio piccolo laboratorio, già fin troppo ingombro, spesso doveva fungere anche da camera oscura. Se mi sforzo di ricordare che cosa m'avesse attratto verso la fotografia, credo si sia trattato delle sostanze chimiche utilizzate: spesso le mie mani erano macchiate di pirogallolo, e sembravano perennemente puzzare di iposolfito di sodio; o forse si trattò anche delle luci speciali: le luci rosso intenso; le grandi lampadine del flash riempite di un foglio di metallo lucente, frusciante, infiammabile (di solito magnesio o alluminio, a volte zirconio). Sarà anche stata l'attrattiva dell'ottica: la piccola immagine appiattita del mondo sul vetro smerigliato; il piacere di giocare con i diaframmi, di mettere a fuoco, di scegliere gli obiettivi; e di tutte le meravigliose emulsioni che potevo usare; ma soprattutto furono i processi implicati nella fotografia ad affascinarmi davvero.

Naturalmente, poiché non ero bravo a disegnare o dipingere, c'era anche la sensazione di poter rendere oggettiva e permanente una percezione molto personale e forse fugace. Questa sensazione fu alimentata, ancor prima della guerra, dagli album delle foto di famiglia, soprattutto quelle che risalivano a prima della mia nascita: le scene sulla spiaggia, con le cabine balneari montate su ruote degli anni Venti; le scene per le strade di Londra al volgere del secolo; i nonni e i prozii, rigidamente in posa, nel decennio 1870-1880. C'erano anche, più preziosi di tutto il resto, due dagherrotipi, montati in speciali cornici, risalenti più o meno al 1850: avevano un dettaglio, una perfezione, che li faceva apparire molto più incisivi e brillanti delle successive stampe su carta. Mia madre era particolarmente attaccata a uno di essi, l'immagine della nonna materna, Judith Weiskopf, ripresa a Lipsia nel 1853.

E poi c'era tutto il grande mondo esterno alla famiglia: le foto stampate su libri e giornali, alcune di un realismo impressionante, come le drammatiche immagini del Crystal Palace in fiamme (che confermavano – o suggerirono? – i miei precocissimi ricordi dell'evento); fotografie di dirigibili che si libravano maestosamente (e un'altra di uno Zeppelin che precipitava in fiamme). Mi piacevano le immagini di luoghi e popoli lontani, soprattutto quelle del «National Geographic», che arrivava ogni mese, con la sua copertina bordata di giallo. Il «National», fra l'altro, aveva immagini a colori, e queste mi colpivano in modo particolare. Avevo visto fotografie colorate a mano – zia Birdie era un'esperta in questo campo – ma non avevo mai visto vere fotografie a colori. Un racconto di H.G. Wells, *The Queer Story of Brownlow's Newspaper*, che lessi pressappoco in quel periodo, narra che un bel giorno – nel 1931 – il signor Brownlow si vide recapitare, invece del solito giornale, un quotidiano datato 1971. Il primo parti-

colare che attira l'attenzione di Brownlow, e gli fa
capire di essere coinvolto in qualcosa di incredibile,
è che il giornale ha delle foto a colori – inimmaginabili per chi, come lui, viveva negli anni Trenta:
« Mai, in vita sua, aveva visto riproduzioni simili – e
gli edifici, lo scenario e i costumi raffigurati erano
strani. Strani, e però credibili. Erano fotografie a colori della realtà di lì a quarant'anni ». A volte avevo
io stesso una sensazione del genere guardando le
immagini del « National »; anch'esse mostravano un
mondo del futuro, brillante e multicolore, lontano
dalla monocromia del passato.

Ancor più mi attiravano le fotografie di una volta,
con i loro tenui toni color seppia – ce n'erano moltissime negli album di famiglia più antichi e sulle
vecchie riviste che un giorno trovai ammucchiate
nella legnaia. Nel 1945 vedevo bene che i tempi erano cambiati – che la vita di prima della guerra ormai se n'era andata, per sempre. Ma c'erano ancora
le fotografie, immagini spesso casuali, che ora assumevano un valore speciale: fotografie di vacanze
estive, fotografie di amici, vicini e parenti immorta-
lati alla luce di un sole del 1935 o del 1938, senz'ombra di una premonizione di quanto sarebbe accaduto poi. Mi sembrava meravigliosa questa capacità
delle fotografie di cogliere momenti reali, di essere
precise sezioni trasversali del tempo che, per così dire, rimaneva fissato per sempre nell'argento.

Desideravo moltissimo fare io stesso delle fotografie, per documentare e descrivere scene, oggetti,
persone, luoghi, momenti, prima che cambiassero o
scomparissero, inghiottiti dalle trasformazioni della
memoria e del tempo. In questa disposizione d'ani-
mo ne scattai una nella luce del mattino a Mapesbury Road il giorno del mio dodicesimo compleanno, il 9 luglio 1945. Intendevo fissare, immortalare
per sempre tutto quello che mi ero trovato di fronte
aprendo le tende. (Ho ancora quella foto, benché

in realtà siano due, un anaglifo rosso e verde che dovrebbe dare un effetto stereoscopico. Dopo più di mezzo secolo, quell'immagine ha quasi rimpiazzato la memoria: se chiudo gli occhi e cerco di visualizzare la Mapesbury Road della mia infanzia, vedo solo quella foto).

In parte, questa esigenza di documentare derivava dal fatto che oggetti in apparenza eterni fossero stati completamente distrutti o eliminati. Prima della guerra, tutt'intorno al nostro giardino c'era una recinzione in ferro battuto, bella e solida; ma quando tornai a casa, nel 1943, non c'era più. Trovai la cosa molto inquietante, e arrivai al punto di dubitare della mia stessa memoria. C'era stata davvero quell'inferriata prima della guerra, oppure in qualche modo, fantasioso e poetico, me l'ero inventata io? Vedere le foto di me da piccolo, in posa contro la recinzione, fu un grande sollievo, giacché dimostrava che l'inferriata era stata davvero al suo posto. E poi c'era il gigantesco orologio di Cricklewood, l'orologio che ricordavo, o almeno mi sembrava di ricordare, alto circa sei metri, con il quadrante d'oro, in Chichele Road – anche quello, nel '43, era sparito. C'era stato un orologio simile a Willesden Garden, e pensai di averlo in qualche modo duplicato nella mia mente, regalando il suo gemello a Cricklewood, il mio quartiere. Anche in questo caso fu un gran sollievo, anni dopo, vedere una foto di quell'orologio, constatare che non me lo ero inventato (sia la recinzione di ferro che l'orologio erano stati eliminati per esigenze belliche, quando c'era un disperato bisogno di tutto il ferro disponibile).

Qualcosa di simile accadde nel caso dell'ippodromo di Willesden, scomparso anche quello, sempre che fosse mai esistito. Immaginavo che se anche l'avessi chiesto, la gente avrebbe risposto: «L'ippodromo di Willesden, ma certo... Che sta dicendo il ragazzo? Come se a Willesden ci fosse mai stato un *ip-*

podromo!». Solo quando vidi una vecchia foto i miei dubbi svanirono, e confidai nella sua precedente esistenza, cancellata dalle bombe durante la guerra.

Quando uscì nel 1949, lessi *1984* di Orwell e trovai particolarmente evocativa e spaventosa la sua descrizione del «buco nella memoria», perché si accordava benissimo con i dubbi che io stesso nutrivo sulla mia. Credo che la lettura di quel libro mi avesse spinto a scrivere di più nel mio diario, e anche a fotografare di più, oltre a suscitare in me un maggior bisogno di cercare testimonianze del passato. Tutto questo assunse molte forme – un interesse per i libri antichi e le cose vecchie di ogni genere; e poi per la genealogia, l'archeologia e soprattutto la paleontologia. Zia Len mi aveva introdotto nel mondo dei fossili da bambino; ora però li consideravo alla stregua di garanti della realtà.

Amavo dunque le vecchie fotografie del nostro quartiere e della città di Londra: mi sembravano un'estensione della mia memoria e della mia identità, mi aiutavano a ormeggiarmi, ad ancorarmi nello spazio e nel tempo – io, ragazzo inglese nato negli anni Trenta in una Londra simile a quella in cui erano cresciuti i miei genitori, i miei zii e le mie zie, una Londra che Wells, Chesterton, Dickens o Conan Doyle avrebbero riconosciuto. Studiavo attentamente le vecchie foto – quelle locali e storiche, così come quelle di famiglia – per capire da dove venissi e chi fossi.

Se la fotografia era una metafora della percezione, della memoria e dell'identità, era anche un modello, un microcosmo, nel quale osservare la scienza in azione – una scienza particolarmente dolce, poiché faceva confluire in un unicum indivisibile la chimica, l'ottica e la percezione. Scattare una foto, andarla a sviluppare e a stampare, era ovviamente emozionante; fino a un certo punto, però. Io volevo capire e padroneggiare da solo tutti i processi implicati, e manipolarli a modo mio.

Ero affascinato soprattutto dalla storia degli esordi della fotografia e delle scoperte chimiche che avevano condotto ad essa – come si fosse compreso, già nel 1725, che i sali d'argento annerivano se esposti alla luce, e come Humphry Davy (con l'amico Thomas Wedgwood) avesse ottenuto immagini per contatto di foglie e ali d'insetti su carta o pelle bianca imbevute di nitrato d'argento, e riproduzioni con una apparecchiatura fotografica. All'epoca però non si sapeva come fissare le immagini così ottenute: era possibile osservarle solo alla luce rossa o alla fiamma d'una candela, altrimenti si sarebbero annerite completamente. Mi chiedevo come mai Davy – che era un chimico tanto esperto e aveva una così grande familiarità con l'opera di Scheele – non fosse arrivato a servirsi di un'osservazione di questi, e cioè che l'ammoniaca poteva «fissare» le immagini (rimuovendo l'eccesso di sale d'argento); se l'avesse fatto, oggi sarebbe considerato il padre della fotografia, in quanto avrebbe anticipato la rivoluzione che ebbe luogo negli anni Trenta dell'Ottocento, quando Fox Talbot, Daguerre e altri riuscirono a ottenere immagini permanenti, usando reagenti chimici per svilupparle e fissarle.

La nostra abitazione era a due passi da quella di mio cugino Walter Alexander (fu nel suo appartamento che ci rifugiammo quando una bomba cadde davanti alla porta della casa accanto durante i bombardamenti su Londra); nonostante la grande differenza di età (sebbene fosse mio primo cugino, aveva trent'anni più di me), divenni suo amico, perché era un prestigiatore di professione e un fotografo, e conservò per tutta la vita un carattere allegro e il gusto per trucchi e illusioni di ogni tipo. Fu Walter il primo a introdurmi alla fotografia, mostrandomi sotto le luci rosse della sua camera oscu-

ra la magia delle immagini che emergevano durante lo sviluppo delle pellicole. Non mi stancavo mai
di questa meraviglia, di vedere i primi vaghi accenni
di un'immagine – c'era davvero, o era solo autosug-
gestione? – diventare sempre più marcati, ricchi,
chiari e infine prendere vita, mentre lui agitava la
pellicola nel vassoio dello sviluppo, finché, terminato il processo, c'era un minuscolo, perfetto facsimi-
le della scena.

La mamma di Walter, Rose Landau, era andata in
Sudafrica con i fratelli negli anni intorno al 1870, e
lei stessa aveva fotografato minatori e miniere, ta-
verne e città in tumultuoso sviluppo agli inizi della
corsa all'oro e ai diamanti. Occorreva una forza fisica considerevole, oltre che coraggio, per riprendere
immagini del genere: bisognava portarsi dietro un
apparecchio ingombrante, insieme a tutte le lastre
di vetro che potessero servire. Nel 1940 Rose era ancora viva; di tutti gli zii e zie nati dal primo matri-
monio del nonno fu l'unica che io abbia mai conosciuto. Walter aveva ancora la sua macchina fotografica, oltre a una intera collezione di macchine e
stereoscopi suoi personali.

Oltre a un apparecchio Daguerre originale, completo di scatole per il trattamento della lastra con
vapori di iodio e di mercurio, Walter possedeva un
enorme apparecchio panoramico, con standarta anteriore basculabile e soffietto, che utilizzava lastre
8×10 (e che usava ancora, a volte, per i ritratti in
studio); una macchina stereoscopica; e una splendida piccola Leica, con un obiettivo f/3,5, la prima 35
millimetri che io abbia visto. La Leica era la sua
macchina preferita quando andava a fare escursioni; altrimenti in genere usava una reflex biottica,
una Rolleiflex. Aveva anche alcune fotocamere ca-
muffate dei primi del secolo – una, pensata per un
lavoro da detective, pareva un orologio da tasca, e
utilizzava una pellicola da 16 millimetri.

Al principio, tutta la mia fotografia fu in bianco e nero – altrimenti non avrei potuto sviluppare e stampare da me le mie pellicole – ma non avevo alcuna sensazione che «mancasse» del colore. La mia prima macchina fu uno stenoscopio che produceva immagini sorprendentemente buone, con un'enorme profondità di fuoco. Poi ebbi una semplice macchina a cassetta a ottica fissa, che mi era costata un paio di scellini da Woolworth. Infine, una Kodak a soffietto che usava rullini di pellicola da 620. Ero affascinato dalla rapidità e dalla finezza delle diverse emulsioni – da quelle lente a grana fine che permettevano di ottenere squisiti dettagli, alla tri-X, quasi cinquanta volte più veloce di alcune emulsioni lente, che consentiva di fotografare anche di notte (sebbene le immagini risultassero poi così sgranate che era impossibile ingrandirle). Guardai alcune di queste diverse emulsioni al microscopio, osservando l'aspetto reale dei grani d'argento, e mi chiedevo se non fosse possibile averne di così piccoli da produrre un'emulsione virtualmente senza grana.

Mi divertivo a produrre io stesso le emulsioni fotosensibili, per quanto esse si rivelassero poi assurdamente grossolane e lente rispetto a quelle già pronte in commercio. Prendevo una soluzione di nitrato d'argento al 10 per cento e l'aggiungevo lentamente, continuando a mescolare, a una soluzione di cloruro di potassio e gelatina. I cristalli sospesi nella gelatina erano estremamente fini e non troppo sensibili alla luce, perciò l'operazione poteva svolgersi tranquillamente sotto una luce rossa da camera oscura. Si potevano ottenere cristalli più grandi e sensibili riscaldando la soluzione per diverse ore, cosa che permetteva ai cristalli più piccoli di ridisciogliersi per poi ridepositarsi su quelli più grandi. Dopo questa «maturazione», si aggiungeva ancora un poco di gelatina, si lasciava gelificare il tutto, e poi lo si spalmava sulla carta.

Potevo anche impregnare la carta direttamente con del cloruro d'argento, evitando del tutto di usare la gelatina, immergendo la carta dapprima in una soluzione di cloruro di sodio e poi nel nitrato d'argento; il cloruro d'argento che si formava sarebbe stato trattenuto dalle fibre della carta. In un modo o nell'altro, ero in grado di preparare la mia carta per le stampe, e con essa potevo ottenere stampe a contatto dai negativi, oppure le silhouette di merletti o di foglie di felce, sebbene occorressero diversi minuti di esposizione alla luce solare diretta.

Dopo l'esposizione, la fissazione delle stampe con l'iposolfito tendeva a produrre colori bruni piuttosto sgradevoli, e questo mi indusse a sperimentare diversi viraggi. Il più semplice era un viraggio color seppia – purtroppo non fatto con inchiostro di seppia, come avrei sperato, ma convertendo l'argento dell'immagine in solfuro d'argento. Si poteva fare anche un viraggio all'oro, che richiedeva l'immersione in una soluzione di cloruro d'oro, e produceva un'immagine d'un viola bluastro, poiché l'oro metallico precipitava sulle particelle d'argento. E se si provava questa procedura dopo il viraggio al solfuro, si otteneva un bel color rosso: un'immagine al solfuro d'oro.

Ben presto passai da queste ad altre forme di viraggio. Quello al selenio conferiva alle stampe un intenso colore rossastro, mentre quelle trattate con viraggio al palladio e al platino avevano un aspetto morbido e piacevole, più delicato, mi sembrava, delle solite stampe all'argento. Naturalmente si partiva sempre da un'immagine all'argento, perché solo i suoi sali erano sensibili alla luce; poi però lo si poteva sostituire con qualsiasi altro metallo (o quasi). Il rame, l'uranio o il vanadio rimpiazzavano facilmente l'argento. Una combinazione particolarmente audace consisteva nel combinare un sale di vanadio con un sale di ferro come l'ossalato ferrico: in tal caso il giallo del ferrocianuro di vanadio e il blu del ferriferrocianuro si sarebbero combinati generando un verde brillante. Mi divertivo a sconcertare i miei genitori con immagini di tramonti verdi, facce verdi, autopompe antincendio e autobus londinesi a due piani anch'essi diventati di color verde. Il mio manuale di fotografia descriveva anche il viraggio con lo stagno, il cobalto, il nichel, il piombo, il cadmio, il tellurio e il molibdeno; a questo punto mi fermai, perché la cosa diventava un'ossessione: stavo esagerando con la tecnica del viraggio – volendo usare per forza tutti i metalli che conoscevo in camera oscura, dimenticando il vero scopo della fotografia. Senza dubbio, questa sorta di eccesso era stata notata a scuola, perché fu pressappoco in quel periodo che ricevetti una pagella con questa osservazione: «Sacks andrà lontano, purché non si spinga *troppo* lontano».

Nella collezione di Walter c'era un apparecchio stranamente massiccio e pesante – era, mi disse lui stesso, una «fotocamera per il colore»: aveva al suo interno due specchi semiargentati, che dividevano la luce in entrata in tre fasci, dirigendoli poi, attraverso filtri di colore diverso, su tre lastre distinte. Il sistema era direttamente ispirato a un noto esperimento di Clerk Maxwell (compiuto alla Royal Institution nel 1861) nel corso del quale un nastro colorato venne ripreso su normali emulsioni in bianco e nero attraverso filtri dei tre colori primari – rosso, verde e blu; dai tre negativi si ricavarono diapositive (esse pure in bianco e nero) che furono proiettate su uno schermo per mezzo di tre lanterne, dotate di filtri del colore corrispondente. Non appena le tre immagini monocromatiche andavano a registro, esplodevano di colori. Maxwell dimostrò che questi tre colori primari potevano generare ogni colore visibile dello spettro giacché l'occhio stesso aveva tre recettori per il colore «sintonizzati» in modo equivalente – e non un'infinità di recettori per ogni tinta e lunghezza d'onda concepibile.

Sebbene Walter una volta mi avesse ripetuto l'esperimento con tre proiettori, ero ansioso di avere immediatamente a portata di mano questo miracolo, quest'improvvisa esplosione di colore. Il modo più eccitante per ottenere istantaneamente il colore era tramite un processo denominato Finlaycolor, nel quale, in effetti, venivano simultaneamente impressionati tre negativi separati per i tre colori primari mediante un reticolo costituito da microscopiche linee rosse, verdi e blu. Di lì si otteneva un positivo, una diapositiva, che veniva giustapposta al reticolo; l'operazione era difficile e delicata, ma quando gli allineamenti erano perfetti, la diapositiva si accendeva di colore. Mentre lo schermo, con le sue microscopiche linee, appariva semplicemente grigio, quando veniva allineato alla diapositiva si assisteva alla creazione, magica e inattesa, del colore, là dove in apparenza esso non era mai esistito. (In origine il «National Geographic» usava il sistema Finlaycolor: se si osservano le fotografie pubblicate nei vecchi numeri della rivista con una lente d'ingrandimento si possono vedere le sottili linee del reticolo).

Per ottenere stampe a colori, occorreva stampare tre positivi nei colori complementari – cyan, magenta e giallo – e sovrapporli. Sebbene esistesse una pellicola, la Kodachrome, che lo faceva automaticamente, io preferivo procedere alla vecchia maniera – molto più divertente – ricavando dai miei negativi tre trasparenze per cyan, magenta e giallo, e facendole delicatamente scorrere l'una sull'altra fino a ottenere una perfetta sovrapposizione. Fatto questo, all'improvviso – una meraviglia – emergevano i colori dell'originale, codificati, per così dire, nelle tre immagini monocrome.

Non mi stancavo mai di giocare con queste scomposizioni di colori, osservando l'effetto della sovrapposizione di due colori invece di tre, oppure proiettando le diapositive attraverso i filtri sbagliati. Questi esperimenti erano allo stesso tempo divertenti e istruttivi; mi consentirono di creare molte strane distorsioni cromatiche, ma soprattutto mi insegnarono ad ammirare l'eleganza e l'economia del funzionamento di occhio e cervello, funzionamento che è possibile simulare molto bene con un processo fotografico in tricromia.

In casa avevamo anche centinaia di «vedute» stereoscopiche – molte su rettangoli di cartone, altre su lastre di vetro –, coppie di fotografie sbiadite, color seppia, raffiguranti scenari alpini, la Torre Eiffel, Monaco negli anni Settanta (la nonna materna di mia madre era nata a Gunzenhausen, un piccolo villaggio distante qualche chilometro da Monaco), scene di strada o di spiaggia dell'epoca vittoriana, e varie immagini dell'ambiente industriale (una particolarmente suggestiva mostrava uno stabilimento di epoca vittoriana, con lunghe leve azionate da macchine a vapore: era questo scenario che mi veniva in mente quando leggevo di Coketown in *Tempi difficili*). Mi piaceva mettere queste coppie di fotografie nel grande stereoscopio che tenevamo in salotto – un massiccio strumento di legno sistemato sul suo piedistallo, con manopole di ottone per la messa a fuoco e la regolazione della distanza fra le lenti. Questi stereoscopi erano ancora abbastanza comuni, sebbene non fossero più universali come erano stati al volgere del secolo. Vedere le fotografie piatte e sbiadite acquistare a un tratto una nuova dimensione, una profondità reale e intensamente percepibile, dava loro uno speciale realismo, una verosimiglianza particolare, con un carattere molto privato. C'era, in quelle fotografie stereosco-

piche, un qualcosa di romantico e segreto, perché
quando si guardava attraverso gli oculari si era come appartati in una sorta di teatro congelato – un
teatro tutto per sé. Avevo la sensazione di poterci
entrare, come nei diorama del museo.

In queste coppie di fotografie, c'era una differenza, piccola ma essenziale, di parallasse o prospettiva
fra le due immagini, ed era proprio questa differenza a creare il senso di profondità. Non si aveva alcuna percezione di che cosa vedesse ciascun occhio se-
paratamente, perché le due immagini confluivano,
magicamente, a formare un'unica scena coerente.

Il fatto che la profondità fosse una costruzione,
una «finzione» del cervello, implicava la possibilità
di inganni, illusioni e trucchi di vario tipo. Non pos-
sedetti mai un apparecchio stereoscopico, ma scat-
tavo due immagini in successione, spostando la
macchina di quattro-cinque centimetri fra le due
esposizioni. Se lo spostamento era maggiore, le differenze di parallasse risultavano eccessive, e quando
le due immagini venivano fuse davano un senso di
profondità esagerato. Costruii un «iperstereosco-
pio», usando un tubo di cartone contenente all'interno specchi orientati obliquamente, in modo da
aumentare a tutti gli effetti la distanza interoculare
portandola a una sessantina di centimetri, o anche
più. Questo strumento era meraviglioso per accen-
tuare la distanza tra i piani prospettici di edifici o
colline; da vicino però, produceva effetti bizzarri:
per esempio, nelle facce produceva un effetto-Pi-
nocchio, perché i nasi sembravano sporgere da esse
di molti centimetri.

Era anche divertente invertire i rilievi: con le ste-
reofotografie era facile, ma ci si poteva anche costruire uno «pseudostereoscopio», con un breve tubo di cartone e alcuni specchi, disposti in modo che
la posizione degli occhi risultasse rovesciata. Ciò faceva sì che le distanze dall'osservatore apparissero

invertite, portando in primo piano gli oggetti più lontani: una faccia, ad esempio, diventava una maschera concava. Ma produceva anche un conflitto, ovvero una contraddizione: interessante, giacché il buon senso, e ogni altro indizio visivo, dicevano una cosa, mentre le immagini pseudostereoscopiche ne proclamavano un'altra, e uno vedeva prima una cosa e poi l'altra, come se nel cervello si alternassero due differenti ipotesi percettive.[1]

Il rovescio di tutto questo, come capii poi – e cioè una sorta di destrutturazione o decomposizione –, poteva aver luogo durante gli attacchi di emicrania, in cui spesso sperimentavo strane alterazioni visive. Capitava che perdessi temporaneamente il mio senso del colore, o che esso fosse alterato; gli oggetti potevano sembrarmi piatti come sagome; oppure, invece di percepire normalmente il movimento, vedevo una serie sfarfallante di fermo-immagine, come quando Walter faceva girare troppo lentamente il suo proiettore cinematografico. Potevo perdere metà del campo visivo, così che su un lato mancavano gli oggetti, o vedevo i volti bisecati. Ricordo che la prima volta fui terrorizzato – avevo quattro o cinque anni, prima della guerra. Mia madre, però, mi disse che capitava anche a lei: non era una cosa pericolosa e durava pochi minuti. Rassicurato, mi misi in attesa di occasionali emicranie, chiedendomi che cosa sarebbe accaduto la prossima volta (non ne ebbi mai due esattamente identiche) – che cosa avrebbe escogitato il mio cervello, nella sua inventiva. È possibile che emicranie e fotografia, messe insieme, abbiano contribuito a orientarmi nella direzione in cui, anni dopo, mi sarei incamminato.

Mio fratello Michael era entusiasta di Wells, e ai tempi di Braefield mi prestò la sua copia di *I primi uomini sulla luna*. Era un libretto, rilegato in marocchino blu, le cui illustrazioni mi impressionarono

non meno del testo – gli esili Seleniti, che camminavano in fila indiana, e il Gran Lunare, con la scatola cranica dilatata, nella sua caverna illuminata
dai funghi, sulla Luna. Mi piacevano l'ottimismo e
l'eccitazione del viaggio nello spazio, e l'idea di un
materiale (la «cavorite») non soggetto alla gravità.
Un capitolo si intitolava «Mr Bedford nello spazio
infinito», e mi piaceva pensare a Mr Bedford e Mr
Cavor nella loro piccola sfera (somigliava alla batis-
fera di William Beebe, della quale avevo visto alcune illustrazioni) intenti ad aprire e chiudere con un
colpo secco le tendine di cavorite, escludendo la
gravità terrestre. I Seleniti, il popolo della Luna, furono i primi alieni di cui avessi mai letto, e in seguito li incontrai nei miei sogni. C'era però anche una
nota di tristezza, giacché alla fine Cavor viene lasciato sulla Luna, in uno stato di indescrivibile abbandono e solitudine, con la sola compagnia degli inu-
mani Seleniti, tanto simili a insetti.

Dopo Braefield, *La guerra dei mondi* divenne un'altra delle mie letture preferite, anche perché le macchine da guerra marziane producevano un vapore
nerissimo e pesante («ricadeva e si spandeva al suolo, più come un liquido che come un gas») che conteneva un elemento sconosciuto combinato con il
gas argon – e io sapevo bene che l'argon, un gas
inerte, non poteva essere indotto a reagire con nessun mezzo disponibile sulla Terra.[2]

Mi piaceva moltissimo andare in bicicletta, soprattutto sulle strade di campagna che attraversava-
no piccole città e villaggi nei dintorni di Londra, e
leggendo *La guerra dei mondi* decisi di ripercorrere
l'avanzata dei marziani, cominciando da Horsell
Common, dove era atterrato il primo cilindro. Le
descrizioni di Wells mi sembravano così reali che
quando infine raggiunsi Woking mi sorpresi nel trovarla intatta, considerando quanto era stata devasta-
ta dagli infuocati raggi marziani nel '98. E fui sor-

preso, nel piccolo villaggio di Shepperton, nel trovare il campanile ancora in piedi, avendo accettato, quasi come un fatto storico, che fosse stato abbattuto da un turbinante tripode marziano. E non potevo andare al Museo di Storia naturale senza pensare al «magnifico esemplare quasi completo [di un marziano] che si trova sotto formalina» e che Wells assicurava vi fosse custodito. (Mi scoprii a cercarlo nella sala dei cefalopodi, come se tutti i marziani dovessero avere, in sé, qualcosa della piovra).

La stessa impressione mi dava il Museo di Storia naturale – le sue gallerie piene di ragnatele, distrutte e scoperchiate – in cui si aggirava, nell'800000 dopo Cristo, il Viaggiatore nel Tempo di Wells. In seguito, non potei più visitare il museo senza vedere, sovrapposta alla sua forma presente, quella desolata del futuro, quasi fosse il ricordo di un sogno. Ai miei occhi la realtà prosaica di Londra appariva di fatto trasformata, confondendosi con la città, intensa e mitica, dei racconti di Wells, con luoghi visibili solo in particolari umori o stati – la porta nel muro, il negozio magico.

I romanzi successivi di Wells, su temi «sociali», non mi interessarono molto: preferivo i racconti precedenti, che combinavano eccezionali estrapolazioni di fantascienza con un'intensa, poetica percezione della fragilità e della mortalità umana, come nel caso dell'Uomo Invisibile, tanto arrogante al principio ma che poi muore in modo così pietoso; o come il faustiano dottor Moreau, ucciso infine dalle sue stesse creazioni.

Le sue storie, però, erano piene anche di persone normali che avevano esperienze visive straordinarie: il piccolo negoziante al quale erano concesse estatiche visioni di Marte guardando in un misterioso uovo di cristallo; o il giovane uomo ai cui occhi viene impartita un'improvvisa torsione mentre si trova fra i poli di un elettromagnete durante una tempesta –

trasportandolo, visivamente, su una roccia disabita-
ta nei pressi del Polo Sud. Da bambino ero come
drogato dalle storie di Wells, dalle sue favole (e molte riecheggiano ancora in me cinquant'anni dopo).
Il fatto che nel 1946 egli fosse ancora vivo, che fosse
ancora con noi dopo la guerra, mi fece desiderare
di incontrarlo – un desiderio pressante e fuori luogo. E avendo sentito dire che viveva in una piccola
fila di case, Hanover Terrace, fuori da Regent's
Park, a volte mi ci recavo dopo la scuola, o nei fine
settimana, nella speranza di riuscire a intravedere il
vecchio scrittore.

XIII
I TONDINI DI LEGNO DEL SIGNOR DALTON

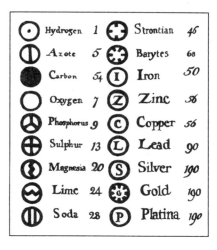

Gli esperimenti nel mio laboratorio mi fecero capire come le miscele fossero tutt'altra cosa rispetto ai composti chimici. Il sale e lo zucchero, per esempio, si potevano mescolare in qualsiasi proporzione; si potevano mescolare sale e acqua – il sale si sarebbe disciolto ma poi, facendo evaporare la soluzione, era possibile recuperarlo inalterato. Quando mi si staccava l'otturazione di un dente, potevo distillare il mercurio che essa conteneva recuperandolo interamente. In tutti questi casi – soluzioni, leghe, amalgami – avevamo a che fare con delle miscele. Fondamentalmente, esse avevano le proprietà dei loro ingredienti (più, forse, una o due qualità «speciali» – la durezza relativa dell'ottone, per esempio, o il punto di congelamento più basso dell'acqua salata). I composti, invece, avevano proprietà del tutto nuove.

Nel diciottesimo secolo, la maggior parte dei chimici accettava tacitamente il fatto che i composti avessero una composizione fissa e che gli elementi presenti in essi si combinassero in proporzioni precise e invariabili – in caso contrario, difficilmente la chimica empirica avrebbe fatto progressi. Tuttavia, sulla questione non ci furono ricerche esplicite né dichiarazioni finché Joseph-Louis Proust, un chimico francese che lavorava in Spagna, non intraprese una serie di meticolose analisi, confrontando diversi ossidi e solfuri provenienti da tutto il mondo. Ben presto, egli si convinse che tutti gli autentici composti chimici avevano una composizione fissa – indipendentemente da come il composto fosse stato ottenuto e da dove fosse stato trovato. Il solfuro mercurico rosso, per esempio, conteneva sempre le stesse percentuali di mercurio e zolfo, sia che lo si preparasse in laboratorio, sia che fosse rinvenuto come minerale.[1]

«Da un Polo all'altro» scriveva Proust «i composti hanno identica composizione. Il loro aspetto può variare a causa delle modalità di aggregazione: non altrettanto le loro proprietà ... Il cinabro del Giappone ha la stessa composizione di quello spagnolo; il cloruro d'argento è identico, sia che provenga dal Perú, sia che provenga dalla Siberia; in tutto il mondo, c'è un solo cloruro di sodio, un solo salnitro, un solo solfato di calcio e un solo solfato di bario. L'analisi conferma questi dati a ogni passaggio».

Nel 1799 Proust aveva ormai generalizzato la sua teoria in una legge: la legge delle proporzioni definite e costanti. Le analisi di Proust e la sua misteriosa legge suscitarono ovunque l'attenzione dei chimici; in Inghilterra, in particolare, avrebbero ispirato profonde intuizioni nella mente di John Dalton, un modesto insegnante quacchero di Manchester.

Dotato di spiccato talento matematico e affascinato fin da ragazzo da Newton e dalla sua «filosofia corpuscolare», Dalton aveva cercato di spiegare le proprietà fisiche dei gas – la pressione da essi esercitata, le loro proprietà di diffusione e soluzione – in termini corpuscolari o «atomici». Quando sentì parlare per la prima volta del lavoro di Proust, già pensava a «particelle elementari» e al loro peso, sebbene in un contesto puramente fisico; con un'intuizione improvvisa, comprese che le sue particelle elementari potevano render conto della legge di Proust e, a ben vedere, di tutta la chimica.

Per Newton e Boyle, sebbene esistessero diverse forme di materia, i corpuscoli o gli atomi di cui esse erano composte erano tutti identici.[2] (E pertanto rimaneva sempre, per loro, la possibilità alchemica di convertire il vile metallo in oro, giacché ciò comportava solo un cambiamento di forma, una trasformazione della stessa materia fondamentale). Ora, però, grazie a Lavoisier, il concetto di elemento era stato chiarito, e per Dalton esistevano tanti tipi di atomi quanti erano gli elementi. Ognuno di essi aveva un «peso atomico» fisso e caratteristico, ed era proprio questo che determinava le proporzioni relative secondo le quali ciascun elemento si combinava con gli altri. Perciò, se 23 grammi di sodio si combinavano invariabilmente con 35,5 grammi di cloro, era perché gli atomi di sodio e di cloro avevano, rispettivamente, un peso atomico di 23 e 35,5. (Questi pesi atomici non erano, naturalmente, i pesi reali degli atomi, ma i loro pesi relativi rispetto a un peso standard – per esempio, quello di un atomo di idrogeno).

Leggere Dalton, leggere degli atomi, mi fece scivolare in una sorta di rapimento: pensai che i numeri e le misteriose proporzioni osservate in laboratorio su scala macroscopica potessero riflettere un intero mondo invisibile e infinitesimo di atomi che danzavano, si toccavano, si attraevano e si combinavano. Avevo la sensazione che – usando l'immagina-

zione come un microscopio – mi fosse consentito di
vedere un mondo in miniatura, un mondo elementare, miliardi o migliaia di miliardi di volte più piccolo del nostro: il mondo dei veri costituenti della
materia.

Zio Dave mi aveva mostrato una lamina d'oro che
era stata battuta e martellata fino a farla diventare
quasi trasparente, al punto che trasmetteva la luce –
una bellissima luce verde-bluastra. Lo spessore di
quel foglio d'oro, mi disse, che era di 2,5 milionesi-
mi di centimetro, conteneva solo qualche decina di
atomi. Mio padre mi aveva mostrato che una sostanza molto amara, come la stricnina, poteva essere di-
luita un milione di volte ed essere ancora percepita
al gusto. Mi piaceva fare esperimenti con i film sottili, soffiare bolle di sapone in bagno – da una piccolissima quantità di acqua saponata, facendo attenzione, se ne ottenevano di enormi –, guardare la
benzina che si spargeva in macchie iridescenti sulle
strade bagnate. Tutte queste osservazioni mi prepa-
rarono, in un certo senso, a immaginare il mondo
dell'infinitamente piccolo, la piccolezza delle particelle che compongono un foglio d'oro spesso qualche milionesimo di centimetro, una bolla di sapone
o un film di benzina.

Ma ciò che Dalton lasciava intendere era infinitamente più emozionante: non si trattava solo di atomi in senso newtoniano, ma di atomi dotati di
un'individualità ricca come quella degli elementi
stessi – atomi la cui individualità *conferiva* agli elementi la loro.

In seguito Dalton costruì dei modelli in legno degli atomi, e da bambino vidi gli originali, custoditi al
Museo della Scienza. Per quanto rozzi e schematici,
essi eccitarono la mia immaginazione, aiutandomi a
percepire la reale esistenza degli atomi. Non a tutti,
però, fecero questo effetto, e agli occhi di alcuni
chimici i modelli di Dalton rappresentarono l'incar-

nazione stessa di quella che, secondo loro, era l'assurdità di un'ipotesi atomica. «Gli atomi» avrebbe scritto ottant'anni dopo l'insigne chimico H.E. Roscoe «sono tondini di legno inventati dal signor Dalton».

Effettivamente, ai tempi di Dalton, l'ipotesi atomica poteva apparire poco plausibile, se non proprio del tutto illogica; prima che fosse fornita la prova indiscutibile della loro esistenza, sarebbe passato più di un secolo. Wilhelm Ostwald, per esempio, non era convinto della realtà degli atomi, e nel suo *Lehrbuch der allgemeinen Chemie* (1902) scrisse:

«I processi chimici hanno luogo come se le sostanze fossero composte di atomi ... Nella migliore delle ipotesi, da ciò consegue la *possibilità* che esse lo siano effettivamente: non, tuttavia, la *certezza* ... Non ci si deve lasciar fuorviare dalla concordanza fra immagine e realtà, e confondere le due ... Un'ipotesi è solo un *aiuto alla rappresentazione*».

Oggi, naturalmente, noi possiamo «vedere», e perfino manipolare i singoli atomi, usando un microscopio a forza atomica. All'inizio dell'Ottocento, però, occorsero un'immaginazione e un coraggio enormi per ipotizzare l'esistenza di entità così completamente fuori dalla portata di qualsiasi dimostrazione empirica praticabile all'epoca.[3]

Nel quaderno di appunti di Dalton la descrizione dettagliata della sua teoria atomica reca la data 6 settembre 1803 – il giorno del suo trentasettesimo compleanno. Al principio egli fu troppo modesto, o forse troppo diffidente, per pubblicare un qualsiasi scritto sulla sua teoria (benché avesse calcolato ed elencato negli appunti i pesi atomici di sei elementi: idrogeno, azoto, carbonio, ossigeno, fosforo e zolfo). Ben presto, però, circolò la voce che egli stesse covando qualcosa di straordinario, e Thomas Thomson, chimico insigne, andò a Manchester per incontrarsi con lui. Bastò una sola breve conversazione con Dalton, nel 1804, per «convertire» Thomson – e per cambiargli la vita. «Rimasi incantato» scriverà in seguito «dalla nuova luce che immediatamente si accese nella mia mente, e capii subito l'immensa importanza di una tal teoria».

Sebbene Dalton avesse presentato alcune sue congetture alla Literary and Philosophical Society di Manchester, esse restarono in una cerchia ristretta finché Thomson non ne fece oggetto dei suoi scritti. La presentazione di Thomson era brillante e persuasiva, molto più dell'esposizione dello stesso Dalton, goffamente compressa nelle pagine finali del suo *New System* del 1808.

Dalton, d'altra parte, si rendeva conto dell'esistenza, nella sua teoria, di alcune importanti difficoltà. Per passare da un peso equivalente a un peso atomico, infatti, occorreva conoscere la formula esatta di un composto, giacché gli stessi elementi potevano combinarsi in più modi (come avviene, per esempio, nel caso dei tre ossidi dell'azoto). Dalton ipotizzò quindi che laddove due elementi formassero un solo composto (come sembrava facessero l'idrogeno e l'ossigeno nell'acqua, o l'azoto e l'idrogeno nell'ammoniaca) lo facessero nel rapporto più semplice possibile, quello di 1:1. Secondo lui, quel rapporto sarebbe stato sicuramente il più stabile e perciò ipotizzò che la formula dell'acqua fosse (nella notazione moderna) HO, e che il peso atomico dell'ossigeno fosse lo stesso del suo peso equivalente, e cioè 8. Allo stesso modo, ipotizzò che la formula dell'ammoniaca fosse NH, e il peso atomico dell'azoto 5.

E tuttavia, come dimostrò il chimico francese Gay-Lussac nello stesso anno in cui Dalton pubblicò il *New System,* se invece dei pesi si misuravano i volumi, si scopriva che *due* volumi (non uno) di idrogeno si combinavano con un volume di ossigeno per dare due volumi di vapore. Dalton era scettico su questi risultati (sebbene fosse perfettamente in grado di confermarli lui stesso); pensava infatti che implicassero la necessità di rompere un atomo in due per consentire la combinazione di mezzo atomo di ossigeno con ciascun mezzo atomo di idrogeno.

Sebbene parlasse di atomi «composti», Dalton non faceva una chiara distinzione (non più chiara dei suoi predecessori) fra molecole (la più piccola quantità di un elemento o di un composto che può esistere allo stato libero) e atomi (le reali unità della combinazione chimica). Il chimico italiano Avogadro, analizzando i risultati di Gay-Lussac, ipotizzò a quel punto che volumi uguali di gas contenessero un ugual numero di *molecole*. Perché così fosse, le molecole di idrogeno e di ossigeno dovevano essere formate ciascuna da due atomi. La loro combinazione per formare l'acqua poteva quindi essere rappresentata come segue: $2H_2 + O_2 \rightarrow 2H_2O$.

Tuttavia, il suggerimento di Avogadro dell'esistenza di molecole biatomiche fu ignorato e osteggiato praticamente da tutti – Dalton compreso – in un modo che, almeno in retrospettiva, ha dell'incredibile. Rimase così una grande confusione fra atomi e molecole, insieme allo scetticismo sulla possibilità che atomi dello stesso tipo si legassero insieme. Non c'era alcun problema a considerare l'acqua, che era un composto, come H_2O, ma ad ammettere che una molecola di idrogeno puro potesse essere H_2 ci si scontrava con una difficoltà apparentemente insormontabile. Molti pesi atomici calcolati ai primi del diciannovesimo secolo erano dunque sbagliati a meno di un semplice fattore numerico: alcuni sembravano la metà di quanto avrebbero dovuto essere, altri il doppio, oppure un terzo, un quarto, e così via.

Il libro di Griffin, la mia prima guida di laboratorio, era stato scritto nella prima metà del diciannovesimo secolo, e molte delle formule che riportava –

e quindi dei pesi atomici che vi comparivano – erano sbagliate come quelle di Dalton. Non che nulla di tutto questo avesse troppa importanza nella pratica – né, in effetti, scalfiva il grande merito, anzi i molti meriti, di Griffin. Le sue formule e i suoi pesi atomici potevano anche essere sbagliati, ma i reagenti che egli suggeriva, e le loro quantità, erano perfetti. A essere sbagliata era solo l'interpretazione – la loro interpretazione formale.

Con una tal confusione sulle molecole elementari, che andava ad aggiungersi all'incertezza sulle formule di molti composti, negli anni Trenta del diciannovesimo secolo l'idea stessa di peso atomico cominciò a essere screditata, e il concetto degli atomi e dei pesi atomici cadde in disgrazia al punto che Dumas, il grande chimico francese, esclamò nel 1837: «Se fossi io il padrone cancellerei la parola atomo dalla scienza».

Finalmente, nel 1858, Stanislao Cannizzaro comprese che l'ipotesi avanzata nel 1811 dal suo conterraneo Avogadro offriva un'elegante via d'uscita dalla confusione su atomi e molecole, pesi atomici e pesi equivalenti, una confusione che si trascinava da decenni. Il primo scritto di Cannizzaro fu ignorato, proprio come lo era stato quello di Avogadro, ma quando alla fine del 1860 i chimici si riunirono a Karlsruhe, nel loro primo convegno internazionale, fu proprio la relazione di Cannizzaro a tener banco, e a porre fine al conflitto intellettuale durato tanti anni.

Questa era parte della storia che intuivo quando, emergendo dal mio laboratorio, prendevo un biglietto per la biblioteca del Museo della Scienza, nel 1945. Era evidente che la storia della scienza era tutt'altro che una serie logica e conseguente di eventi; invece, saltava qua e là, si divideva, convergeva, divergeva, partiva per la tangente, si ripeteva, si inceppava e si lasciava chiudere negli angoli. C'erano pensatori che prestavano poca attenzione alla storia (e può darsi che numerosi ricercatori originali se la siano cavata molto meglio proprio per il fatto di non aver conosciuto i propri precursori: probabilmente Dalton avrebbe avuto più difficoltà a proporre la sua teoria atomica se avesse conosciuto l'immensa e confusa storia dell'atomismo, nei duemila anni che l'avevano preceduto). E d'altra parte ci furono scienziati che ponderarono in continuazione la storia della loro materia e i cui contributi dipesero interamente da quelle loro riflessioni; chiaramente, questo fu il caso di Cannizzaro. Egli rifletté intensamente sul lavoro di Avogadro; comprese le implicazioni delle sue ipotesi come nessuno aveva fatto prima; con esse, e facendo leva anche sulla propria creatività, rivoluzionò la chimica.

Cannizzaro era assolutamente convinto che i suoi studenti dovessero tenere a mente e considerare la storia della chimica. In uno splendido saggio sull'insegnamento, egli descrisse come iniziava i propri allievi allo studio della chimica cercando di metterli – così diceva – allo stesso livello dei contemporanei di Lavoisier, in modo che potessero percepire, proprio come quelli, tutta la forza rivoluzionaria e la meraviglia del suo pensiero; e poi li faceva procedere di qualche anno, così che potessero sperimentare l'improvvisa, abbagliante, illuminazione di Dalton.

Concludendo, Cannizzaro osservava che la mente di chi sta imparando una nuova scienza deve passare per tutte le fasi che quella stessa scienza ha attraversato nel corso della sua evoluzione storica. Le riflessioni di Cannizzaro avevano per me una profonda risonanza, giacché anch'io, in un certo senso, stavo vivendo e ricapitolando dentro di me tutta la storia della chimica, riscoprendo le fasi attraverso cui essa era passata.

XIV
LINEE DI FORZA

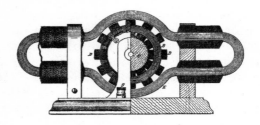

L'elettricità « per sfregamento » – quella che consente a un pezzo di ambra strofinato di attrarre a sé dei pezzetti di carta – mi aveva affascinato fin da piccolissimo, e così quando tornai da Braefield cominciai a leggere qualcosa sulle macchine elettrostatiche – dischi o sfere di materiale isolante, fatti girare con una manovella e strofinati sulla mano, su un panno o su un cuscino – che producevano potenti scintille o scariche elettriche. Sembrava abbastanza facile costruirsi una di queste semplici macchine, e nel mio primo tentativo usai un vecchio disco da grammofono: all'epoca erano di vulcanite e si elettrizzavano facilmente; tuttavia, essendo fragili e sottili, tendevano a rompersi. Per una seconda macchina, più robusta, usai uno spesso piatto di vetro e un cuscino coperto di pelle e rivestito di amalgama di zinco. Con questo congegno, se il clima era asciutto, riuscivo a ottenere bellissime scintille, lunghe più di un paio di centimetri. (Se c'era troppa umidità, nessuna di queste macchine funzionava, perché in quelle condizioni ogni cosa conduceva l'elettricità).

Si poteva collegare la macchina elettrostatica a una bottiglia di Leida – essenzialmente un vaso di vetro, rivestito di stagnola sia dentro che fuori, con un'asticciola metallica, culminante in una sferetta, infilata nel tappo e comunicante con il rivestimento metallico interno. Se si collegavano diverse bottiglie, esse potevano accumulare una carica formidabile. Avevo letto di un esperimento, compiuto nel diciottesimo secolo, in cui una siffatta batteria aveva somministrato una scarica quasi paralizzante a una fila di ottocento soldati che si tenevano per mano.

Comprai anche una piccola macchina elettrostatica Wimshurst, un oggetto bellissimo con dischi di vetro rotanti e settori di metallo a raggiera, immune alle variazioni di umidità e capace di generare scintille di una decina di centimetri. Quando i dischi della mia Wimshurst giravano velocemente, tutto quanto si trovava intorno ad essa acquisiva una forte carica elettrica: le nappe si elettrizzavano, e le loro frange si separavano; le palline di midollo di sambuco si allontanavano, e si sentiva l'elettricità sulla pelle. Se nelle vicinanze c'era un oggetto appuntito, l'elettricità fluiva dalla punta in un pennello luminoso, simile a un fuoco di Sant'Elmo, e il «vento elettrico» poteva spegnere delle candele, o addirittura azionare un piccolo rotore sul suo perno. Usando un semplice sgabello isolante – una tavoletta di legno sostenuta da quattro bicchieri – potevo elettrizzare i miei fratelli e far loro rizzare i capelli. Questi esperimenti dimostravano il potere repulsivo delle cariche elettriche, giacché ogni frangia della nappa, ogni capello, acquistava una carica dello stesso segno (mentre la mia prima esperienza di elettrostatica, quella con l'ambra strofinata e i pezzettini di carta, dimostrava l'attrazione fra corpi elettricamente carichi). Gli opposti si attraevano, i simili si respingevano.

Mi chiedevo se non fosse possibile usare l'elettricità statica della macchina Wimshurst per accendere una delle lampadine di zio Dave. Lui non disse nulla, ma mi procurò un filo d'oro e uno d'argento molto sottili, spessi meno di un decimo di millimetro. Quando collegai le sfere di ottone della macchina Wimshurst a un cartoncino con un pezzo del filo d'argento lungo circa sette centimetri, non appena girai la manopola il filo esplose, lasciando uno strano disegno sul cartoncino. Poi cercai di ripetere l'esperimento con il filo d'oro, ma quest'ultimo evaporò istantaneamente, trasformandosi in un vapore rosso – oro gassoso. Da questi esperimenti mi sembrava di capire che l'elettricità per sfregamento potesse rivelarsi assolutamente formidabile, ma che allo stesso tempo fosse troppo violenta, troppo intrattabile, per poter essere di grande utilità.

L'attrazione elettrochimica, per Davy, era l'attrazione degli opposti: l'attrazione, ad esempio, di uno ione metallico intensamente positivo (un catione come il sodio) verso uno ione intensamente negativo (un anione come il cloruro). Tuttavia, pensava Davy, la maggior parte degli elementi occupava una posizione intermedia lungo un continuum di elettropositività o elettronegatività. Il grado di elettropositività dei metalli andava di pari passo con la loro reattività chimica, e quindi con la loro capacità di ridurre o sostituire elementi meno positivi.

In assenza di una qualsiasi chiara nozione sulle sue basi razionali, questo tipo di sostituzione era stato esplorato dagli alchimisti nella produzione di rivestimenti metallici o «alberi». Questi venivano ottenuti immergendo una bacchetta, diciamo di zinco, nella soluzione del sale di un altro metallo (un sale d'argento, ad esempio). In tal modo, lo zinco avrebbe spostato l'argento, il quale, in forma metallica, sarebbe precipitato dalla soluzione dando luogo a una luminosa crescita arborescente, quasi frattale. (Gli alchimisti avevano dato a questi alberi dei nomi mitici, così che l'albero di argento era chiamato *Arbor Dianae*, quello di piombo *Arbor Saturni*, e quello di stagno *Arbor Jovis*).[1]

Ci fu un momento in cui sperai di poter ottenere alberi del genere per ogni possibile metallo – alberi di ferro e di cobalto, alberi di platino, e di tutti i metalli del platino; e, ancora, alberi di cromo e molibdeno e (ovviamente!) di tungsteno; diverse considerazioni (non ultimo il costo proibitivo dei sali dei metalli preziosi) ridussero poi la scelta a una decina di quelli più essenziali. Tuttavia, il semplice piacere estetico – non c'erano due alberi uguali, anche se si usava lo stesso metallo, erano diversi come lo sono i fiocchi di neve o i cristalli di ghiaccio; e comunque metalli diversi si depositavano in modo diverso – il semplice piacere estetico, dicevo, lasciò ben presto il passo a uno studio più sistematico. In quali circostanze un metallo portava alla deposizione di un altro? E perché? Usai una bacchetta di zinco, precedentemente immersa in una soluzione di solfato di rame, e ottenni una bellissima incrostazione, una ramatura completa. Poi sperimentai sali di stagno, di piombo e d'argento, immergendo una bacchetta di zinco nelle corrispondenti soluzioni, e producendo alberi lucenti e cristallini di stagno, piombo e argento. Ma quando cercai di ottenere un albero di zinco, immergendo una bacchetta di rame in una soluzione di solfato di zinco, non accadde nulla. Chiaramente lo zinco era il metallo più attivo, e come tale poteva sostituire il rame, ma non esserne sostituito. Per ottenere un albero di zinco, occorreva usare un metallo ancora più attivo – come scoprii poi, una bacchetta di magnesio andava benissimo. Era chiaro che tutti questi metalli formavano una sorta di serie.

Davy fu un pioniere nell'uso dello spostamento elettrochimico per proteggere le chiglie di rame delle navi dalla corrosione causata dalla salsedine, attaccando ad esse piastre di metalli più elettropositivi (come il ferro o lo zinco), in modo che fossero quelle, e non la chiglia, a corrodersi – un esempio della cosiddetta protezione catodica. (In laboratorio le cose sembravano funzionare, ma in mare i risultati furono abbastanza modesti, perché le piastre metalliche attiravano i cirripedi – e così il suggerimento di Davy fu messo in ridicolo. La protezione catodica era però un'idea brillante, e dopo la sua morte, divenne un metodo d'uso comune per proteggere la chiglia delle navi transoceaniche).

Leggere di Davy e dei suoi esperimenti fu l'incentivo per numerosi altri esperimenti elettrochimici: immersi un chiodo di ferro in acqua, attaccandogli un pezzo di zinco per proteggerlo dalla corrosione. Ripulii i cucchiai d'argento tutti anneriti di mia madre mettendoli in un piatto di alluminio con una soluzione calda di bicarbonato di sodio. La cosa le fece un tal piacere che decisi di spingermi oltre, e provai a cimentarmi con la galvanostegia, usando del cromo all'anodo e una serie di oggetti di casa al catodo. Cromai tutto quello su cui mi riuscì di mettere le mani: chiodi di ferro, pezzi di rame, forbici e (con grande irritazione di mia madre) uno dei cucchiai d'argento precedentemente puliti.

Al principio non mi resi conto dell'esistenza di un nesso fra questi esperimenti e le batterie con cui stavo giocando; tuttavia, il fatto che la prima coppia di metalli che avevo usato, lo zinco e il rame, potesse produrre un albero, oppure, in una pila, una corrente elettrica, mi sembrò una strana coincidenza. Credo di aver cominciato a capire che le due serie – quella degli «alberi» e quella di Volta – erano probabilmente la stessa cosa, e che l'attività chimica e il potenziale elettrico erano, in un certo senso, lo stesso fenomeno, solo dopo aver letto che, per ottenere un voltaggio superiore, nelle batterie si usavano metalli più nobili, come l'argento e il platino.

In cucina c'era una grossa batteria di vecchio tipo, una pila a liquido, collegata a un campanello elettrico. Il campanello in un primo momento mi sembrò troppo complicato; la batteria, viceversa, esercitò su di me un'attrattiva immediata: era formata da un tubo cilindrico di terracotta con dentro un elettrodo lucente di rame massiccio, a bagno in un liquido azzurro; il tutto dentro un recipiente di vetro, contenente anch'esso un liquido, in cui era immersa una barra, più sottile, di zinco. Sembrava una specie di industria chimica in miniatura, e a volte credevo di vedere delle piccole bolle di gas sprigionarsi dallo zinco. Questa pila Daniell (così si chiamava) aveva un aspetto decisamente ottocentesco e vittoriano: era un oggetto straordinario che produceva elettricità facendo tutto da sé – senza bisogno di essere strofinato o frizionato, ma solo in virtù delle reazioni chimiche che avevano luogo al suo interno. Si trattava di una fonte di elettricità del tutto diversa, non per sfregamento o statica, ma di *tipo* radicalmente diverso; quando Volta la scoprì, nel 1800, dovette sembrare qualcosa di stupefacente, una nuova forza della natura. In precedenza c'erano state solo le scariche fugaci, scintille e lampi, o l'elettricità per sfregamento; ora si poteva disporre di una corrente costante e uniforme, non soggetta a variazioni. Occorrevano solo due diversi metalli: il rame e lo zinco andavano bene, oppure anche il rame e l'argento (Volta individuò un'intera serie di metalli, che differivano per «voltaggio», ossia per la differenza di potenziale fra l'uno e l'altro), immersi in un mezzo conduttore.

Le mie prime batterie erano a base di frutta e verdura: infilando gli elettrodi di rame e zinco in una patata o in un limone, si può ottenere una corrente elettrica sufficiente ad accendere una minuscola lampadina da 1 volt. Poi si potevano collegare (in serie, per ottenere un maggior voltaggio; oppure in parallelo, per avere maggior potenza) cinque o sei di questi limoni, o patate, e ottenere una «batteria» biologica. Dalle batterie di frutta e verdura, passai alle monete, alternando quelle di rame e d'argento (bisognava usare monete d'argento battute prima del 1920, perché quelle successive erano state coniate con metallo svilito) e interponendo fra di esse della carta assorbente inumidita (di solito con saliva). Se usavo monete piccole, come i farthing e i sei penny, potevo avere cinque o sei di queste coppie nello spazio di due-tre centimetri, oppure potevo fare una pila di sessanta-settanta coppie, lunga una trentina di centimetri; chiusa in un tubo, avrebbe generato una scarica netta di 100 volt. Ci si poteva anche spingere oltre, pensavo, e fabbricare un bastone elettrico con sottili coppie di fogli di rame e zinco, molto più sottili delle monete. Un bastone del genere, con cinquecento coppie, o anche più, avrebbe potuto generare un migliaio di volt, addirittura più di un'anguilla elettrica, abbastanza per terrorizzare qualsiasi assalitore – ma non mi spinsi mai al punto di realizzarlo.

Ero affascinato dall'enorme varietà di batterie realizzate nell'Ottocento, alcune delle quali erano in mostra al Museo della Scienza. C'erano batterie a «fluido singolo», come la pila originale di Volta, la Smee, la Grenet, la massiccia Leclanche o la sottile batteria d'argento di de la Rue; e poi c'erano quelle a due fluidi, come la nostra Daniell, la Bunsen e la Brove (che usava elettrodi di platino). Il loro numero sembrava infinito; ma tutte, in un modo o nell'altro, erano progettate per assicurare un flusso di corrente più affidabile e costante, proteggere gli elettrodi dalla deposizione del metallo o dall'aderenza delle bolle di gas ed evitare l'emissione di gas nocivi o infiammabili (effettivamente prodotti da alcuni modelli).

Di tanto in tanto, queste pile a liquido dovevano essere rabboccate con acqua; ma le piccole pile a secco nelle nostre torce erano chiaramente diverse. Marcus, vedendo il mio interesse, ne aprì una con il suo robusto coltello da scout, e mi mostrò l'involucro esterno di zinco, la barra centrale di carbonio, e la pasta interposta fra i due: una sostanza conduttrice piuttosto corrosiva dallo strano odore. Mi mostrò la pesante batteria da 120 volt nella nostra radio portatile (una necessità bellica, quando la fornitura di elettricità era tanto erratica), che conteneva ottanta pile a secco collegate e pesava qualche chilogrammo. Una volta aprì il cofano dell'automobile – a quell'epoca avevamo la vecchia Wolseley – e mi mostrò l'accumulatore, con le piastre di piombo e l'acido, spiegandomi che era ricaricabile, ma non poteva generare in modo autonomo alcuna carica. Le batterie mi facevano impazzire, anche se erano scariche; quando i miei se ne accorsero, fui sommerso da batterie usate di ogni forma e misura, e ben presto misi insieme una straordinaria (e perfettamente inutile) collezione, molti pezzi della quale finirono aperti e dissezionati.

La mia preferita rimaneva comunque la vecchia pila Daniell. Quando ci modernizzammo e comprammo un'elegante pila a secco per il campanello, sequestrai la Daniell per me. Aveva un voltaggio modesto, di soli 1-1,5 volt, ma la corrente generata, che era di diversi ampere, era di tutto rispetto rapportata alle dimensioni. Questo la rendeva adattissima per esperimenti di riscaldamento e illuminazione, quando occorreva una corrente consistente, mentre il voltaggio importava poco.

Potevo ora facilmente riscaldare un filo – zio Dave mi aveva regalato un'intera serie di bellissimi fili di tungsteno di diversi spessori. Quello più grosso, del diametro di due millimetri, si intiepidiva quando ne collegavo un pezzo ai morsetti della batteria, mentre quello più sottile diventava incandescente, raggiungeva il calor bianco e poi inceneriva in un lampo. C'era poi una comoda via di mezzo, un filo che si poteva tenere per un po' al calor rosso, sebbene anche a quella temperatura si ossidasse e ben presto finisse per disintegrarsi in uno sbuffo di ossido bianco-giallastro. (Ora capivo come fosse essenziale togliere l'aria dall'interno delle lampadine, e perché l'illuminazione a incandescenza non fu possibile finché nei bulbi di vetro non venne creato il vuoto o essi non furono riempiti con un gas inerte).

Usando la Daniell come fonte di energia, potevo anche decomporre l'acqua, purché fosse salata o acidulata. Ricordo lo straordinario piacere che provai nel decomporre un poco d'acqua in un portauovo, osservandola mentre si separava visibilmente nei suoi elementi, l'ossigeno a un elettrodo, l'idrogeno all'altro. L'elettricità fornita da una pila da 1 volt sembrava molto debole, ma era sufficiente per separare un composto chimico, per decomporre l'acqua o, ancor più platealmente, un poco di sale, nei suoi costituenti violentemente attivi.

L'elettrolisi non poté essere scoperta prima della pila di Volta, perché le più potenti macchine elettrostatiche o le bottiglie di Leida erano del tutto incapaci di causare la decomposizione chimica. In seguito Faraday calcolò che sarebbe stata necessaria la carica cumulativa di 800 000 bottiglie di Leida, o forse l'energia di un fulmine, per decomporre un grano (65 mg) d'acqua, cosa che si poteva fare con una minuscola, semplice, pila da 1 volt. (E d'altra parte, la mia pila da 1 volt, e anche la batteria da ottanta pile che Marcus mi aveva mostrato nella nostra radio portatile, non riuscivano a muovere una pallina di midollo di sambuco, né un elettroscopio).

L'elettricità statica poteva generare grandi scintille e scariche ad alto voltaggio (una macchina Wimshurst poteva generare 100 000 volt) ma una potenza minima, almeno ai fini dell'elettrolisi. E per quanto riguardava la grande potenza e il basso voltaggio di una cella chimica, era vero l'opposto.

Se la batteria elettrica servì a iniziarmi all'inseparabile relazione esistente fra elettricità e chimica, il campanello elettrico mi introdusse alla relazione, pure inseparabile, fra elettricità e magnetismo: una relazione per nulla evidente o trasparente, scoperta solo negli anni Venti del diciannovesimo secolo.

Avevo visto come una modesta corrente elettrica potesse riscaldare un filo, produrre una scarica, o decomporre una soluzione. Ma come faceva a causare il movimento oscillatorio, il suono, del campanello? I fili uscenti dal campanello andavano alla porta di casa, e quando qualcuno premeva il pulsante esterno, chiudeva un circuito. Una sera in cui i miei genitori erano usciti, decisi di tagliar fuori il circuito, e di collegare i fili in modo da poter azionare direttamente il campanello. Non appena feci passare la corrente, il martelletto sussultò, colpendo il campanello. Che cosa lo faceva saltare non appena fluiva la corrente? Il martelletto, lo vedevo bene, era di ferro e aveva del filo di rame avvolto intorno. Quando veniva attraversato da una corrente elettrica, l'avvolgimento si magnetizzava ed era proprio per questo che il martelletto era attratto dalla base di ferro del campanello (nel momento in cui la colpiva, apriva il circuito e tornava nella sua posizione originale). Tutto ciò mi sembrava straordinario: le mie calamite, i miei magneti a ferro di cavallo, erano una cosa – ma qui c'era una forma di magnetismo che compariva solo quando una corrente fluiva nell'avvolgimento, e scompariva nel momento in cui quella corrente cessava.

A indicare il possibile legame fra elettricità e magnetismo era stato l'ago della bussola, così delicato e sensibile. Il fatto che l'ago di una bussola potesse sussultare o perfino smagnetizzarsi durante un temporale era ben noto, e nel 1820 si scoprì che se si faceva passare una corrente in un filo vicino a una bussola, l'ago deviava improvvisamente. Se la corrente era abbastanza forte, la deviazione poteva giungere a novanta gradi. Se la bussola stava sopra il filo, invece che sotto, l'ago invertiva la sua direzione. Era come se la forza magnetica formasse dei cerchi intorno al filo.

Questo andamento circolare delle forze magnetiche poteva essere facilmente visualizzato usando un magnete verticale posto in una vaschetta di mercurio, con un filo conduttore libero di muoversi, sospeso in modo che sfiorasse il mercurio, e una seconda vaschetta in cui il magnete fosse libero di muoversi e il filo fosse invece fissato. Facendo passare la corrente, il filo della prima vaschetta descriveva dei cerchi attorno al magnete, mentre nella seconda vaschetta il magnete ruotava intorno al filo nella direzione opposta.[2]

Faraday, che nel 1821 progettò questo apparato – in effetti, il primo motore elettrico del mondo –, si interrogò immediatamente sulla situazione inversa: se l'elettricità poteva produrre così facilmente il magnetismo, una forza magnetica poteva produrre elettricità? È interessante come gli siano occorsi diversi anni per rispondere a questa domanda, giacché non si tratta di un quesito semplice.[3] Ponendo un magnete permanente all'interno di una spira conduttrice non si ottiene alcuna elettricità: il magnete deve essere mosso avanti e indietro, e solo allora si genera corrente. Oggi questo ci sembra ovvio, perché abbiamo familiarità con le dinamo e il loro funzionamento. Ma a quell'epoca non c'era alcuna ragione per ritenere che fosse necessario il movimen-

to; dopo tutto, una bottiglia di Leida, una pila, erano semplicemente posate su un tavolo. Perfino un
genio come Faraday impiegò dieci anni per compiere un simile salto intellettuale – per staccarsi dagli
assunti del suo tempo ed entrare in un nuovo dominio, comprendendo così che il movimento del magnete era necessario per generare l'elettricità, che il
movimento era l'essenza. (Il movimento, pensava
Faraday, generava elettricità tagliando le linee di
forza magnetiche). Il magnete di Faraday, con il suo
avanti e indietro, fu la prima dinamo del mondo –
un motore elettrico a rovescio.

Curiosamente, le due invenzioni di Faraday, il
motore elettrico e la dinamo, alle quali egli arrivò
all'incirca nello stesso tempo, ebbero all'epoca un
impatto diversissimo. I motori elettrici furono accolti e sviluppati quasi immediatamente, e già nel 1839
c'erano battelli fluviali elettrici azionati a batterie;
lo sviluppo della dinamo invece fu molto più lento
ed essa si diffuse solo negli anni Ottanta del secolo,
quando l'introduzione della luce elettrica e dei treni elettrici aveva creato la domanda di grandi quantità di elettricità e di un opportuno sistema di distribuzione. Non si era mai visto nulla di simile a queste
enormi dinamo ronzanti, che generavano una nuova energia misteriosa e invisibile dal nulla, e le prime centrali elettriche, con le loro dinamo immense, ispiravano un senso di reverenza. (H.G. Wells
rievocò tutto questo in uno dei suoi primi racconti,
Il dio delle dinamo, in cui un addetto alla manuten-
zione, uomo rozzo e primitivo, comincia a considerare la grande macchina alla stregua di una divinità
che richiede un sacrificio umano).

Come Faraday, cominciai anch'io a vedere «linee
di forza» ovunque. Avevo già montato sulla mia bicicletta dei fanali anteriori e posteriori azionati a
batteria, e adesso acquistai anche fanali alimentati
da una dinamo. Mentre la piccola dinamo ronzava

sulla ruota posteriore, a volte pensavo alle linee di forza magnetiche tagliate e al ruolo essenziale e misterioso che il movimento aveva in tutto questo.

Il magnetismo e l'elettricità, ritenuti inizialmente fenomeni del tutto separati, sembravano ora, in qualche modo, collegati dal movimento. A questo punto mi rivolsi allo «zio della fisica», zio Abe, il quale mi spiegò come la relazione fra elettricità e magnetismo (e anche la relazione di entrambi i fenomeni con la luce) fosse stata chiarita dal grande fisico scozzese Clerk Maxwell.[4] Un campo elettrico in movimento generava intorno a sé un campo magnetico, che a sua volta generava un campo elettrico, che generava un campo magnetico, e così via. Con queste mutue induzioni, pressoché istantanee, Maxwell immaginò che vi fosse, a tutti gli effetti, un campo elettromagnetico associato, in oscillazione estremamente rapida, che si espandeva in tutte le direzioni e si propagava come un moto d'onda nello spazio. Nel 1865 Maxwell calcolò che tali campi si propagavano a 300 000 chilometri al secondo, una velocità vicinissima a quella della luce. Questo dato era sorprendente – nessuno aveva sospettato l'esistenza di una qualsiasi relazione fra magnetismo e luce; in effetti, nessuno aveva la benché minima idea di che cosa fosse la luce, sebbene si fosse ormai compreso chiaramente che essa si propagava come un'onda. Maxwell suggerì che luce e magnetismo fossero «manifestazioni della stessa sostanza», e che la luce fosse «una perturbazione elettromagnetica che si propaga attraverso il campo secondo le leggi dell'elettromagnetismo». Dopo aver sentito queste parole, cominciai a pensare alla luce in modo diverso – come a campi elettrici e magnetici che saltavano gli uni sugli altri a velocità fulminea, intrecciandosi insieme a formare un raggio di luce.

Come corollario, ne seguiva che qualsiasi campo elettrico o magnetico variabile poteva dare origine a un'onda elettromagnetica che si propagava in tutte le direzioni. Fu questo, mi spiegò zio Abe, a ispirare Heinrich Hertz nella sua ricerca di altre onde elettromagnetiche – onde che magari avessero una lunghezza molto superiore a quella della luce visibile. L'impresa gli riuscì nel 1886, usando un semplice rocchetto di Ruhmkorff come «trasmittente» e, come «riceventi», minuscole bobine con una piccolissima distanza fra gli elettrodi (un centesimo di millimetro). Quando veniva azionato il rocchetto, Hertz osservò, nell'oscurità del suo laboratorio, piccole scintille secondarie nelle bobine. «Uno accende la radio» diceva zio Abe «e non riflette mai sulla meraviglia di ciò che sta accadendo. Pensa cosa deve aver provato Hertz, quel giorno del 1886, quando vide le scintille nell'oscurità e capì che Maxwell aveva ragione; che qualcosa di simile alla luce, un'onda elettromagnetica, si stava irraggiando dal suo rocchetto in tutte le direzioni!».

Hertz morì giovanissimo, e non seppe mai che la sua scoperta avrebbe rivoluzionato il mondo. Quando Marconi trasmise per la prima volta segnali radio da un capo all'altro della Manica, zio Abe aveva solo diciott'anni. Ricordava l'eccitazione suscitata dall'evento, perfino superiore a quella legata alla scoperta dei raggi X, avvenuta due anni prima. I segnali radio potevano essere ricevuti da alcuni cristalli, soprattutto quelli di galena; si doveva trovare il punto giusto sulla loro superficie esplorandoli con un filo di tungsteno, un «baffo di gatto». Una della prime invenzioni di zio Abe consistette nella fabbricazione di cristalli sintetici che funzionavano ancor meglio della galena. Tutti parlavano delle onde radio come di «onde hertziane», e Abe chiamò il suo cristallo hertzite.

La più grande impresa di Maxwell, però, fu quella di mettere insieme tutta la teoria elettromagnetica, e di formalizzarla e comprimerla in sole quattro equazioni. In quella mezza pagina di simboli, diceva zio Abe mostrandomi le equazioni in uno dei suoi libri, era condensata tutta la teoria di Maxwell, per chi era in grado di comprenderla. Agli occhi di Hertz, le equazioni di Maxwell rivelarono i lineamenti di « una nuova fisica ... come un paese incantato di fate »: non solo la possibilità di generare onde radio, ma la sensazione che l'intero Universo fosse attraversato da campi elettromagnetici di ogni genere, estesi fino ai suoi più remoti confini.

XV
VITA IN FAMIGLIA

Il sionismo ebbe una parte importante in entrambi i rami della mia famiglia. Alida, la sorella di mio padre, lavorò durante la Grande Guerra come assistente di Nahum Sokolov e Chaim Weitzmann, che all'epoca erano i leader del movimento in Inghilterra; visto il suo talento per le lingue, fu incaricata della traduzione della Dichiarazione di Balfour del 1917 in ebraico e in russo; suo figlio Aubrey, ancora ragazzo, era già un sionista erudito ed eloquente (e in seguito, col nome di Abba Eban, fu primo ambasciatore di Israele alle Nazioni Unite). Poiché i miei genitori erano medici e avevano una casa grande, era pacifico che essa diventasse punto d'incontro, e sede ospitale, per riunioni sioniste, e questa sorta di occupazioni, quando io ero bambino, erano piuttosto frequenti. Li sentivo dalla mia camera da letto al piano di sopra – voci che si alzavano, discussioni infinite, pugni che si abbattevano iracondi sul tavolo – e ogni tanto un sionista, infiammato per la collera o l'entusiasmo, irrompeva nella mia stanza, alla ricerca del bagno.

Questi incontri sembravano costare moltissimo ai miei genitori, che ogni volta ne uscivano con un'aria pallida e sfinita; tuttavia, si sentivano in dovere di offrire ospitalità. Non li udii mai parlare fra loro della Palestina o del sionismo, e ho il sospetto che non avessero convinzioni forti in materia – almeno fino a dopo la guerra, quando l'orrore dell'Olocausto li convinse della necessità di una «casa nazionale ebraica». Credevo che subissero la prepotenza degli organizzatori dei meeting come pure di tutti quei ferventi sostenitori che, come gangster, bussavano alla porta chiedendo ingenti somme di denaro per le *yeshivah* o «scuole talmudiche». I miei, che in genere avevano le idee chiare ed erano indipendenti, di fronte a quelle richieste sembravano diventare molli e inermi, forse perché si sentivano in obbligo o erano ansiosi. I miei sentimenti personali (di cui non parlai mai con loro) erano appassionatamente negativi: arrivai a detestare il sionismo e ogni forma di predicazione e di politica, che consideravo attività rumorose, invadenti e ispirate all'arroganza. Anelavo alle discussioni tranquille e alla razionalità della scienza.

Nella pratica religiosa, i miei genitori erano moderatamente osservanti (sebbene io ricordi ben poche discussioni riguardanti le reali convinzioni di chicchessia); alcuni membri della famiglia, per contro, lo erano in modo estremo. Si raccontava che il padre di mia madre si svegliasse di notte se gli cadeva lo *yarmulke*, il copricapo tradizionale, e che il padre di mio padre non se lo togliesse nemmeno quando andava a nuotare. Alcune zie portavano gli *sheitl* – parrucche – che davano loro un aspetto stranamente giovanile, quasi da mannequin: Ida ne aveva una giallo vivo, Gisela una nero corvino, che non cambiarono mai, persino quando, molti anni dopo, i miei capelli cominciarono a ingrigire.

Annie, la sorella maggiore di mia madre, era andata in Palestina verso il 1890 e aveva fondato a Gerusalemme una scuola, un istituto per «gentildonne inglesi di fede mosaica». Aveva un'aria autoritaria, dominatrice. Insopportabilmente ortodossa, credeva – immagino – di essere in rapporti personali con la Divinità (proprio come lo era con il Rabbino Capo, il Mandatario, e il Mufti, a Gerusalemme).[1] Tornava periodicamente in Inghilterra con bauli enormi – per trasportarli occorrevano sei facchini – e durante le sue visite portava in casa nostra un'atmosfera di rigore religioso terrificante; i miei genitori, più moderati, erano alquanto intimiditi dal suo sguardo penetrante.

Un giorno – era un sabato opprimente, nell'atmosfera tesa dell'estate del 1939 – mi era venuta voglia di andare in triciclo su e giù lungo Exeter Road, vicino a casa, ma all'improvviso ci fu un acquazzone e mi ritrovai bagnato fradicio. Annie mi puntò l'indice contro, e scuotendo gravemente la testa mi fece: «Andare in triciclo di sabato! Non la passerai liscia, a Lui non sfugge nulla, Lui ti osserva sempre!». Da quella volta presi a detestare il Sabato, e anche Dio (quanto meno il Dio vendicativo e punitivo evocato dall'ammonimento di Annie), e sviluppai un sentimento di ansioso e guardingo disagio nei confronti del Sabato (sentimento che persiste, un poco, anche oggi).

In generale – quel sabato fu un'eccezione – andavo con la mia famiglia alla *shul*, la grande sinagoga di Walm Lane che, all'epoca, raccoglieva una congregazione di più di duemila persone. Eravamo tutti ben strigliati e tirati a lucido, con l'abito della domenica, e scendevamo lungo Exeter Road dietro i nostri genitori, come tanti anatroccoli. Mia madre, insieme alle varie zie, saliva nella galleria riservata alle donne. Quando ero molto piccolo, sotto i tre anni, andavo con lei; ma a sei anni ormai ero «grande», e dovevo stare di sotto con gli uomini (ciò nondimeno continuavo a lanciare occhiate alle donne di sopra, e a volte facevo loro dei cenni, quantunque mi fosse stato assolutamente proibito).

Mio padre era molto conosciuto nella congregazione – i cui membri erano per metà pazienti suoi o di mia madre; aveva la reputazione di essere un leale sostenitore della comunità e un erudito, anche se la sua erudizione non era nulla, come lui stesso mi disse, rispetto a quella di Wilensky, che sedeva dall'altra parte della navata e che conosceva ogni singola parola del Talmud a memoria con una tal precisione che, se si fosse conficcato uno spillo nel libro, lui avrebbe saputo dire quale frase fosse stata perforata in ciascuna pagina. Wilensky non seguiva il servizio, ma un programma o una litania interiore tutta sua, sempre dondolandosi avanti e indietro, recitando le preghiere del giorno a modo suo. Aveva i capelli inanellati, e portava i *payot* – i lunghi riccioli ai lati del volto; io lo guardavo con timore reverenziale, come qualcosa di sovrumano.

Quella del sabato mattina era una funzione lunghissima, e anche pregando alla svelta durava un minimo di tre ore. L'*Amidah* andava recitata in silenzio, in piedi, rivolti verso Gerusalemme: secondo le mie supposizioni, era lunga circa diecimila parole, ma i più veloci, nella *shul*, ce la facevano in tre minuti netti. Io leggevo più in fretta che potevo (sbirciando la traduzione sulla pagina a fronte, per cercare di capire che cosa significasse), ma prima che il tempo fosse scaduto e la funzione passasse precipitosamente a qualcos'altro, avevo letto a malapena uno o due paragrafi. Per la maggior parte del tempo non cercavo di tenere il passo, ma vagavo a modo mio nel libro di preghiere. Fu lì che imparai dell'incenso e della mirra, nonché di pesi e misure usati nella terra di Israele tremila anni or sono. Molti passaggi mi attraevano per il loro linguaggio ricco o per la bellezza, il senso poetico e del mito, con tutte quelle descrizioni dettagliate degli odori e delle spezie usati nei sacrifici. Evidentemente, il Signore era di naso fino.[2]

Mi piacevano i canti – mio cugino Dennis cantava nel coro, e zio Moss lo dirigeva – e il virtuosismo del *chazan*, il cantore officiante, e anche alcuni violenti discorsi dei rabbini e la sporadica sensazione che tutti noi formassimo una sola comunità. In linea di massima, però, la sinagoga mi opprimeva; la religione mi sembrava più reale e infinitamente più piacevole a casa. Mi piaceva la Pasqua ebraica, con i suoi preliminari (l'eliminazione dalla casa di tutto il pane lievitato, il *chometz*, che veniva bruciato, a volte insieme a quello dei nostri vicini), le posate, i piatti e le tovaglie speciali – bellissimi – che usavamo solo per quegli otto giorni, e la raccolta del rafano cresciuto in giardino, che veniva macinato fra copiose lacrime.

In occasione del *seder* eravamo a tavola in quindici, e a volte anche in venti: i miei genitori, le zie nubili – Birdie, Len, prima della guerra Dora, e a volte Annie; poi c'erano i cugini di vario grado che venivano in visita dalla Francia o dalla Svizzera; e sempre uno o due estranei che arrivavano a casa nostra per l'occasione. C'era, sulla tavola, una splendida tovaglia ricamata che Annie ci aveva portato da Gerusalemme e brillava di bianco e oro. Mia madre, ben sapendo che prima o poi ci sarebbero stati incidenti, vi incappava sempre lei stessa, esercitando una sorta di diritto di prelazione: in un modo o nell'altro le riusciva sempre, al principio della serata, di versare del vino rosso sulla tovaglia, così nessun ospite si sarebbe sentito in imbarazzo se avesse rovesciato il bicchiere. Sapevo bene che lo faceva intenzionalmente, ma non riuscivo mai a prevedere come o quando sarebbe accaduto «l'incidente», che aveva sempre l'aria d'essere del tutto involontario e autentico. (Subito mia madre spargeva del sale sulla macchia, che diventava molto più pallida, fino quasi a scomparire; mi chiedevo come mai il sale avesse questo potere).

A differenza della funzione nella sinagoga, che veniva farfugliata il più velocemente possibile e mi era in larga misura inintelligibile, la celebrazione del *seder* durava tutto il tempo necessario, con lunghe discussioni e disquisizioni, e le questioni sul simbolismo dei diversi piatti – l'uovo, l'acqua salata, l'erba amara, l'*haroseth*. Io identificavo sempre i Quattro Fanciulli menzionati nel servizio – Quello Saggio, Quello Cattivo, Quello Semplice e Quello Troppo Giovane Per Fare Domande – con noi quattro, sebbene ciò fosse ingiusto nei confronti di David, che non era né migliore né peggiore di ogni altro quindicenne. Mi piaceva il rituale del lavarsi le mani, le quattro tazze di vino, la recitazione delle dieci piaghe (mentre uno declamava, si immergeva l'indice nel vino per ognuna; alla decima, il massacro dei primogeniti, si gettava il vino sulla punta delle dita al di sopra della propria spalla). Essendo il più giovane, mi toccava di recitare le Quattro Domande con voce acuta e tremante; e poi, cercare di capire dove mio padre avesse nascosto il secondo pane azzimo, quello centrale, l'*afikomen* (ma non riuscivo mai a vederlo, proprio come non riuscivo a sorprendere mia madre nelle sue manovre col vino).

Mi piacevano i canti e le declamazioni del *seder*, era come la sensazione di un ricordo, un rituale eseguito da millenni – la storia degli ebrei schiavi in Egitto, del piccolo Mosè in mezzo ai giunchi salvato dalla figlia del faraone, la Terra promessa con i suoi fiumi di latte e miele. Anch'io, come tutti, ero trasportato in un mito.

Il servizio del *seder* proseguiva oltre la mezzanotte,

a volte fino all'una o le due di mattina, e a cinque-sei anni finivo per appisolarmi. Poi, quando final-mente si concludeva, lasciavamo un'altra coppa di vi-no – la quinta – per «Elijah» (mi dicevano che sa-rebbe arrivato durante la notte, e avrebbe bevuto il vino). Poiché il mio nome ebraico era Eliahu (Elijah) decisi di avere tutti i titoli per bere quel vi-no, e in uno degli ultimi *seder* prima della guerra, sci-volai giù di notte e scolai il boccale. Non mi chiesero mai nulla, né io ammisi mai ciò che avevo fatto, ma il mattino dopo i postumi evidenti della bevuta e il boccale vuoto resero superflua ogni confessione.

Le festività ebraiche mi piacevano un po' tutte, ma in modo particolare amavo il *Sukkoth*, la festa del raccolto o festa delle capanne, perché costruivamo una casa di rami e foglie, una *sukkah*, in giardino, con il tetto tutto decorato di frutta e ortaggi esotici e, se il tempo lo permetteva, io restavo dentro a dor-mirci e guardavo le costellazioni sopra di me attra-verso il tetto con la frutta appesa.

Le ricorrenze più serie, e i digiuni, mi riportava-no invece all'atmosfera oppressiva della sinagoga, un'atmosfera che toccava una sorta di orrore nel Giorno dell'Espiazione, lo *Yom Kippur*, quando tutti noi (così si credeva) venivamo messi sulla bilancia. Fra il Capodanno e il Giorno dell'Espiazione c'era-no dieci giorni per pentirsi e fare ammenda dei pro-pri peccati e cattivi comportamenti, e questa contri-zione raggiungeva il culmine, collettivamente, nello *Yom Kippur*. Quel giorno, naturalmente, si digiuna-va, e per ventiquattro ore non si poteva toccare cibo o bevanda. Bisognava battersi il petto e piangere: «Abbiamo fatto questo, abbiamo fatto quello»; e ve-nivano elencati tutti i possibili peccati (compresi molti ai quali io non avevo mai nemmeno pensato), peccati di opere e omissioni, peccati deliberati e in-volontari. La cosa inquietante era che non si sapeva se tutto quel battersi il petto fosse convincente agli occhi di Dio, e neppure se i propri peccati fossero perdonabili. A nessuno era dato sapere se Dio avrebbe riscritto il suo nome nel Libro della Vita, come diceva la liturgia, o se, dopo la morte, sarebbe stato gettato nell'oscurità eterna. Le emozioni intense e tumultuose della congregazione echeggiavano nella voce straordinaria del vecchio *chazan*, Schechter – da giovane avrebbe voluto fare il cantante d'opera, ma poi cantò solo nella sinagoga. Al momento conclusivo della funzione, Schechter soffiava nello *shofar*, e con questo l'espiazione era finita.

Una volta, quando avevo quattordici o quindici anni – non ricordo bene –, capitò una cosa indimenticabile: Schechter, che era solito soffiare lo strumento con tutte le sue forze, fino a diventare paonazzo, emise una nota così lunga che pareva non finire mai, di una bellezza ultraterrena, e poi cadde morto davanti a noi sul *bimah*, il podio dove cantava. Ebbi la sensazione che Dio l'avesse ucciso scagliandogli un fulmine e colpendolo a morte. Per tutti noi, lo shock fu attenuato dalla riflessione che se mai c'era un momento in cui l'anima era pura, perdonata e sollevata da ogni sua colpa, era quello in cui si dava fiato allo *shofar* a conclusione del digiuno; e che quasi sicuramente l'anima di Schechter aveva abbandonato il corpo in quell'attimo ed era andata dritta a Dio. Era stata una morte santa, commentarono tutti; volesse Iddio che, quando fosse giunta la loro ora, la morte cogliesse anche loro così.

Stranamente, entrambi i miei nonni erano morti il Giorno dell'Espiazione (sebbene non in circostanze altrettanto teatrali), e così, all'inizio di ogni *Yom Kippur*, i miei genitori accendevano per loro grandi candele funebri, che avrebbero bruciato lentamente per tutto il digiuno.

Nel 1939 una delle sorelle maggiori di mia madre, zia Violet, era venuta da Amburgo con la famiglia. Suo marito Moritz, professore di chimica, era un veterano pluridecorato della prima guerra mondiale – era stato ferito dalle schegge di una granata e camminava zoppicando. Egli si considerava un patriota e un tedesco e mai avrebbe immaginato di dover fuggire dal suo paese; dopo la Notte dei Cristalli, però, capì quale sarebbe stato il destino suo e dei suoi cari se fossero rimasti, e nella primavera del 1939 lui e la famiglia ripararono in Inghilterra (tutte le loro proprietà erano state confiscate dai nazisti). Stettero da zio Dave, e per un breve periodo anche da noi, prima di andare a Manchester, dove aprirono una scuola e un ostello per i profughi.

Tutto preso dalla mia condizione personale, in larga misura ignoravo quanto accadeva nel mondo. Sapevo poco, per esempio, dell'evacuazione di Dunkerque del 1940, dopo la caduta della Francia, del frenetico affollarsi delle barche con gli ultimi disperati che cercavano di fuggire dal continente. Ma nel dicembre di quell'anno, quando tornai a casa da Braefield per le vacanze, scoprii che una coppia di olandesi, gli Huberfeld, viveva in una delle camere libere al numero 37. Erano fuggiti su una piccola imbarcazione qualche ora prima che arrivassero i tedeschi, e per poco non s'erano persi in mare. Non sapevano che cosa fosse accaduto ai loro genitori; ascoltando il loro racconto mi feci un'idea del caos e dell'orrore che dovevano regnare in Europa.

Durante la guerra la nostra comunità si disperse – i giovani si arruolarono volontari o furono richiamati alle armi, mentre centinaia di bambini, come Michael e io, furono evacuati da Londra – e anche in seguito non si ricostituì mai più come prima. Molti suoi membri rimasero uccisi combattendo in Europa o durante i bombardamenti su Londra; altri, semplicemente, si trasferirono dal quartiere, che una volta era abitato quasi esclusivamente da

ebrei della classe media. Prima della guerra, cono-
scevamo quasi ogni negozio e ogni bottegaio di
Cricklewood: Mr Silver, con la sua farmacia; il droghiere, Mr Bramson; il fruttivendolo, Mr Ginsberg;
il fornaio, Mr Grodzinski; il macellaio kasher, Mr
Waterman – e li vedevo tutti, seduti ai loro posti,
nella sinagoga. Ma tutto questo andò in pezzi, prima sotto i colpi della guerra, poi in seguito ai rapidi
mutamenti sociali verificatisi alla fine del conflitto
in quel nostro angolo di Londra. Io stesso, trauma-
tizzato dall'esperienza di Braefield, avevo perso il
contatto, oltre che l'interesse, per la religione della
mia infanzia. Rimpiango d'aver perso tutto questo
tanto presto e così bruscamente, e questo sentimento di tristezza o nostalgia si mescolava, stranamente,
a un ateismo furioso, una sorta di rabbia contro un
Dio che non c'era, un Dio indifferente, che non solo non aveva impedito la guerra, ma anzi l'aveva
permessa insieme a tutti i suoi orrori.

Il suo nome ebraico era Zipporah («uccello»),
ma per noi, per la famiglia, fu sempre zia Birdie.
Non ho mai saputo esattamente (ma forse non lo sapeva nessuno) che cosa le fosse accaduto nell'infanzia. Pare avesse subìto una lesione alla testa da piccola, ma si parlava anche di un disturbo congenito,
una disfunzione tiroidea; di fatto, per tutta la vita
zia Birdie dovette prendere forti dosi di estratti ti-
roidei. Anche da giovane, la sua pelle era un po' av-
vizzita e rugosa; Birdie era di bassa statura e intelligenza modesta, l'unica che fosse così menomata tra
i figli del nonno, tutti robusti e pieni di talento.
D'altra parte, non sono sicuro d'averla mai considerata «handicappata»; per me era semplicemente zia
Birdie, che viveva lì con noi, una parte essenziale
della famiglia. Aveva la sua stanza accanto a quella
dei miei genitori, piena di fotografie, cartoline, tubi
di vetro contenenti sabbia colorata e souvenir delle

vacanze di famiglia che risalivano all'inizio del secolo. La sua stanza aveva un odore di pulito, quasi da
neonato, e a volte, quando in casa c'era trambusto,
diventava un'oasi di pace. Zia Birdie aveva una grossa Parker gialla (quella di mia madre era arancione)
e scriveva lentamente, con una grafia infantile, im-
matura. Naturalmente si vedeva che in Birdie c'era
«qualcosa che non andava» – di natura medica – e
che la sua salute era delicata e le sue facoltà mentali
limitate, ma a noi tutto questo in fondo non interessava. Sapevamo solo che zia Birdie c'era, che era
una presenza costante, incrollabilmente devota, e
che, a quanto pare, ci voleva bene senza ambiguità
o riserve di sorta.

Quando cominciai a interessarmi di chimica e mineralogia, zia Birdie usciva e si procurava piccoli
campioni per me; non seppi mai dove o come li trovasse (né in che modo, dopo aver chiesto a Michael
quale libro mi sarebbe piaciuto avere in regalo per
il *bar mitzvah*, fosse riuscita a trovare una copia delle
Chroniques di Froissart). Da giovane, zia Birdie aveva
lavorato presso la ditta di Raphael Tuck, che pubblicava calendari e cartoline: una fra tante in un esercito di giovani donne che dipingevano e coloravano
le cartoline. Queste ultime, con i loro colori delicati, furono molto popolari, e anche oggetto di collezione, per decenni; una componente stabile della
vita fino agli anni Trenta, quando le fotografie e la
stampa a colori cominciarono a sostituirle e a rendere superfluo il piccolo contingente femminile di
Tuck. Un giorno del 1936, dopo quasi trent'anni di
lavoro, Birdie fu licenziata, senza preavviso e neppure un «grazie» – non parliamo poi di una pensione
o una liquidazione. Quando tornò a casa, quella sera, aveva in volto un'espressione affranta, e non si riprese mai del tutto (Michael me lo raccontò anni
dopo).

Birdie era così tranquilla, così modesta e onnipresente, che in casa tendevamo a dare per scontata la sua presenza, e a sottovalutare il ruolo che aveva nella nostra vita. Quando, nel 1951, vinsi una borsa di studio per Oxford, fu zia Birdie a consegnarmi il telegramma, ad abbracciarmi e a congratularsi con me – versando anche qualche lacrima, giacché sapeva che ciò significava la mia partenza.

Birdie aveva frequenti attacchi notturni di «asma cardiaco» o di insufficienza cardiaca, e allora le mancava il respiro, era molto ansiosa e doveva mettersi a sedere. All'inizio bastava questa semplice misura, ma quando le crisi si fecero più gravi, i miei le chiesero di tenere un campanello sul comodino, e di suonare non appena avvertisse il minimo malessere. Il campanello suonava sempre più spesso, e a poco a poco capii che le condizioni di zia Birdie erano serie. I miei genitori si alzavano subito per aiutarla – ora c'era bisogno di ossigeno e morfina; io restavo a letto, ascoltando impaurito, finché non tornava la calma e potevo riaddormentarmi. Una notte, nel 1951, il campanello suonò, e i miei genitori si precipitarono nella stanza. Zia Birdie era gravissima: le usciva dalla bocca una schiuma rosata – stava affogando nel liquido accumulatosi nei polmoni – e non rispose né all'ossigeno né alla morfina. Come ultimo, disperato tentativo per salvarle la vita, mamma le praticò una flebotomia al braccio con un bisturi, nel tentativo di alleviare la pressione sul cuore. Ma la cosa non funzionò, e zia Birdie morì fra le sue braccia. Quando entrai nella stanza, vidi sangue dappertutto – sangue sulla sua camicia da notte e sulle braccia, e sangue su mia madre che la sorreggeva. Per un momento, prima di decifrare la scena che avevo di fronte, pensai che mamma l'avesse uccisa.

Per la prima volta moriva un parente stretto, una persona che era stata parte essenziale della mia vita, e io ne fui colpito ben più profondamente di quanto mi sarei aspettato.

Da bambino avevo l'impressione che nella nostra casa la musica fosse dappertutto. Avevamo due Bechstein, uno verticale e l'altro a coda, e talvolta venivano suonati contemporaneamente, per non parlare del flauto di David e del clarinetto di Marcus. In quei momenti la casa era un vero e proprio acquario di suoni, e mentre camminavo mi accorgevo ora di uno strumento, ora di un altro (curiosamente, le loro diverse voci non parevano in conflitto; il mio orecchio, la mia attenzione, erano sempre in grado di selezionarne uno piuttosto che l'altro).

Mia madre non aveva un'inclinazione musicale così spiccata come il resto della famiglia; ciò nondimeno era appassionata di Brahms e dei *Lieder* di Schubert, e a volte li cantava, mentre mio padre l'accompagnava al piano. Era particolarmente innamorata di *Nachtgesang* di Schubert, che cantava con voce dolce, leggermente stonata: questo è uno dei miei primissimi ricordi (non ho mai saputo che cosa significassero le parole, ma il canto mi colpiva in modo strano). Ancora oggi non posso ascoltarlo senza che mi tornino alla memoria, con una nitidezza quasi insostenibile, il nostro salotto, così com'era allora, e la figura e la voce della mamma china sul piano mentre cantava.

Mio padre viceversa era un tipo molto musicale, e di ritorno dai concerti si metteva a suonare gran parte del programma a orecchio, interpretando i vari brani in chiavi diverse, giocando con essi in vario modo. Nel suo amore per la musica era onnivoro, e gli piacevano il music hall come i concerti da camera, Gilbert e Sullivan come Monteverdi. Amava in modo particolare i canti della Grande Guerra, e li intonava con una voce tonante da basso. Aveva una grande biblioteca di spartiti in piccolo formato, e sembrava averne sempre un paio in tasca (di solito, anzi, andava a letto con uno spartito, oppure con il dizionario dei temi musicali che in seguito io stesso gli regalai in occasione di un compleanno).

Sebbene mio padre avesse studiato con un famoso pianista, e si lanciasse sempre alla tastiera dell'uno o dell'altro pianoforte, le sue dita erano così grosse e tozze che non prendevano bene i tasti e quindi di solito si accontentava di eseguire dei frammenti impressionistici. Tuttavia desiderava che noialtri suonassimo e ci prese un brillante maestro di pianoforte, Francesco Ticciati. Ticciati faceva esercitare Marcus e David su Bach e Scarlatti, mettendoci una gran convinzione, passione e severità (Michael e io, più piccoli, suonavamo i duetti di Diabelli), e a volte, se non riuscivano a fare le cose per bene, lo sentivo colpire energicamente il piano gridando «No! No! No!» in preda all'esasperazione. Capitava allora che si sedesse lui stesso al piano e si mettesse a suonare, e fu lì che improvvisamente capii che cosa fosse la *maestria*. Ticciati istillò in noi l'amore per Bach e per la struttura nascosta di una fuga. Mi raccontarono che all'età di cinque anni, quando mi fu chiesto quali cose mi piacessero di più, io risposi «il salmone affumicato e Bach». (Oggi, sessant'anni dopo, la mia risposta sarebbe la stessa).

Nel 1943, quando tornai a Londra, trovai la casa disadorna e muta. Marcus e David, in procinto di iscriversi a medicina, erano via – Marcus a Leeds, David a Lancaster; mio padre, quando non visitava i pazienti, era occupatissimo come addetto alla protezione antiaerea; e lo stesso valeva per mia madre, che faceva chirurgia d'urgenza fino a notte fonda presso un ospedale di St. Albans. A volte l'aspettavo alzato, per sentire il suono del campanello della sua bicicletta, quando, intorno a mezzanotte, tornava pedalando dalla stazione di Cricklewood.

Era una grande emozione, a quell'epoca, ascoltare Myra Hess, la famosa pianista, che quasi da sola tra le rovine della guerra ricordava ai londinesi la bellezza sublime e senza tempo della musica. Spesso ci raccoglievamo in soggiorno, intorno alla radio, per sentire i suoi recital all'ora di pranzo.

Dopo la guerra, quando Marcus e David tornarono a Londra per studiare medicina, il flauto e il clarinetto giacevano da tempo in disparte; ma era chiaro come David avesse eccezionali doti musicali: in misura maggiore di ogni altro fratello, aveva preso da nostro padre. Scoprì il blues e il jazz, s'innamorò di Gershwin, e portò in casa nostra, regno della musica classica, una ventata di novità. David era già un brillante pianista: amava improvvisare e aveva una predilezione per Liszt, ma ora la casa si riempì di nuovi nomi, nomi diversi da quelli che avevo sentito prima: «Duke» Ellington, «Count» Basie, «Jelly Roll» Morton, «Fats» Waller; e dalla tromba del nuovo grammofono Decca che teneva in camera sua sentii per la prima volta le voci di Ella Fitzgerald e Billie Holiday. A volte, quando David sedeva al piano, non ero sicuro se stesse suonando musica jazz conosciuta o stesse improvvisando qualcosa di suo – credo che si chiedesse, almeno in parte sul serio, se non sarebbe potuto diventare lui stesso un compositore.

Mi resi conto che David e Marcus, che apparentemente non vedevano l'ora di diventare medici, provavano una certa tristezza, un senso di perdita, per gli altri interessi ai quali avevano dovuto rinunciare. Per David era la musica; per Marcus, fin dalla più tenera età, erano le lingue. Aveva una straordinaria facilità nell'apprenderle ed era affascinato dalla loro struttura; a sedici anni dominava non solo il latino, il greco e l'ebraico, ma anche l'arabo, che aveva imparato da solo. Avrebbe potuto, come suo cugino Aubrey, studiare lingue orientali, ma poi venne la guerra. Nel 1941-1942 lui e David avrebbero rag-

giunto l'età del servizio militare, ed entrambi si
iscrissero a medicina almeno in parte per rimanda-
re la chiamata alle armi. Ma così facendo rinviarono
anche le loro aspirazioni, e quando tornarono a
Londra la loro scelta sembrò ormai permanente e
irreversibile.

Il signor Ticciati, il nostro maestro di pianoforte,
morì in guerra, e quando feci ritorno a casa, nel
1943, i miei genitori mi trovarono un altro insegnante, la signora Silver, una donna dai capelli rossi
e con un figlio di dieci anni, Kenneth, nato sordo.
Studiavo con lei ormai da un paio d'anni, quando
rimase nuovamente incinta. Vedevo donne incinte
venire in ambulatorio da mia madre quasi quotidianamente, ma questa era la prima volta che assistevo
a tutte le fasi della gravidanza in una donna tanto vicina a me. Verso la fine c'erano stati alcuni problemi – avevo sentito parlare di «tossiemia» e credo
che mia madre avesse dovuto eseguire una «versione» del feto, in modo che si presentasse con la testa.
Finalmente iniziò il travaglio e la signora Silver fu ri-
coverata in ospedale (di solito mia madre faceva nascere i bambini in casa, ma questo caso era difficile
e poteva rendersi necessario il parto cesareo). Non
mi sfiorò l'idea che potesse accadere qualcosa di
grave, ma quando tornai a casa da scuola Michael
mi disse che la signora Silver era morta durante il
parto, «sotto i ferri».

Ero sconvolto, scandalizzato. Com'era possibile
che una donna sana morisse a quel modo? E mia
madre, come aveva potuto permettere una simile
catastrofe? Non seppi mai nei dettagli com'erano
andate le cose; ma il fatto stesso che mia madre fosse stata lì tutto il tempo eccitò la mia fantasia: e se
fosse stata lei a uccidere la signora Silver? D'altra
parte, tutto quel che sapevo su mia madre mi rassi-
curava sulla sua competenza e scrupolosità – doveva

essersi scontrata con qualcosa il cui controllo andava oltre il suo potere, oltre il potere umano.

Temevo per il piccolo Kenneth, che fino ad allora
aveva comunicato principalmente con un linguaggio dei segni familiare, condiviso solo con la madre.
E mi passò la voglia di suonare il piano – al punto
che per un anno non sfiorai la tastiera – e da allora
in poi non volli nessun altro maestro di musica.

Non ebbi mai l'impressione di conoscere o di
comprendere realmente mio fratello Michael, sebbene fosse il più prossimo a me per età e fosse stato
a Braefield con me. C'era, naturalmente, una notevole differenza fra sei anni e undici anni (le nostre
rispettive età quando entrammo in collegio), ma
sembrava esserci, oltre a questo, qualcosa di speciale in lui di cui io (e forse anche gli altri) eravamo
consapevoli ma che avremmo trovato difficile descrivere – figuriamoci poi comprendere. Era traso-
gnato, assorto, profondamente introverso; sembrava vivere (più di chiunque altro di noi) in un mondo tutto suo, sebbene leggesse con profondità e costanza e avesse una memoria stupefacente per quanto leggeva. Quando eravamo a Braefield, sviluppò
una particolare predilezione per *Nicholas Nickleby* e
David Copperfield, che conosceva a memoria, sebbene non avesse mai paragonato esplicitamente Braefield a Dotheboys, o il signor B. al mostruoso dottor
Creakle. I paragoni, comunque, c'erano di sicuro:
impliciti, forse perfino inconsci, là nella sua mente.

Nel 1941 Michael, tredicenne, andò a studiare al
Clifton College, dove fu tormentato senza pietà dai
ragazzi più grandi. Non se ne lamentò mai, come
non si era mai lamentato di Braefield, ma i segni del
trauma erano ben visibili a un occhio capace di vedere. Una volta, nell'estate del 1943, zia Len, che
stava da noi, osservò Michael mentre usciva seminu-
do dal bagno. «Guardate che schiena!» disse ai miei

genitori. «È piena di lividi e di segni di frustate! Se questo sta accadendo al suo corpo,» continuò «che cosa starà succedendo alla sua mente?». I miei genitori sembrarono sorpresi, dissero di non aver notato nulla di male; pensavano che a Michael piacesse la scuola, che non avesse problemi, insomma che stesse bene.

Subito dopo, Michael divenne psicotico. Percepiva un mondo magico e maligno che si chiudeva intorno a lui. (Una volta mi raccontò che sul bus 60, diretto ad Aldwych, la scritta era stata «trasformata» così che la parola *Aldwych* ora appariva scritta in lettere *old-witchy*, stregonesche, simili a rune). Arrivò a convincersi, di essere «il prediletto di un Dio maniaco della flagellazione», soggetto alle particolari attenzioni di una «Provvidenza sadica». Anche qui, non c'era un riferimento esplicito al sadismo del preside di Braefield, ma non potei fare a meno di pensare che il signor B. fosse lì, amplificato fino a raggiungere dimensioni cosmiche in una Provvidenza o in un Dio mostruosi. Contemporaneamente fecero la loro comparsa fantasie messianiche o deliri – veniva torturato o castigato, perché era (o avrebbe potuto essere) il Messia, quello da noi tanto atteso. Lacerato tra beatitudine e tormento, tra fantasia e realtà, Michael sentiva di essere sul punto di impazzire (o forse sapeva di essere già impazzito) e non riusciva più a dormire o riposare, ma andava avanti e indietro per tutta la casa in preda all'agitazione, visitato dalle allucinazioni, pestando i piedi, con occhi furiosi, urlando.

Io ero terrorizzato, da lui e per lui; terrorizzato dall'incubo che per lui stava diventando realtà, e a maggior ragione perché riconoscevo in me stesso pensieri e sentimenti simili, sebbene nascosti e chiusi nel profondo. Che cosa sarebbe successo a Michael? Sarebbe accaduto qualcosa di simile anche a me? Fu in quel periodo che allestii il mio laboratorio di chimica – e poi chiusi le porte, chiusi gli occhi, per proteggermi dalla follia di Michael. Fu in quel periodo che cercai (e a volte raggiunsi) un'intensa concentrazione, un completo assorbimento nel mondo della mineralogia, della chimica e della fisica, nella scienza – mi concentrai su di esse, tenendomi insieme nel caos. Non è che fossi indifferente a Michael; sentivo per lui una fortissima compassione, e un poco sapevo che cosa stesse attraversando; ma dovevo anche mantenere le distanze, crearmi un mondo mio ricavato dalla neutralità e dalla bellezza della natura, così da non essere scaraventato nel caos, nella follia e nella seduzione del suo.

XVI

IL GIARDINO DI MENDELEEV

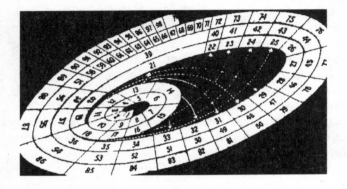

Nel 1945 il Museo della Scienza di South Kensington fu riaperto (dopo una lunga chiusura nel periodo della guerra) e per la prima volta vidi la gigantesca tavola periodica che vi era esposta. La tavola, che copriva un'intera parete in cima alle scale, era in realtà una vetrina di legno scuro con una novantina di scomparti, ciascuno dei quali portava scritto il nome del proprio elemento, il suo peso atomico e il suo simbolo chimico. In ogni scomparto, poi, c'era un campione dell'elemento stesso (quanto meno, di tutti quelli che erano stati ottenuti in forma pura, e che potevano essere esposti in condizioni di sicurezza). Il cartellino informava: «La classificazione periodica degli elementi secondo Mendeleev».

I primi che vidi furono i metalli, esposti a decine in tutte le forme possibili: barrette, cubi, fili, fogli, dischi, cristalli, masse di forma indefinita. Perlopiù erano grigi o argentei, alcuni avevano sfumature azzurre o rosa. In qualche caso le superfici erano brunite e risplendevano debolmente di giallo; poi c'erano i colori intensi del rame e dell'oro.

Nell'angolo in alto a destra c'erano i non metalli – gli spettacolari cristalli gialli dello zolfo e quelli rossi, traslucidi, del selenio; il fosforo, simile a pallida cera d'api, immerso nell'acqua; e il carbonio, sotto forma di minuscoli diamanti e grafite nera e lucente. C'era poi il boro, una polvere brunastra; e i cristalli di silicio, dalla superficie come increspata, di una lucentezza nera, intensa, simile alla grafite o alla galena.

A sinistra c'erano i metalli alcalini e i metalli alcalino-terrosi (i metalli di Humphry Davy), tutti, tranne il magnesio, immersi in bagni protettivi di nafta. Fui colpito dal litio, nell'angolo più in alto a sinistra, perché, leggero com'era, galleggiava sulla nafta; e anche dal cesio, più in basso, che formava una pozzanghera luccicante sotto la nafta. Il cesio, questo lo sapevo bene, aveva un bassissimo punto di fusione, e quello era un giorno d'estate molto caldo. Tuttavia, non mi ero del tutto reso conto, osservando le minuscole masserelle parzialmente ossidate che avevo visto fino ad allora, che il cesio puro fosse dorato: al principio lanciava solo un bagliore, un lampo d'oro, sembrava emettere un'iridescenza con una lucentezza dorata; ma poi, osservato da un'angolazione diversa, appariva di un color oro puro, e sembrava un mare d'oro, o del mercurio dorato.

C'erano poi altri elementi che fino ad allora erano stati per me solo dei nomi (oppure, in modo quasi ugualmente astratto, dei nomi associati a qualche proprietà fisica e a un peso atomico) e adesso per la prima volta li vedevo in tutta la loro diversità e la loro realtà. In quella mia prima, sensuale panoramica, percepii la tavola come un sontuoso banchetto, un enorme desco apparecchiato con un'ottantina di portate diverse.

A quell'epoca avevo ormai acquisito familiarità

con le proprietà di molti elementi e sapevo che essi formavano un certo numero di famiglie naturali, come quella dei metalli alcalini, dei metalli alcalino-terrosi e degli alogeni. Queste famiglie (che Mendeleev chiamò «gruppi») formavano le colonne verticali della tavola, con i metalli alcalini e quelli alcalino-terrosi a sinistra, gli alogeni e i gas inerti a destra, e tutto il resto collocato in quattro gruppi intermedi situati nel mezzo. Questi gruppi intermedi erano «gruppi» in un modo un po' meno chiaro – nel Gruppo VI, per esempio, vedevo lo zolfo, il selenio e il tellurio. Sapevo bene che questi tre elementi (i miei «puzzogeni») erano molto simili – ma che ci faceva in mezzo a loro l'ossigeno, proprio in testa al gruppo? Doveva esserci un principio più profondo – e infatti c'era. Era stampato in cima alla tavola, ma nella mia impazienza di osservare gli elementi, non gli avevo prestato attenzione alcuna. Il principio più profondo, vidi poi, era la valenza. Il termine *valenza* non esisteva nei miei libri dell'epoca vittoriana, giacché era stato sviluppato correttamente solo verso la fine degli anni Cinquanta del diciannovesimo secolo. Mendeleev fu uno dei primi ad avvalersene e a usarlo come fondamento per la classificazione, offrendo così qualcosa che non era mai stato chiaro prima: una base razionale per spiegare la tendenza degli elementi a formare famiglie naturali e ad avere profonde analogie chimiche e fisiche gli uni con gli altri. Mendeleev ora riconosceva otto di tali gruppi di elementi in termini di valenza.

Gli elementi del Gruppo I, per esempio, ossia i metalli alcalini, avevano valenza 1: un atomo di questi elementi si combinava con un atomo di idrogeno per formare composti come LiH, NaH, KH, e così via. (Oppure con un atomo di cloro, per formare composti come LiCl, NaCl o KCl). Gli elementi del Gruppo II, i metalli alcalino-terrosi, avevano valenza

2, e quindi formavano composti come $CaCl_2$, $SrCl_2$, $BaCl_2$, e così via. Gli elementi del Gruppo VIII avevano valenza massima 8.

Tuttavia, mentre classificava gli elementi in base alla valenza, Mendeleev era affascinato anche dal loro peso atomico, dal fatto che esso fosse unico e specifico per ciascun elemento, che fosse, in un certo senso, l'impronta atomica di ognuno di essi. E se cominciò a elencare mentalmente gli elementi in base alla valenza, lo fece anche in termini di peso atomico. E ora, come per magia, i due criteri confluirono. Infatti, se disponeva gli elementi, in modo molto semplice, in ordine di peso atomico, costruendo quelli che chiamò «periodi» orizzontali, egli poteva constatare il ricorrere delle stesse proprietà e delle stesse valenze a intervalli regolari.

Ogni elemento riecheggiava le proprietà di quello che si trovava sopra di lui, ed era un membro leggermente più pesante della stessa famiglia. In ogni periodo, per così dire, veniva suonata la stessa melodia – dapprima un metallo alcalino, poi un metallo alcalino-terroso, poi altri sei elementi, ciascuno con la sua propria valenza, o tonalità – suonata però su un registro diverso (qui mi era proprio impossibile non pensare in termini di ottave e scale musicali, visto che vivevo in una casa piena di musica, e le scale erano una manifestazione di periodicità in cui mi imbattevo quotidianamente).

La tavola che avevo dinnanzi era dominata da una periodicità in base otto, sebbene si potesse anche vedere che nella parte inferiore, all'interno dei fondamentali ottetti, erano interposti alcuni elementi extra: dieci per ciascuno nei Periodi 4 e 5, e dieci più quattordici nel Periodo 6.

Così si procedeva, osservando ogni periodo completarsi e condurre al successivo imboccando una serie di curve da capogiro – questa, almeno, era la forma in cui l'immaginavo io, così che la solenne ta-

vola rettangolare che avevo di fronte si trasformava
nella mia mente in anse e spirali. La tavola era una
sorta di scalinata cosmica, o di scala di Giacobbe,
che saliva e scendeva verso un cielo pitagorico.

All'improvviso, fui travolto al pensiero di quanto
dovesse esser sembrata sorprendente, la tavola periodica, ai chimici che la videro per primi – chimici
che avevano una profonda familiarità con sette o otto famiglie di elementi, ma che non avevano mai
compreso la base di quelle famiglie (la valenza), né
come esse potessero confluire a comporre un unico
schema di ordine superiore. Mi chiedevo se non
avessero reagito come avevo fatto io di fronte a
quella prima rivelazione: «Ma certo! È così ovvio!
Come ho fatto a non pensarci io?».

Indipendentemente dal fatto che uno pensasse in
termini di colonne verticali o di righe orizzontali, in
un modo o nell'altro si arrivava alla stessa griglia.
Era come uno schema di parole crociate, che poteva essere affrontato sia partendo dalle definizioni
«verticali» che da quelle «orizzontali», salvo per il
fatto che un gioco enigmistico era un costrutto arbi-
trario, squisitamente umano, mentre la tavola periodica rifletteva o rappresentava un ordine profondo
della natura, perché mostrava tutti gli elementi disposti in base a una loro relazione fondamentale.
Avevo la sensazione che essa custodisse un segreto
meraviglioso, ma si trattava di un criptogramma
senza chiave: *perché* quella relazione era così?

Dopo quel primo incontro con la tavola periodica, la notte quasi non riuscii a dormire per l'eccitazione: l'aver ricondotto l'intero universo della chimica, così vasto e apparentemente caotico, a un ordine capace di includerlo tutto, mi sembrava una
conquista incredibile. Le prime grandi chiarificazio-
ni intellettuali avevano avuto luogo con la definizione degli elementi da parte di Lavoisier, con la scoperta di Proust, che gli elementi si combinavano so-

lo in proporzioni definite, e con il concetto di Dalton, che gli elementi avevano atomi con un unico peso atomico. Con queste acquisizioni la chimica era diventata adulta, ed era diventata la chimica degli elementi. Questi ultimi, però, non sembravano presentarsi in un qualsiasi ordine naturale; li si poteva elencare solo in ordine alfabetico (come fece Pepper nel suo *Playbook of Metals*), oppure in termini di gruppi o famiglie locali isolati. Prima del contributo di Mendeleev non era possibile spingersi oltre. L'aver percepito un'organizzazione *generale*, un principio di ordine superiore che univa e metteva in relazione *tutti* gli elementi, aveva qualcosa di miracoloso e geniale. E questo mi diede, per la prima volta, la percezione del potere trascendente della mente umana, e del fatto che avesse la potenzialità di scoprire o decifrare i segreti più profondi della natura, di leggere la mente di Dio.

Quella notte continuai a sognare la tavola periodica in uno stato di dormiveglia eccitato; la sognavo come una girandola che mulinasse lampeggiando, e poi come una grande nebulosa, estesa dal primo elemento fino all'ultimo, e la vedevo vorticare oltre l'uranio per perdersi nello spazio infinito. Il giorno dopo faticai ad aspettare l'orario di apertura del museo, e non appena si aprirono le porte sfrecciai al piano superiore, dov'era esposta la tavola.

Nel corso di questa seconda visita mi ritrovai a osservare la tavola quasi in termini geografici, come un dominio, un regno, con diversi territori e confini. Concepire la tavola come un regno geografico mi permise di sollevarmi al di sopra dei singoli elementi e di cogliere alcuni gradienti e certe tendenze generali. Da tempo i metalli erano stati riconosciuti come una speciale categoria di elementi, e ora potevo vedere, con un'unica occhiata riassuntiva, come essi occupassero tre quarti del regno – tutto il

Tabella periodica degli Elementi

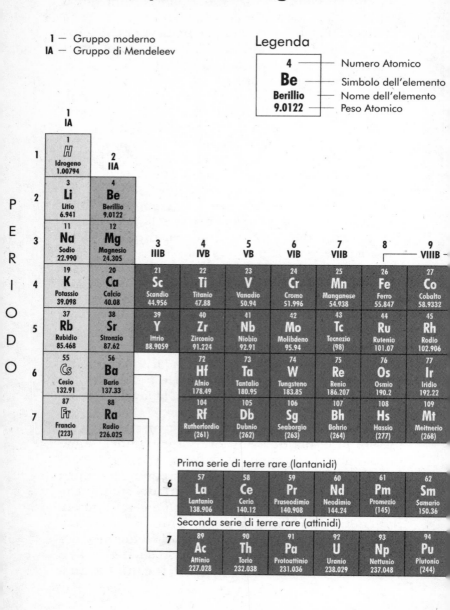

1 — Gruppo moderno
IA — Gruppo di Mendeleev

Legenda

4	Numero Atomico
Be	Simbolo dell'elemento
Berillio	Nome dell'elemento
9.0122	Peso Atomico

PERIODO

	1 IA	2 IIA	3 IIIB	4 IVB	5 VB	6 VIB	7 VIIB	8	9 VIIIB
1	1 **H** Idrogeno 1.00794								
2	3 **Li** Litio 6.941	4 **Be** Berillio 9.0122							
3	11 **Na** Sodio 22.990	12 **Mg** Magnesio 24.305							
4	19 **K** Potassio 39.098	20 **Ca** Calcio 40.08	21 **Sc** Scandio 44.956	22 **Ti** Titanio 47.88	23 **V** Vanadio 50.94	24 **Cr** Cromo 51.996	25 **Mn** Manganese 54.938	26 **Fe** Ferro 55.847	27 **Co** Cobalto 58.9332
5	37 **Rb** Rubidio 85.468	38 **Sr** Stronzio 87.62	39 **Y** Ittrio 88.9059	40 **Zr** Zirconio 91.224	41 **Nb** Niobio 92.91	42 **Mo** Molibdeno 95.94	43 **Tc** Tecnezio (98)	44 **Ru** Rutenio 101.07	45 **Rh** Rodio 102.906
6	55 **Cs** Cesio 132.91	56 **Ba** Bario 137.33		72 **Hf** Afnio 178.49	73 **Ta** Tantalio 180.95	74 **W** Tungsteno 183.85	75 **Re** Renio 186.207	76 **Os** Osmio 190.2	77 **Ir** Iridio 192.22
7	87 **Fr** Francio (223)	88 **Ra** Radio 226.025		104 **Rf** Rutherfordio (261)	105 **Db** Dubnio (262)	106 **Sg** Seaborgio (263)	107 **Bh** Bohrio (264)	108 **Hs** Hassio (277)	109 **Mt** Meitnerio (268)

Prima serie di terre rare (lantanidi)

6	57 **La** Lantanio 138.906	58 **Ce** Cerio 140.12	59 **Pr** Praseodimio 140.908	60 **Nd** Neodimio 144.24	61 **Pm** Promezio (145)	62 **Sm** Samario 150.36

Seconda serie di terre rare (attinidi)

7	89 **Ac** Attinio 227.028	90 **Th** Torio 232.038	91 **Pa** Protoattinio 231.036	92 **U** Uranio 238.029	93 **Np** Nettunio 237.048	94 **Pu** Plutonio (244)

Legenda

- Metalli alcalini
- Metalli alcalino-terrosi
- Metalli di transizione
- Altri metalli
- Non metalli
- Alogeni
- Gas inerti

- C Solidi
- Br Liquidi
- H Gassosi

Alogeni

10	11 IB	12 IIB	13 IIIA	14 IVA	15 VA	16 VIA	17 VIIA	18 VIIIA
								2 **He** Elio 4.003
			5 **B** Boro 10.81	6 **C** Carbonio 12.011	7 **N** Azoto 14.007	8 **O** Ossigeno 18.999	9 **F** Fluoro 18.998	10 **Ne** Neon 20.179
			13 **Al** Alluminio 26.98	14 **Si** Silicio 28.086	15 **P** Fosforo 30.974	16 **S** Zolfo 32.06	17 **Cl** Cloro 35.453	18 **Ar** Argo 39.948
28 **Ni** Nichel 58.69	29 **Cu** Rame 63.546	30 **Zn** Zinco 65.39	31 **Ga** Gallio 69.72	32 **Ge** Germanio 72.59	33 **As** Arsenico 74.922	34 **Se** Selenio 78.96	35 **Br** Bromo 79.904	36 **Kr** Cripto 83.80
46 **Pd** Palladio 106.42	47 **Ag** Argento 107.868	48 **Cd** Cadmio 112.41	49 **In** Indio 114.82	50 **Sn** Stagno 118.71	51 **Sb** Antimonio 121.75	52 **Te** Tellurio 127.60	53 **I** Iodio 126.905	54 **Xe** Xeno 131.29
78 **Pt** Platino 195.08	79 **Au** Oro 196.967	80 **Hg** Mercurio 200.59	81 **Tl** Tallio 204.383	82 **Pb** Piombo 207.2	83 **Bi** Bismuto 208.98	84 **Po** Polonio (209)	85 **At** Astato (210)	86 **Rn** Rado (222)
110 (269)	111 (272)	112 (277)	113	114 (285)	115	116 (289)	117	118 (293)

63 **Eu** Europio 151.96	64 **Gd** Gadolinio 157.25	65 **Tb** Terbio 158.925	66 **Dy** Disprosio 162.50	67 **Ho** Olmio 164.93	68 **Er** Erbio 167.26	69 **Tm** Tulio 168.934	70 **Yb** Itterbio 173.04	71 **Lu** Lutezio 174.967
95 **Am** Americio (243)	96 **Cm** Curio (247)	97 **Bk** Berkelio (247)	98 **Cf** Californio (251)	99 **Es** Einsteinio (252)	100 **Fm** Fermio (257)	101 **Md** Mendelevio (258)	102 **No** Nobelio (259)	103 **Lr** Lawrenzio (260)

territorio occidentale e gran parte di quello meridionale – lasciando ai non metalli solo una piccola
area, situata prevalentemente nelle regioni di nord-
est. Una linea spezzata, simile al vallo di Adriano,
separava i metalli dagli altri elementi, con alcuni
«semimetalli», i metalloidi – l'arsenico, il selenio –,
a cavallo del confine. Si coglievano i gradienti di aci-
dità e basicità, osservando come gli ossidi degli elementi «occidentali» reagissero con l'acqua per formare degli alcali, mentre quelli degli elementi
«orientali», principalmente non metalli, avrebbero
generato degli acidi. Si coglieva, ancora una volta
con un semplice sguardo, come gli elementi ai
confini del regno – i metalli alcalini e gli alogeni, il
sodio e il cloro, per esempio – mostrassero la massima avidità l'uno per l'altro, e si combinassero con
una forza esplosiva, formando sali cristallini con elevati punti di fusione che si scioglievano formando
elettroliti; mentre gli elementi situati nella regione
centrale formavano un tipo di composto molto diverso – liquidi volatili o gas che resistevano alla corrente elettrica. Ricordando come Volta, Davy e Berzelius avessero disposto gli elementi in una serie in
base alle proprietà elettriche, si coglieva anche che
gli elementi più elettropositivi si trovavano tutti a sinistra e quelli più elettronegativi a destra. Pertanto,
quando si guardava la tavola, ciò che colpiva l'occhio non era solo la disposizione dei singoli elementi, ma l'emergere di tendenze di ogni tipo.

Vedere la tavola, «capirla», mi cambiò la vita. Presi ad andare a vederla più spesso che potevo. La co-
piai sul mio quaderno di esercizi e me la portavo
dietro ovunque; finii per conoscerla così bene – sia
visivamente che concettualmente – che potevo ri-
percorrerla mentalmente in tutte le direzioni, salen-
do lungo un gruppo, poi girando a destra e imboccando un periodo, fermandomi, tornando giù – e
ciò nondimeno sapendo sempre dove mi trovassi.

Era come un giardino, il giardino dei numeri che avevo tanto amato da bambino – ma a differenza di quello, questo era reale, una chiave per accedere all'Universo. Adesso passavo ore, affascinato, completamente assorto, a vagare e a fare scoperte nel giardino incantato di Mendeleev.[1]

Al museo, accanto alla tavola periodica, c'era una fotografia di Mendeleev; sembrava un incrocio fra Fagin e Svengali, con un'enorme massa di barba e capelli e uno sguardo ipnotico e penetrante. Una figura selvaggia, stravagante, barbara – ma a modo suo romantica come Humphry Davy, con quella sua aria alla Byron. Dovevo sapere di più su di lui, e leggere i suoi famosi *Princìpi*, nei quali aveva pubblicato per la prima volta la tavola periodica.

Il suo libro, la sua vita, non mi delusero. Era un uomo dagli interessi enciclopedici. Era anche un amante della musica e un intimo amico di Borodin (che era anch'egli un chimico). Ed era l'autore di uno dei testi di chimica più belli e vivaci che siano mai stati pubblicati, *Princìpi di chimica*.[2]

Come i miei genitori, anche Mendeleev veniva da una famiglia numerosissima – era il più giovane, lessi, di quattordici figli. La madre doveva aver riconosciuto l'intelligenza precoce del figlio, e quando egli ebbe quattordici anni, capendo che senza un'istruzione appropriata si sarebbe perduto, lasciò la Siberia e percorse con lui migliaia di chilometri a piedi, portandolo dapprima all'Università di Mosca (dalla quale, in quanto siberiano, era bandito) e poi a San Pietroburgo, dove ottenne una borsa di studio per formarsi come insegnante. (A quanto pare, dopo questo sforzo prodigioso, la donna – all'epoca prossima alla sessantina – morì di sfinimento. Mendeleev, che le era profondamente attaccato, avrebbe in seguito dedicato alla sua memoria i *Princìpi*).

Anche a San Pietroburgo, da studente, Mendeleev non dimostrò solo una curiosità insaziabile, ma anche una fame di princìpi organizzatori di ogni genere. Linneo, nel diciottesimo secolo, aveva classificato piante e animali, e (con risultati assai meno brillanti) i minerali. Dana, negli anni Trenta del secolo seguente, aveva sostituito la vecchia classificazione fisica dei minerali con una classificazione chimica che individuava una dozzina di categorie principali (elementi nativi, ossidi, solfuri, eccetera). Tuttavia, per gli elementi non esisteva una classificazione del genere, e ormai se ne conoscevano una sessantina. Alcuni elementi, in effetti, sembravano quasi impossibili da classificare. Dove mettere l'uranio, per esempio, o il berillio, quel metallo sconcertante e ultraleggero? Alcuni degli elementi scoperti più di recente erano particolarmente difficili: il tallio, per esempio, scoperto nel 1862, era per certi versi simile al piombo, per alcuni aspetti affine all'argento, per altri all'alluminio, e per altri ancora al potassio.

Fra la nascita dell'interesse di Mendeleev per la classificazione e l'emergere della sua tavola periodica nel 1869, passarono quasi vent'anni. Questo lungo periodo di riflessione e incubazione (così simile, in un certo senso, alla meditazione di Darwin prima di dare alle stampe *L'origine delle specie*) fu forse la ragione per cui, quando alla fine pubblicò i suoi *Princìpi*, Mendeleev poté inserirvi una mole e una vastità di conoscenze e intuizioni ben oltre la portata dei suoi contemporanei: sebbene alcuni di essi avessero una chiara visione della periodicità, nessuno era in grado di dominare la stessa enorme quantità di dettagli controllata da lui.

Mendeleev raccontava di aver scritto le proprietà e i pesi atomici degli elementi su alcuni cartoncini e d'aver riflettuto su di essi continuando a rimescolarli durante i suoi lunghi viaggi in treno attraverso la Russia, facendo una specie di gioco di pazienza o, come lo chiamava lui, un «solitario chimico», andando a tentoni alla ricerca di un ordine, di un sistema che potesse dare un significato a tutti gli elementi, alle loro proprietà e ai loro pesi atomici.

Esisteva poi un altro fattore cruciale. Per decenni c'era stata una considerevole confusione sui pesi atomici di molti elementi. Fu solo alla conferenza di Karlsruhe del 1860, quando finalmente questa confusione venne spazzata via, che Mendeleev e altri poterono pensare di realizzare una tassonomia completa degli elementi. Mendeleev era andato a Karlsruhe insieme a Borodin (fu, oltre che un viaggio chimico, anche un viaggio musicale, e lungo il tragitto i due si fermarono in molte chiese provando gli organi locali). Con i vecchi pesi atomici precedenti alla conferenza di Karlsruhe, si potevano capire delle triadi isolate o i singoli gruppi, ma non si riusciva a cogliere l'esistenza di una relazione numerica *fra* i gruppi stessi.[3] Solo quando Cannizzaro dimostrò come si potessero ottenere pesi atomici attendibili e che, per esempio, i pesi atomici corretti dei metalli alcalino-terrosi (calcio, stronzio e bario) erano rispettivamente di 40, 88 e 137 (e non 20, 44 e 68, come si credeva prima), ebbene, solo allora apparve chiaramente quanto essi fossero vicini ai metalli alcalini – potassio, rubidio e cesio. Fu proprio questa vicinanza, e anche la vicinanza dei pesi atomici degli alogeni – cloro, bromo e iodio – a indurre Mendeleev, nel 1868, a costruire una piccola griglia affiancando i tre gruppi:

Cl	35,5	K	39	Ca	40
Br	80	Rb	85	Sr	88
I	127	Cs	133	Ba	137

A questo punto, resosi conto che disponendo i tre gruppi di elementi in ordine di peso atomico essi

producevano un modello ripetitivo, ossia un alogeno seguito da un metallo alcalino e poi da un metallo alcalino-terroso, Mendeleev percepì che doveva
trattarsi del frammento di un mosaico più ampio e
passò all'idea di una periodicità che governasse *tutti*
gli elementi: una Legge Periodica.

La prima piccola tavola di Mendeleev dovette essere completata, e poi estesa in tutte le direzioni, come uno schema di parole crociate; di per se stessa,
quest'operazione richiese alcune speculazioni auda-
ci. Quale elemento, egli si chiese, era chimicamente
affine ai metalli alcalino-terrosi e veniva dopo il litio
come peso atomico? Apparentemente non esisteva
un elemento del genere – o forse si trattava del berillio, che si solito era ritenuto trivalente, con un peso atomico di 14,5? E se invece fosse stato bivalente,
e quindi con un peso atomico non di 14,5 ma di 9?
In tal caso si sarebbe trovato subito dopo il litio e
avrebbe trovato posto alla perfezione nello spazio
vacante.

Spigolando fra calcoli consapevoli e sensazioni,
fra intuizione e analisi, nell'arco di qualche settimana Mendeleev arrivò alla tabulazione di una trentina di elementi disposti in ordine di peso atomico
crescente: una tabulazione che ora indicava il ricorrere delle proprietà ogni otto elementi. Si dice che
la notte del 16 febbraio 1869 egli abbia fatto un sogno nel quale vide quasi tutti gli elementi conosciuti disposti in una grande tavola. Il mattino seguente
affidò la sua visione alla carta.[4]

La logica e il modello contenuti nella tavola di
Mendeleev erano talmente chiari che immediatamente balzarono all'occhio certe anomalie. Alcuni
elementi sembravano trovarsi nel posto sbagliato,
mentre in altri posti non c'erano elementi. Avvalendosi della sua enorme conoscenza chimica, Mendeleev riposizionò circa sei elementi, senza tener conto della valenza e del peso atomico che erano loro

I miei nonni, Marcus e Chaya Landau, insieme ai loro tredici figli, nel giardino della casa di Highbury New Park nel 1902. *In piedi*: Mick, Violet, Isaac, Abe, Dora, Sydney, Annie. *Seduti*: Dave, Elsie (mia madre), Len, mio nonno e mia nonna, Birdie. In primo piano: Joe e Doogie.

In braccio a mia madre, verso la fine del 1933, con Marcus, David, papà e Michael.

Insieme, in occasione della nostra ultima gita in barca prima della guerra, nell'agosto del 1939, nei pressi di Bournemouth: David, papà, Michael, mamma, io e Marcus.

A tre anni, prima della guerra.

Durante una breve visita a casa da Braefield, nell'inverno del 1940: papà, io, mamma, Michael e David (Marcus, il più grande di noi, era già all'università).

Con i lupetti di The Hall, nel 1943.

La fotografia del mio *bar-mitzvah*, di fronte alla casa, nel 1946.

Zio Dave (*a sinistra*) e Zio Abe alla fine degli anni Quaranta del secolo scorso.

Zia Birdie. *A destra*: Zia Len, a Delamere, dopo la guerra.

attribuiti. Nel farlo, diede prova di un'audacia che scandalizzò alcuni suoi contemporanei (Lothar Meyer, per esempio, pensava che fosse mostruoso modificare i pesi atomici semplicemente perché non «si conformavano» alla tavola).

In un atto di suprema fiducia in se stesso, Mendeleev riservò diversi spazi vuoti della sua tavola a elementi «attualmente sconosciuti». Sosteneva che estrapolando le proprietà degli elementi che si trovavano sopra e sotto (e anche, in una certa misura, di quelli a destra e a sinistra) era possibile prevedere con sicurezza come sarebbero stati quelli ancora sconosciuti. E nella sua tavola del 1871, Mendeleev fece esattamente questo, prevedendo nei minimi dettagli le caratteristiche di un nuovo elemento (*eka-aluminium*) che avrebbe occupato il posto sotto l'alluminio, nel Gruppo III. Quattro anni dopo, il chimico francese Lecoq de Boisbaudran scoprì un elemento esattamente con quelle caratteristiche, e lo chiamò gallio (patriotticamente, oppure con una maliziosa allusione a se stesso, Lecoq, il gallo, *gallus*).

La previsione di Mendeleev si era rivelata straordinariamente esatta: egli aveva previsto un peso atomico di 68 (Lecoq ottenne 69,9) e un peso specifico di 5,9 (Lecoq ricavò 5,94) e aveva ipotizzato correttamente moltissime altre proprietà fisiche e chimiche del gallio – la sua fusibilità, i suoi ossidi, i suoi sali, la sua valenza. Ci furono alcune discrepanze iniziali fra le osservazioni di Lecoq e le previsioni di Mendeleev, ma si risolsero tutte rapidamente a favore di quest'ultimo. Si disse anzi che Mendeleev aveva saputo cogliere le proprietà del gallio – un elemento che non aveva mai nemmeno visto – meglio dell'uomo che lo aveva effettivamente scoperto.

Improvvisamente Mendeleev non fu più considerato un semplice teorico o un sognatore, ma l'uomo che aveva scoperto una legge fondamentale della natura; la tavola periodica cessò di essere uno schema elegante ma non dimostrato, per trasformarsi in una guida preziosa che consentiva di coordinare un'enorme quantità di informazioni chimiche in precedenza slegate. Poteva anche servire come suggerimento per ogni sorta di future indagini, compresa una ricerca sistematica degli «elementi mancanti». «Prima della formulazione di questa legge» dirà lo stesso Mendeleev circa vent'anni dopo «gli elementi chimici erano semplici dati della Natura, frammentari e incidentali; non c'era alcun particolare motivo per aspettarsi di scoprirne di nuovi».

Ora, con la tavola periodica di Mendeleev, non solo ci si poteva aspettare la loro scoperta, ma si potevano anche prevedere le loro proprietà. Mendeleev fece altre due previsioni ugualmente dettagliate, e anch'esse furono confermate, qualche anno dopo, dalla scoperta dello scandio e del germanio.[5] Come nel caso del gallio, Mendeleev basò le sue previsioni sull'analogia e la linearità, ipotizzando che le proprietà chimiche e fisiche di questi elementi sconosciuti, e i loro pesi atomici, sarebbero state comprese fra quelle degli elementi vicini, nei loro gruppi verticali.[6]

Stranamente, la chiave di volta di tutta la tavola non fu anticipata da Mendeleev, e forse non avrebbe potuto esserlo, in quanto non era questione di un elemento mancante, ma di un'intera famiglia o gruppo. Quando, nel 1894, fu scoperto l'argo – un elemento che non sembrava trovare una collocazione soddisfacente in nessuna parte della tavola – Mendeleev negò che potesse essere un elemento credendo che si trattasse di una forma più pesante di azoto (N_3, analogo all'ozono, O_3). Poi, però, emerse chiaramente che in realtà *esisteva* uno spazio anche per lui, fra il cloro e il potassio e anzi, per un intero gruppo compreso fra quello degli alogeni e dei metalli alcalini, in tutti i periodi. A capirlo fu Lecoq, che si spinse anche oltre, fino a prevedere il peso atomico degli altri gas ancora da scoprire, e che furono effettivamente scoperti di lì a poco. Con la scoperta dell'elio, del neon, del cripton e dello xenon, emerse chiaramente che questi gas formavano un perfetto gruppo periodico, un gruppo così inerte, discreto e riservato da aver eluso l'attenzione dei chimici per un secolo.[7] I gas inerti erano identici nella loro incapacità di formare composti; a quanto pareva, avevano valenza zero.[8]

La tavola periodica era incredibilmente bella, la cosa più bella che io avessi mai visto. Non potrei mai analizzare adeguatamente che cosa intendessi, qui, per bellezza: semplicità? coerenza? ritmo? inevitabilità? O era forse la simmetria, la completezza di ogni elemento, ben ancorato al suo posto, senza lacune, senza eccezioni, in un sistema in cui ciascun componente implicava tutti gli altri.

Fui turbato quando un chimico di enorme erudizione, J.W. Mellor, nel cui vasto trattato di chimica inorganica avevo appena cominciato a immergermi, parlò della tavola periodica definendola «superficiale» e «illusoria» – non più vera, non più fondamentale di qualsiasi altra classificazione *ad hoc*. Questo mi gettò in un breve accesso di panico, e rese per me imperativa la necessità di capire se l'idea della periodicità fosse sostenuta in qualsiasi altro modo, al di là delle proprietà chimiche e della valenza.

L'esplorazione di questo argomento mi distolse dal laboratorio, facendomi approdare a un nuovo libro che divenne immediatamente la mia bibbia, il *CRC Handbook of Physics and Chemistry*: un volume spesso, addirittura cubico, di quasi tremila pagine, contenente tavole relative a qualsiasi proprietà chimica e fisica immaginabile, molte delle quali, ossessivamente, mandai a memoria.

Imparai le densità, i punti di fusione, i punti di ebollizione, gli indici di rifrazione, le solubilità e le forme cristalline di tutti gli elementi e di centinaia dei loro composti. Divenni bravissimo a rappresentare graficamente tutti quei parametri, a costruire diagrammi che mostrassero qualsiasi proprietà fisica mi venisse in mente, in funzione del peso atomico. Quanto più procedevo nell'esplorazione, tanto più mi entusiasmavo e mi animavo, giacché quasi tutto ciò che osservavo dava prova di periodicità: non solo la densità, il punto di fusione, il punto di ebollizione, ma anche la conducibilità elettrica e termica, la forma cristallina, la durezza, le variazioni di volume conseguenti alla fusione, l'espansione provocata dal calore, i potenziali di elettrodo, eccetera. Non era solo la valenza, quindi: si trattava anche delle proprietà fisiche. La potenza e l'universalità della tavola periodica uscivano amplificate, ai miei occhi, da queste conferme.

Le tendenze che emergevano dalla tavola periodica ammettevano anche eccezioni e anomalie, alcune delle quali profonde. Perché, per esempio, il manganese era un pessimo conduttore di elettricità, quando invece gli elementi alla sua sinistra e alla sua destra nella tavola periodica erano discreti conduttori? Perché il forte magnetismo era confinato ai metalli del gruppo del ferro? Ciò nondimeno, ero in qualche modo convinto che queste eccezioni riflettessero ulteriori meccanismi particolari, e non invalidassero assolutamente il sistema generale.[9]

Usando la tavola periodica, misi alla prova la mia abilità nel fare previsioni, cercando di calcolare le proprietà di un paio di elementi ancora sconosciuti, esattamente come aveva fatto Mendeleev per il gallio e gli altri. Avevo osservato, vedendo la tavola per la prima volta al museo, che essa conteneva quattro posti vacanti. L'ultimo dei metalli alcalini, l'elemento 87, mancava ancora, come pure l'ultimo degli alogeni, l'elemento 85. L'elemento 43, quello sotto al manganese, ancora non c'era, sebbene in corrispondenza del suo spazio si leggesse «?Masurium», senza indicazione del peso atomico.[10] Infine, una delle terre rare, l'elemento 61, era anch'essa mancante.

Le proprietà del metallo alcalino sconosciuto erano facilmente prevedibili, giacché tutti i metalli alcalini sono molto simili: non si doveva far altro che estrapolarle basandosi sugli altri elementi del gruppo. L'elemento 87, calcolai, sarebbe stato il più pesante, il più fusibile e il più reattivo del gruppo; a temperatura ambiente sarebbe stato liquido, e come il cesio avrebbe avuto una lucentezza dorata. Anzi, avrebbe potuto essere rosa salmone, come il rame fuso. Sarebbe stato ancor più elettropositivo del cesio, e avrebbe presentato un effetto fotoelettrico ancora più forte. Come gli altri metalli alcalini, avrebbe impartito alla fiamma un colore deciso – probabilmente bluastro, giacché il colore delle fiamme dal litio al cesio andava in quella direzione.

Prevedere le proprietà dell'alogeno sconosciuto fu ugualmente facile, in quanto anche gli alogeni sono molto simili e il gruppo presenta tendenze semplici e lineari.

D'altro canto, prevedere le caratteristiche del 43 e del 61 sarebbe stata una faccenda più delicata, perché non si trattava di elementi «tipici» (per usare un'espressione di Mendeleev). E fu proprio con questi elementi atipici che Mendeleev aveva avuto delle difficoltà – difficoltà che l'avevano indotto a rivedere la sua tavola originale. I metalli di transizione avevano una sorta di omogeneità. Erano tutti metalli, tutti e trenta, e la maggior parte di essi, come il ferro, erano duri e resistenti, densi e infusibili. Questo valeva soprattutto per gli elementi di transizione pesanti, come i platinoidi e i metalli usati per i filamenti delle lampadine, con i quali avevo fatto conoscenza grazie a zio Dave. Il mio interesse per il colore mi fece comprendere anche un altro fatto: mentre i composti di elementi tipici, come il sale da cucina, erano generalmente incolori, quelli dei metalli di transizione avevano spesso colori intensi – basti pensare al rosa dei minerali e dei sali del manganese e del cobalto; al verde dei sali di nichel e di rame, e ai molti colori del vanadio; i loro colori andavano di pari passo con le loro numerose valenze. Tutte queste proprietà mi dimostravano che gli elementi di transizione erano creature speciali, diversi per natura dagli elementi tipici.

Ciò nondimeno, si poteva azzardare l'ipotesi che l'elemento 43 avrebbe avuto alcune caratteristiche comuni a quelle del manganese e del renio, che erano gli altri metalli del suo gruppo (avrebbe avuto, per esempio, una valenza massima di 7, e avrebbe formato sali colorati); e comunque sarebbe anche stato genericamente simile ai metalli di transizione ad esso adiacenti nel suo stesso periodo – il niobio e il molibdeno a sinistra e i platinoidi leggeri a destra. Quindi si poteva anche prevedere che sarebbe stato un metallo lucente, duro, argenteo, con una densità e un punto di fusione simile al loro. Sarebbe stato proprio il tipo di metallo che zio Tungsteno avrebbe amato, proprio il tipo di metallo che Scheele avrebbe scoperto negli anni Settanta del diciottesimo secolo, se solo fosse esistito in quantità rilevabili.

Le previsioni più difficili, per tutti i versi, sarebbero state quelle relative all'elemento 61, il metallo mancante appartenente alle terre rare, poiché per molti aspetti quegli elementi erano i più sconcertanti di tutti.

Credo di aver sentito parlare per la prima volta delle terre rare da mia madre, che era una fumatrice accanita e si accendeva una sigaretta dietro l'altra con un piccolo accendino Ronson. Un giorno mi mostrò la «pietrina», tirandola fuori, e mi disse che non si trattava di una vera pietra focaia, ma di un metallo che produceva scintille quando veniva sfregato. Questo *mischmetal* – prevalentemente cerio – era un miscuglio di sei metalli diversi, tutti molto simili, tutti appartenenti alle terre rare. Questo strano nome, terre rare, aveva un suono mitico o fiabesco, e io immaginavo che esse fossero non solo rare e preziose, ma dotate di qualità segrete e speciali loro esclusive.

In seguito zio Dave mi parlò della straordinaria difficoltà che i chimici avevano avuto nel separare le singole terre rare – ne esistevano una dozzina, o poco più –, in quanto esse erano straordinariamente simili, a volte indistinguibili in base alle proprietà fisiche e chimiche. I loro minerali (che per qualche ragione sembravano provenire tutti dalla Svezia) non contenevano mai un unico elemento, ma tutto un insieme di terre rare, come se la natura stessa incontrasse qualche difficoltà nel distinguerle. Quella della loro analisi era una vera e propria saga nella storia della chimica, una saga di ricerca appassionata (e spesso di frustrazione) sviluppatasi nei cento anni, o forse più, occorsi per identificarle. La separazione delle ultime terre rare, in effetti, andava al di là del potere della chimica del diciannovesimo secolo, e fu solo con l'impiego di metodi fisici come la spettroscopia e la cristallizzazione frazionata che esse furono finalmente isolate. Per separare gli ultimi due elementi, l'itterbio e il lutezio, furono necessarie non meno di quindicimila cristallizzazioni frazionate, e occorse sfruttare le infinitesime differenze di solubilità dei loro sali – un'impresa che assorbì anni.

Ciò nondimeno, alcuni chimici furono affascinati da questi elementi così inflessibili, e dedicarono tutta la vita al tentativo di isolarli, percependo che il loro studio avrebbe potuto gettare una luce inaspettata su tutti gli elementi e le loro periodicità:

«Le terre rare» scriveva William Crookes «ci

confondono nelle nostre ricerche, ci sconcertano nelle nostre speculazioni e ci perseguitano nei nostri stessi sogni. Esse si estendono di fronte a noi come un oceano sconosciuto, deridendoci, ingannandoci e sussurrandoci strane rivelazioni e possibilità».

Se le terre rare sconcertavano, deridevano e perseguitavano i chimici, fecero sicuramente impazzire Mendeleev nel tentativo di trovar loro una posizione nella tavola periodica. Nel 1869, quando egli costruì la prima versione della tavola, erano conosciute solo cinque terre rare, ma nei decenni che seguirono ne furono scoperte sempre di più, e a ogni nuovo rinvenimento il problema lievitava, poiché esse, che pure avevano pesi atomici consecutivi, appartenevano tutte (a quanto pareva) a un singolo spazio della tavola, compresse, per così dire, fra due elementi adiacenti del Periodo 6. Anche altri lottarono con la collocazione nella tavola periodica di questi elementi così simili da far impazzire, frustrati ulteriormente da una profonda incertezza su quanto numerose avrebbero potuto infine dimostrarsi le terre rare.

Alla fine del diciannovesimo secolo, molti chimici erano inclini a collocare sia gli elementi di transizione che le terre rare in «blocchi» separati, giacché per trovare una sistemazione adeguata a questi elementi «extra», che sembravano interrompere gli otto gruppi fondamentali, sarebbe occorsa una tavola periodica con più spazi, con più dimensioni. Io stesso provai a costruire forme diverse della tavola periodica per sistemare questi blocchi, sperimentando schemi a spirale e tridimensionali. Molti altri, appresi in seguito, avevano fatto lo stesso: durante la vita di Mendeleev erano comparse più di cento versioni alternative della tavola periodica.

Tutte le tavole che io stesso costruii, e tutte quelle

che vidi, finivano nell'incertezza, con un punto interrogativo centrato sull'«ultimo» elemento, l'uranio. Provavo un'intensa curiosità sul Periodo 7, che cominciava con l'elemento 87 – il metallo alcalino ancora sconosciuto – ma si spingeva solo fino all'elemento 92, l'uranio. Perché, mi chiedevo, doveva fermarsi proprio lì, dopo soli sei elementi? Non potevano essercene altri, dopo l'uranio?

L'uranio stesso era stato collocato da Mendeleev sotto il tungsteno, il più pesante degli elementi di transizione del Gruppo VI, in quanto dal punto di vista chimico era effettivamente molto simile ad esso. (Il tungsteno formava un esafluoruro volatile, un vapore densissimo, e altrettanto faceva l'uranio – questo composto, UF_6, fu usato durante la guerra per separare gli isotopi dell'uranio). L'uranio *sembrava* un metallo di transizione, *sembrava* l'eka-tungsteno – e tuttavia mi sentivo piuttosto a disagio su questa cosa, e decisi di approfondire un po': in particolare, mi accinsi a esaminare le densità e i punti di fusione di tutti i metalli di transizione. Non appena lo feci, scoprii un'anomalia, in quanto mentre la densità dei metalli aumentava costantemente nei Periodi 4, 5 e 6, inaspettatamente diminuiva quando si passava a considerare gli elementi del Periodo 7. L'uranio, in realtà, era *meno* denso del tungsteno, sebbene ci si aspettasse che lo fosse di più (allo stesso modo, il torio era meno denso dell'afnio, e non più denso, come ci si sarebbe aspettati). Con i punti di fusione era esattamente lo stesso: raggiungevano un massimo nel Periodo 6, e poi improvvisamente diminuivano.

Questi dati mi eccitavano; credevo di aver fatto una scoperta. Era possibile, nonostante tutte le somiglianze fra uranio e tungsteno, che l'uranio *non* appartenesse, in effetti, allo stesso gruppo e che non fosse nemmeno un metallo di transizione? E non poteva valere lo stesso anche per gli altri elementi del Periodo 7, come il torio, il protoattinio e gli elementi (immaginari) oltre l'uranio? Non poteva essere che questi elementi fossero l'inizio di una seconda serie di terre rare, analoga alla prima, quella del Periodo 6? Se fosse stato così, l'eka-tungsteno non sarebbe stato l'uranio, ma un elemento non ancora scoperto, che sarebbe apparso solo dopo che la seconda serie di terre rare si fosse completata. Nel 1945, tutto questo era ancora inimmaginabile, roba da fantascienza.

Subito dopo la guerra, rimasi emozionato nello scoprire che avevo visto giusto, quando fu annunciato che Glenn Seaborg e i suoi colleghi di Berkeley erano riusciti a ottenere un certo numero di elementi transuranici – gli elementi 93, 94, 95 e 96 – e avevano scoperto che facevano parte di una seconda serie di terre rare (che, per analogia con la prima serie, quella dei lantanidi, egli chiamò attinidi).[11]

Anche gli elementi della seconda serie di terre rare, ragionava Seaborg procedendo per analogia con la prima serie, sarebbero stati quattordici, e dopo il quattordicesimo (l'elemento 103) sarebbe stato lecito aspettarsi dieci elementi di transizione – e solo allora gli elementi conclusivi del Periodo 7, che sarebbe terminato con un gas inerte in corrispondenza dell'elemento 118. Dopo quello, ipotizzava Seaborg, sarebbe cominciato un nuovo periodo che, come tutti gli altri, sarebbe partito da un metallo alcalino, l'elemento 119.

Sembrava quindi che la tavola periodica potesse essere estesa a nuovi elementi ben oltre l'uranio, elementi che potevano anche non esistere in natura. Se l'esistenza di questi elementi transuranici avesse o meno un limite qualsiasi, non era chiaro: forse i loro atomi sarebbero stati troppo grossi per rimanere insieme. Il principio della periodicità, comunque, era fondamentale, e sembrava che potesse essere esteso indefinitamente.

Sebbene Mendeleev concepisse la tavola periodica principalmente come uno strumento per organizzare e prevedere le proprietà degli elementi, credeva anche che essa incorporasse una legge fondamentale, e in alcune circostanze si interrogò sul «mondo invisibile degli atomi chimici». Era chiaro infatti che la tavola periodica era a doppio senso, rivolta verso l'esterno, alle proprietà manifeste degli elementi, e verso l'interno, a proprietà atomiche ancora sconosciute che determinavano le prime.

In quel primo, lungo, estasiato incontro al Museo della Scienza, mi convinsi che la tavola periodica non era né superficiale né arbitraria, ma una rappresentazione di verità che non sarebbero mai state rovesciate: al contrario, esse avrebbero trovato continue conferme, mostrando nuove profondità attraverso nuove conoscenze, poiché la tavola era semplice e profonda come la natura stessa. E questa percezione produsse nel mio sé dodicenne una sorta di estasi, la sensazione (per usare le parole di Einstein) che «un lembo del grande velo fosse stato sollevato».

XVII

UNO SPETTROSCOPIO TASCABILE

BROWNING'S SPECTROSCOPES.

THE MINIATURE SPECTROSCOPE.
Dimensions ⅞ diameter, 3 inches long.
This instrument will show many of Fraunhofer's lines, the bright lines of the
metals and gases, and the absorption bands in coloured gases, crystals, or liquids.
Price from £1 2s. to £2 10s.

The Model Spectroscope in Polished Mahogany Cabinet, £15

Prima della guerra, avevamo sempre festeggiato la notte di Guy Fawkes con i fuochi d'artificio. I bengala, che bruciavano in un fulgore di verde o di rosso, erano i miei preferiti. Il verde, mi aveva spiegato mia madre, era ottenuto grazie a un elemento chiamato bario, il rosso grazie allo stronzio. A quell'epoca non avevo alcuna idea di che cosa fossero il bario e lo stronzio, ma i loro nomi, come i loro colori, si impressero nella mia mente.

Quando mia madre si accorse del mio interesse, gettò un pizzico di sale nella stufa, e la fiamma del gas improvvisamente avvampò e diventò d'un giallo brillante – dovuto alla presenza di un altro elemento, il sodio (anche i Romani, mi disse, lo avevano usato per dare un colore più intenso ai fuochi e ai segnali luminosi). Così, in un certo senso, fui introdotto alla «prova della fiamma» ancor prima della guerra; ciò nondimeno, fu solo qualche anno dopo, nel laboratorio di zio Dave, che imparai come essi fossero una parte essenziale della vita chimica, un sistema istantaneo per rilevare la presenza, anche in quantità minime, di certi elementi.

Per osservare le colorazioni prodotte, bastava mettere una piccolissima quantità dell'elemento o di uno dei suoi composti su un'ansa di filo di platino e posare quest'ultima sulla fiamma incolore di un becco Bunsen. In questo modo ottenni fiamme di un'intera gamma di colori. C'era la fiamma azzurra prodotta dal cloruro di rame. E c'era il celeste – da me definito celeste «velenoso» – prodotto dal piombo, dall'arsenico e dal selenio. C'erano moltissime fiamme verdi: un verde smeraldo con la maggior parte degli altri composti del rame; e un verde giallastro con i composti del bario e anche con alcuni del boro – il borano, l'idruro di boro, era altamente infiammabile e bruciava con una fiamma verde misteriosa tutta sua particolare. E poi c'erano quelle rosse: la fiamma color carminio dei composti del litio, quella scarlatta dello stronzio, e quella del calcio, d'un rosso mattone giallastro. (In seguito lessi che anche il radio colorava di rosso la fiamma – ma questo, naturalmente, non l'avrei mai visto. Lo immaginavo come un rosso di una luminosità fulgidissima, una sorta di rosso ultimo, di rosso fatale. Immaginavo che il chimico che l'aveva vista per primo fosse diventato cieco subito dopo, così che quel rosso, radioattivo e letale per la retina, fosse stata l'ultima cosa che aveva visto).

Questi saggi alla fiamma erano molto sensibili – decisamente più sensibili di molte reazioni chimi-

che utilizzate per analizzare le sostanze – e rinforza-
vano la percezione degli elementi come princìpi
fondamentali, che conservavano le loro proprietà
esclusive comunque fossero combinati. Uno avrebbe potuto pensare che il sodio andasse «perduto»
quando si combinava al cloro per formare il sale,
ma l'eloquente presenza del giallo-sodio in un saggio alla fiamma serviva a ricordare che era ancora lì.

Zia Len mi aveva regalato il libro di James Jeans
Le stelle nel loro corso per il mio decimo compleanno e
io ero rimasto inebriato dal viaggio immaginario
nel cuore del Sole descritto da Jeans e dal suo disinvolto accenno al fatto che esso contenesse platino,
argento e piombo, e la maggior parte degli elementi che abbiamo sulla Terra.

Quando gliene parlai, zio Abe decise che fosse
ora che imparassi qualcosa sulla spettroscopia. Mi
regalò un libro del 1873, *The Spectroscope*, di J. Nor-
man Lockyer, e mi prestò un piccolo spettroscopio
di sua proprietà. Il libro aveva illustrazioni affascinanti che, oltre a spettri e spettroscopi, mostravano
barbuti scienziati vittoriani in redingote intenti a
esaminare fiamme di candele con il nuovo apparato
sperimentale – e mi trasmise una percezione molto
personale della storia della spettroscopia, dai primi
esperimenti di Newton alle pionieristiche osservazioni effettuate dallo stesso Lockyer sugli spettri del
Sole e delle stelle.

In effetti, la spettroscopia aveva mosso i suoi primi passi puntando al cielo quando, nel 1666, Newton scompose la luce solare con un prisma, dimostrando che era costituita di raggi «diversamente ri-
frangibili». Newton ottenne lo spettro solare come
una banda luminosa continua di colore che passava
dal rosso al violetto, simile a un arcobaleno. Cento-
cinquant'anni dopo, Joseph Fraunhofer, un giovane
ottico tedesco, usando un prisma molto più fine e
una stretta fessura, si avvide che lo spettro di New-

ton era interrotto, per tutta la sua lunghezza, da strane linee scure, «un infinito numero di linee verticali di diverso spessore»: alla fine riuscì a contarne più di cinquecento.

Per ottenere uno spettro occorreva una luce intensa, ma non doveva necessariamente trattarsi di luce solare. Poteva essere quella di una candela, oppure una «luce di calce», o le fiamme colorate dei metalli alcalini o alcalino-terrosi. Nel periodo compreso fra il 1830 e il 1850 furono esaminate anche queste, e si osservò un tipo di spettro completamente diverso. Mentre la luce solare produceva una banda luminosa comprendente tutti i colori dello spettro, la luce del sodio vaporizzato generava un'unica riga gialla, una linea molto stretta, estremamente luminosa, su uno sfondo nero inchiostro. Qualcosa di simile accadeva con gli spettri di fiamma del litio e dello stronzio, tranne per il fatto che questi avevano una moltitudine di linee luminose, principalmente nella regione del rosso.

Qual era l'origine delle linee scure osservate da Fraunhofer nel 1814? Avevano una qualsiasi relazione con le linee spettrali luminose prodotte dagli elementi esposti alla fiamma? Questi interrogativi si presentarono a molte menti dell'epoca, ma rimasero senza risposta fino al 1859, quando Gustav Kirchhoff, un giovane fisico tedesco, iniziò a collaborare con Robert Bunsen. A quell'epoca Bunsen era ormai un chimico insigne e un inventore prolifico – aveva inventato fotometri, calorimetri, la pila a zinco-carbonio (ancora usata, con modificazioni trascurabili, nelle batterie che mi divertivo a fare a pezzi da ragazzo) e, naturalmente, il becco Bunsen, che aveva perfezionato per indagare più da vicino i fenomeni del colore. I due erano una coppia ideale: Bunsen uno sperimentatore superbo – pratico, tecnicamente brillante, pieno di inventiva – e

Kirchhoff dotato di una capacità teorica e di un talento matematico che a Bunsen forse mancavano.

Nel 1859, Kirchhoff eseguì un esperimento semplice e splendidamente pianificato, che dimostrò come gli spettri a linee luminose e quelli a linee scure – ovvero gli spettri di emissione e quelli di assorbimento – fossero la stessa cosa, gli opposti corrispondenti del medesimo fenomeno, ossia la capacità degli elementi di emettere luce di una lunghezza d'onda caratteristica quando venivano vaporizzati, oppure di assorbire luce esattamente della stessa lunghezza d'onda se venivano illuminati. La caratteristica riga del sodio, per esempio, poteva essere vista come una linea giallo brillante nel suo spettro di emissione, oppure come una linea scura, situata nella stessa esatta posizione, nello spettro di assorbimento.

Dirigendo il suo spettroscopio verso il Sole, Kirchhoff si rese conto che una delle infinite linee scure osservate da Fraunhofer nello spettro solare si trovava esattamente nella stessa posizione della linea giallo brillante del sodio, e che pertanto il Sole doveva contenere sodio. La sensazione generale, nella prima metà del diciannovesimo secolo, era che non avremmo mai saputo nulla sulle stelle, a parte quanto poteva essere acquisito con la semplice osservazione: in altre parole, che la loro composizione e in particolare la loro chimica sarebbero rimaste per sempre sconosciute; la scoperta di Kirchhoff fu quindi accolta con grande meraviglia.[1]

Kirchhoff e altri (e specialmente lo stesso Lockyer) proseguirono nell'identificazione di un'altra ventina di elementi terrestri nel Sole e finalmente il mistero di Fraunhofer – le centinaia di righe nere nello spettro solare – poté essere interpretato come lo spettro di assorbimento di questi elementi, presenti negli strati più esterni del Sole, che venivano illuminati dall'interno. Viceversa, si prevedeva che un'eclisse solare, nel corso della quale lo splendore centrale del Sole fosse oscurato lasciando visibile solo la corona luminosa, avrebbe prodotto abbacinanti spettri di emissione corrispondenti alle linee scure.

Ora, con l'aiuto di zio Abe – che aveva un piccolo osservatorio sul tetto di casa sua, e teneva uno dei suoi telescopi collegato a uno spettroscopio – potei constatarlo in prima persona. L'intero universo visibile – pianeti, stelle, galassie lontane – si offriva all'analisi spettroscopica, e io trassi una soddisfazione vertiginosa, quasi estatica, nel vedere elementi terrestri tanto familiari là fuori nello spazio, nel constatare ciò che in precedenza avevo saputo solo intellettualmente, e cioè che gli elementi non appartenevano solo alla Terra ma a tutto il cosmo, ed erano in effetti le unità costruttive dell'Universo.

A questo punto, Bunsen e Kirchhoff distolsero la propria attenzione dai cieli, per vedere se non fosse possibile usare la spettroscopia per scoprire elementi nuovi o sconosciuti sulla Terra. Bunsen aveva già constatato il grandissimo potere dello spettroscopio nel risolvere miscele complesse – la sua capacità di fornire, in effetti, un'analisi ottica dei composti chimici. Se per esempio, insieme al sodio, fossero state presenti piccole quantità di litio, con l'analisi chimica convenzionale non ci sarebbe stato modo di rilevarlo. Né in questo caso potevano essere d'aiuto i colori della fiamma, giacché la brillante fiamma gialla del sodio tendeva a coprire altri colori. Ma, con uno spettroscopio, lo spettro caratteristico del litio era immediatamente osservabile, quand'anche esso fosse stato mescolato con una quantità di sodio pari a diecimila volte il suo peso.

Questo consentì a Bunsen di dimostrare che certe acque minerali ricche di sodio e potassio contenevano anche litio (cosa che era assolutamente insospettata, giacché le sole fonti di litio di cui si fosse consapevoli fino a quel momento erano alcuni minerali rari). Quelle acque potevano contenere anche altri metalli alcalini? Quando Bunsen concentrò la sua acqua minerale, riducendo seicento quintali a qualche litro, osservò, in mezzo alle linee di molti altri elementi, due cospicue linee azzurre, vicine, mai viste prima. Doveva trattarsi dell'impronta di un nuovo elemento. «Lo chiamerò cesio, per via della sua splendida linea spettrale azzurra» scrisse nel novembre del 1860, annunciando al mondo la sua scoperta.

Tre mesi dopo, Bunsen e Kirchhoff scoprirono un altro nuovo metallo alcalino e lo chiamarono rubidio, per «il magnifico color rosso cupo dei suoi raggi».

A partire dalle prime scoperte di Bunsen e Kirchhoff, con l'aiuto della spettroscopia furono trovati, nell'arco di qualche decennio, altri venti elementi – l'indio e il tallio (anch'essi nominati così a causa dei colori brillanti delle loro linee spettrali), il gallio, lo scandio e il germanio (i tre elementi previsti da Mendeleev), tutte le rimanenti terre rare e, negli ultimi anni del secolo, i gas inerti.

Forse però la storia più romantica di tutte, e sicuramente quella che da bambino mi affascinò maggiormente, aveva a che fare con la scoperta dell'elio. Fu lo stesso Lockyer che, durante un'eclisse solare nel 1868, riuscì a scorgere una linea giallo brillante nella corona solare, vicina alle linee gialle del sodio, ma chiaramente distinta da esse. Egli suppose che la nuova riga dovesse appartenere a un elemento sconosciuto sulla Terra, e lo denominò elio (*helium*, con il suffisso metallico -*ium* perché credeva si trattasse di un metallo). Questa scoperta suscitò una grandissima meraviglia e un notevole entusiasmo, e alcuni ipotizzarono addirittura che ogni stella avesse i propri elementi caratteristici. Fu solo venticinque anni dopo che si scoprì come certi minerali terrestri (dell'uranio) contenessero un gas strano e leggero, che veniva liberato facilmente; quando lo si sottopose all'analisi spettroscopica, dimostrò di essere proprio l'elio.

La meraviglia dell'analisi spettrale, dell'analisi a distanza, ebbe anche una risonanza letteraria. Avevo letto *Il nostro comune amico* (scritto nel 1864, solo quattro anni dopo che Bunsen e Kirchhoff avevano lanciato la spettroscopia), dove Dickens immaginava una «spettroscopia morale» grazie alla quale gli abitanti di galassie e stelle remote potessero analizzare la luce proveniente dalla Terra per soppesare il bene e il male in essa presenti, ottenendo lo spettro morale dei suoi abitanti.

«Ho ben pochi dubbi» scriveva Lockyer alla fine del suo libro «che, con il passare del tempo ... lo spettroscopio diventerà ... il compagno tascabile di tutti noi». Un piccolo spettroscopio divenne il mio fedele compagno, il mio analizzatore istantaneo del mondo, che estraevo in ogni sorta di occasioni: per guardare le nuove luci fluorescenti che cominciavano ad apparire nelle stazioni della metropolitana di Londra; per osservare fiamme e soluzioni nel mio laboratorio, o i fuochi di carbone e le fiamme a gas in casa.

Esplorai anche gli spettri di assorbimento di composti di ogni tipo, dalle semplici soluzioni inorganiche al sangue, le foglie, l'urina e il vino. Mi incantò scoprire che lo spettro del sangue era caratteristico perfino quando il materiale di partenza era essiccato, e che per effettuare queste analisi bastavano quantità piccolissime – era possibile identificare come sangue una macchia sbiadita, vecchia di oltre mezzo secolo, distinguendola da una macchia di ruggine. Le possibilità forensi di tutto questo mi interessavano; mi chiedevo se Sherlock Holmes, insieme alle sue esplorazioni chimiche, non si fosse servito anche di uno spettroscopio. (I romanzi di Sherlock Holmes mi piacevano particolarmente, e ancor di più apprezzai quelli del professor Challenger, che Conan Doyle scrisse in seguito – riuscivo a identificarmi in Challenger, infatti, ma non in Holmes. In *La nube avvelenata*, la spettroscopia ha un ruolo cruciale, perché è proprio un'alterazione nelle linee dello spettro solare di Fraunhofer a mettere in guardia Challenger, avvertendolo della presenza di una nube velenosa in avvicinamento).

Ma erano le linee brillanti, i colori luminosi, gli spettri di emissione, insomma, quelli a cui finivo sempre per ritornare. Ricordo che andavo a Piccadilly Circus e a Leicester Square con il mio spettroscopio tascabile, e osservavo le nuove luci al sodio usate per l'illuminazione stradale, le insegne scarlatte al neon, e altri tubi a scarica – gialli, blu, verdi, a seconda del gas usato – che dopo il lungo blackout della guerra avevano fatto del West End un trionfo di luci colorate. Ogni gas, ogni sostanza, aveva il suo spettro unico, la sua impronta.

Bunsen e Kirchhoff avevano capito che la posizione delle linee spettrali non era solo un'impronta esclusiva di ciascun elemento, ma anche una manifestazione della sua natura primaria. Sembrava che esse fossero «una proprietà di natura, immodificabile e fondamentale come il peso atomico»; anzi, una manifestazione – per quanto ancora geroglifica e indecifrabile – della loro stessa costituzione.

Di per se stessa, la complessità degli spettri (quello del ferro, per esempio, era composto da diverse centinaia di linee) indicava che difficilmente gli atomi potevano essere le piccole masse dense immaginate da Dalton, distinguibili in base al peso atomico e a poche altre caratteristiche.

Un chimico, W.K. Clifford, scrivendo nel 1870, espresse questa complessità con una metafora musicale:

«... un pianoforte a coda dev'essere un meccanismo molto semplice rispetto a un atomo di ferro.

Nello spettro del ferro, infatti, c'è un'abbondanza quasi innumerabile di linee luminose separate, ciascuna delle quali corrisponde a un periodo di vibrazione nettamente definito dell'atomo di ferro. Invece del centinaio di vibrazioni sonore che possono essere emesse da un pianoforte a coda, il singolo atomo di ferro sembra emettere migliaia di vibrazioni luminose definite».

All'epoca furono invocate moltissime di queste immagini e metafore musicali, tutte riguardanti i rapporti e le armoniche che sembravano annidarsi negli spettri, e la possibilità di esprimerle con una formula. La natura di queste «armoniche» rimase oscura fino al 1885, quando Balmer riucì a scoprire una formula che metteva in relazione la posizione delle quattro linee dello spettro visibile dell'idrogeno: una formula che gli consentì di prevedere correttamente l'esistenza e la posizione di altre linee nella regione dell'ultravioletto e dell'infrarosso. Anche Balmer pensava in termini musicali, e si chiedeva se non fosse «possibile, per così dire, interpretare le vibrazioni delle singole linee spettrali come armoniche di una tonica specifica». Il fatto che Balmer stesse parlando di qualcosa di davvero importante, e che non si trattasse solo di un incomprensibile gergo numerologico, fu riconosciuto immediatamente; le implicazioni della sua formula erano tuttavia completamente enigmatiche – enigmatiche come la scoperta di Kirchhoff, e cioè che le linee di emissione e di assorbimento degli elementi erano lo stesso fenomeno.

XVIII
FUOCO FREDDO

I miei numerosi zii, zie e cugini furono per me una sorta di archivio o biblioteca di riferimento, e io venivo indirizzato all'uno o all'altro di essi per risolvere problemi specifici: spessissimo a zia Len, la zia botanica, che aveva avuto un ruolo così provvidenziale nei giorni bui di Braefield, oppure a zio Dave, lo zio chimico e mineralogista; ma c'era anche zio Abe, lo zio fisico, che mi aveva iniziato alla spettroscopia. Al principio zio Abe fu consultato abbastanza di rado, perché avendo sei anni più di zio Dave e quindici più di mia madre era uno degli zii anziani. Era considerato il più brillante dei diciotto figli messi al mondo da suo padre. Intellettualmente era formidabile, sebbene le sue conoscenze si fossero formate più grazie a una sorta di osmosi, che non per effetto di un'istruzione formale. Come Dave, Abe era cresciuto con una passione per le scienze fisiche, e come Dave da giovane aveva fatto il geologo in Sudafrica.

Le grandi scoperte dei raggi X, della radioattività, dell'elettrone e della teoria quantistica erano avvenute tutte nei suoi anni formativi, e sarebbero rimaste interessi centrali per il resto della sua vita; aveva una passione per l'astronomia e anche per la teoria dei numeri. E d'altra parte Abe era anche perfettamente in grado di rivolgere la mente a fini pratici e commerciali. Ebbe una parte nello sviluppo, al principio del secolo, del Marmite, il diffusissimo estratto di lievito ricco di vitamine (mia madre lo adorava; io lo detestavo) e, durante la seconda guerra mondiale, quando era difficile procurarsi il sapone normale, contribuì allo sviluppo di un sapone efficace privo di grassi.

Sebbene Abe e Dave fossero per certi versi simili (entrambi avevano la larga faccia dei Landau, con occhi distanti, e la risonante, inconfondibile voce – caratteristiche ancora marcate nei pro-pronipoti di mio nonno), per altri aspetti erano molto diversi. Dave era alto e forte, con un portamento militare (aveva prestato servizio durante la Grande Guerra e prima ancora nella guerra boera), sempre vestito con cura. Aveva un colletto a punte ripiegate e scarpe lucidissime anche quando lavorava al bancone del suo laboratorio. Abe era più basso, dalla figura nodosa e un poco curva (quando lo conobbi io), scuro e brizzolato come un vecchio *shikari*, con la voce rauca e una tosse cronica; gli importava poco di ciò che aveva addosso, e in genere portava una specie di camice da laboratorio tutto sgualcito.

I due si erano formalmente associati per dirigere la Tungstalite, sebbene Abe avesse lasciato tutta la parte amministrativa a Dave e passasse il suo tempo interamente nella ricerca. Fu lui, al principio degli anni Venti, a sviluppare un sistema efficace e sicuro per trattare il vetro delle lampadine con acido fluoridrico: aveva progettato le macchine per effettuare il processo nello stabilimento di Hoxton. Aveva anche lavorato all'impiego di «degasatori» – gli assorbenti metallici – nei tubi a vuoto: metalli altamente reattivi e avidi di ossigeno, come il cesio e il bario, in grado di rimuovere le ultime tracce di aria da un tubo; e prima ancora, aveva brevettato l'uso dell'hertzite, il suo cristallo sintetico, per le radio a cristalli.

Aveva sviluppato e brevettato una vernice luminosa, che fu usata nei congegni di mira durante la prima guerra mondiale (e, mi disse, può darsi che fosse stata decisiva, nella battaglia dello Jutland). Le sue vernici furono usate anche per illuminare i quadranti degli orologi da polso e da muro Ingersoll. Abe aveva, come zio Dave, mani grandi e capaci, ma mentre quelle di zio Dave erano solcate di tungsteno, quelle di zio Abe erano coperte di bruciature provocate dal radio e di verruche maligne causate dall'aver maneggiato a lungo, e senza alcuna protezione, materiali radioattivi.

Sia zio Dave che zio Abe avevano un profondo interesse per la luce e l'illuminazione, come lo aveva avuto, a suo tempo, il loro padre; ma nel caso di Dave si trattava della luce «calda», mentre per Abe, era la luce «fredda». Zio Dave mi aveva raccontato la storia dell'illuminazione a incandescenza, delle terre rare e dei filamenti metallici che ardevano, diventavano incandescenti ed emettevano una luce brillante quando venivano riscaldati. Mi aveva iniziato all'energetica delle reazioni chimiche, spiegandomi come il calore fosse assorbito o emesso durante il loro svolgimento; calore che a volte si rendeva visibile sotto forma di fuoco e fiamme.

Grazie a zio Abe, invece, fui introdotto alla storia dell'illuminazione «fredda» – la luminescenza – che mosse i suoi primi passi forse prima ancora che esistesse un qualsiasi linguaggio per registrare i dati, con l'osservazione di lucciole, mari fosforescenti e fuochi fatui, quegli strani globi di luce, vaganti e spettrali, che nella leggenda attiravano i viaggiatori portandoli alla rovina. E mi introdusse anche ai fuochi di Sant'Elmo, le misteriose scariche luminose che, durante le tempeste, potevano fluire dagli alberi di una nave, dando ai marinai la sensazione di un sortilegio. E poi c'erano le aurore, boreali e australi, con i loro sipari di colore che brillavano alti nel cielo. Sembrava che in questi fenomeni di luce fredda ci fosse una percezione intrinseca dell'arcano e del mistero, contrapposto alla confortante familiarità del fuoco e della luce calda.

C'era poi anche un elemento, il fosforo, che ardeva spontaneamente emettendo luce. Il fosforo esercitava su di me una strana, pericolosa attrazione, per via della sua luminosità – a volte scivolavo di notte nel mio laboratorio per farci degli esperimenti. Non appena m'installarono la cappa, misi un pezzo di fosforo bianco in acqua e lo feci bollire, abbassando le luci in modo da poter vedere il vapore uscire dal recipiente, con l'emissione di una delicata luce blu-verdastra. Un altro esperimento, piuttosto bello, consisteva nel far bollire il fosforo con potassa caustica in una storta – ero straordinariamente disinvolto nel far bollire queste sostanze tanto virulente – e questo produceva l'idrogeno fosforato (il vecchio nome) o fosfina. Non appena si liberavano, le bolle di fosfina prendevano fuoco spontaneamente, formando splendidi anelli di fumo bianco.

Potevo dar fuoco al fosforo in una campana di vetro (usando una lente d'ingradimento) e il recipiente si riempiva di una «neve» di pentossido di fosforo. Se si faceva tutto questo sull'acqua, non appena entrava in contatto con essa, il pentossido fischiava, come ferro al calor rosso, e si scioglieva

formando acido fosforico. Altrimenti, riscaldando il
fosforo bianco, potevo trasformarlo nel suo allotro-
po, il fosforo rosso, quello dei fiammiferi.[1] Da piccolo avevo imparato che il diamante e la grafite erano
forme diverse, allotropi, dello stesso elemento. Ora,
in laboratorio, potevo effettuare alcuni di quei cambiamenti da solo, trasformando il fosforo bianco in
fosforo rosso e poi, condensandone il vapore, nuovamente in fosforo bianco. Queste trasformazioni
mi facevano sentire simile a un mago.[2]
   Fu però soprattutto la luminosità del fosforo a
esercitare su di me una continua attrazione. Si poteva scioglierne facilmente una piccola quantità in
olio di garofano o di cannella, oppure in alcol (come aveva fatto Boyle): tale sistema permetteva non
solo di vincere l'odore di aglio, ma anche di fare
esperimenti sulla luminosità di questo elemento in
condizioni di sicurezza, giacché una soluzione del
genere poteva contenere solo una parte di fosforo
su un milione e ciò nondimeno emettere ancora luce. Ci si poteva strofinare un poco di questa soluzione sul volto o sulle mani, e al buio essi sarebbero ap-
parsi luminosi come quelli d'un fantasma. Questa
luminosità non era uniforme, ma sembrava (come
aveva detto Boyle) «molto tremula, e a volte ... avvampare con lampi improvvisi».

Hennig Brandt, di Amburgo, era stato il primo,
nel 1669, a ottenere questo meraviglioso elemento.
Lo distillò dall'urina (nutrendo, a quanto pare,
qualche ambizione alchemica) e si innamorò della
strana luminosa sostanza che aveva isolato e che
chiamò «fuoco freddo» (*kaltes Feuer*) o, in modo più
affettuoso, *mein Feuer*.
   Brandt era solito maneggiare il suo nuovo elemento in modo alquanto imprudente e rimase chiaramente sorpreso nello scoprirne i poteri letali, come
scrisse in una lettera a Leibniz datata 30 aprile 1679:

«In questi giorni, tenni un poco di quel fuoco nella mia mano e, senza far altro che alitare su di esso con il mio respiro, Dio m'è testimone, il fuoco avvampò; la pelle della mia mano si bruciò diventando dura come pietra al punto che i miei figli gridarono e dissero che era cosa orribile a vedersi».

Sebbene si fossero tutti gravemente ustionati con il fosforo, i primi ricercatori lo consideravano anche una sostanza magica che sembrava avere in sé lo splendore delle lucciole, forse quello della Luna, uno splendore segreto, inspiegabile, tutto suo. Leibniz, nel suo carteggio con Brandt, si chiedeva se la luce del fosforo ardente non potesse essere usata per illuminare le stanze di notte (e forse, mi disse zio Abe, questa fu la prima ipotesi di un uso della luce fredda per l'illuminazione).

Nessuno fu affascinato da tutto questo più di Boyle, che compì dettagliate osservazioni sulla luminescenza del fosforo: su come anch'essa richiedesse la presenza di aria, e su come fluttuasse stranamente. Boyle aveva già effettuato estese indagini sui fenomeni «luciferi», dalla luminescenza delle lucciole a quella del legno e della carne avariata, e aveva compiuto attenti confronti fra questa luce «fredda» e quella del carbone ardente (scoprendo che entrambe necessitavano dell'aria).

In un'occasione, mentre era in camera da letto, Boyle fu chiamato al piano di sotto da un servitore terrorizzato e sbalordito, il quale riferì che della carne stava emettendo una luce brillante nel buio della dispensa. Boyle, affascinato, si alzò immediatamente e cominciò un'indagine poi culminata nel suo interessantissimo scritto *Some Observations about Shining Flesh, both of Veal and Pulet, and that without any sensible Putrefaction in those Bodies*. Il fulgore era probabilmente dovuto a batteri luminescenti, ma ai tempi di Boyle l'esistenza di tali organismi non solo non era conosciuta, ma nemmeno lontanamente sospettata.

Anche zio Abe era affascinato da questi fenomeni, e da giovane aveva compiuto numerosissimi esperimenti su di essa e sulle luciferine, le sostanze chimiche presenti nei tessuti degli animali luminosi, responsabili dell'emissione di luce. Abe si era chiesto se non potessero essere impiegate per scopi pratici, per esempio per produrre una vernice davvero brillante. La luminosità chimica poteva effettivamente essere abbacinante; il solo problema era che per la sua stessa natura il fenomeno era effimero e transitorio, estinguendosi non appena i reagenti si consumavano – a meno che le sostanze chimiche implicate non fossero sintetizzate in continuazione (come avviene nelle lucciole). Se la soluzione non stava nella chimica, allora occorreva qualche altra forma di energia, qualcosa che potesse essere trasformato in luce visibile.

L'interesse di Abe per la luminescenza era stato stimolato, quando era ancora un ragazzino, da una vernice luminosa utilizzata nella loro vecchia casa in Lema Street – la «Vernice Luminosa di Balmain», si chiamava – per verniciare i buchi delle serrature, i rubinetti del gas e gli interruttori dell'elettricità, insomma, qualsiasi cosa dovesse essere localizzata al buio. Abe trovava meravigliose quelle serrature e quegli interruttori luminescenti – meraviglioso quel loro emettere una luce fioca per ore dopo essere stati esposti alla luce. Questo tipo di fosforescenza era stato scoperto nel diciassettesimo secolo da un calzolaio di Bologna che aveva raccolto alcuni ciottoli, li aveva arrostiti con del carbone, e poi aveva osservato che, dopo essere stati esposti alla luce del giorno, continuavano per ore a emettere luce nell'oscurità. Questo «fosforo di Bologna», come venne poi chiamato, era solfuro di bario, prodotto mediante la riduzione del minerale barite. Il solfuro di calcio era più facile da procurare – poteva essere preparato riscaldando conchiglie di ostriche in presenza di zolfo – e, opportunamente «drogato» con vari metalli, era la base della Vernice Luminosa di Balmain. (Questi metalli, mi spiegò Abe, aggiunti in quantità minuscole, «attivavano» il solfuro di calcio, impartendogli anche colorazioni diverse. Paradossalmente, il solfuro di calcio assolutamente puro non emetteva luce).

Sebbene alcune sostanze emettessero lentamente luce nell'oscurità dopo essere state esposte alla luce del giorno, altre lo facevano solo fintanto che venivano illuminate. Quest'ultimo era il fenomeno della «fluorescenza» (dal nome della fluorite, un minerale in cui lo si osservava spesso). Questa strana luminosità era stata scoperta già nel sedicesimo secolo, quando si constatò che se si faceva passare obliquamente un raggio di luce attraverso le tinture di certi tipi di legno, sul suo cammino poteva apparire un colore brillante; Newton aveva attribuito questo fenomeno alla «riflessione interna». A mio padre piaceva dimostrare lo stesso fenomeno usando l'acqua di chinino – acqua tonica – che emetteva una debole luce azzurra alla luce del giorno e una luce turchese brillante in presenza di luce ultravioletta. Indipendentemente dal fatto che una sostanza fosse fluorescente o fosforescente (e molte avevano entrambe le qualità), per indurre la luminescenza era necessaria luce blu o violetta, oppure la luce solare (contenente tutte le lunghezze d'onda): in ogni caso, la luce rossa era inutile. In effetti, l'illuminazione più efficace era invisibile – si trattava della luce ultravioletta, appartenente alla regione dello spettro estesa oltre l'estremo viola.

Feci le mie prime esperienze con la fluorescenza usando la lampada a ultravioletti che mio padre teneva nell'ambulatorio, una vecchia lampada a vapori di mercurio con un riflettore di metallo, che emetteva una fioca luce viola-bluastra e un raggio invisibile di ultravioletti. Era usata per diagnosticare alcune patologie della pelle (alcuni funghi diventavano fluorescenti se esposti alla sua luce) e per curarne altre; i miei fratelli, comunque, la usavano anche per abbronzarsi.

Questi invisibili raggi ultravioletti erano molto pericolosi: un'esposizione troppo prolungata poteva causare gravi ustioni, e occorreva indossare occhiali speciali simili a quelli degli aviatori, fatti tutti di cuoio e tessuto di lana, con lenti spesse di un vetro speciale che schermava la maggior parte della luce ultravioletta (e gran parte di quella visibile). Anche con gli occhiali, si doveva evitare di fissare la lampada, altrimenti appariva uno strano bagliore sfocato, dovuto alla fluorescenza dei globi oculari. Guardando altre persone con la luce ultravioletta, si vedevano denti e occhi splendere d'un bianco brillante.

La casa di zio Abe, a due passi dalla nostra, era un luogo magico, pieno di ogni sorta di materiali e apparecchiature: tubi Geissler, elettromagneti, macchine elettrostatiche e motori elettrici, batterie, dinamo, bobine di filo, tubi a raggi X, contatori Geiger e schermi fosforescenti, e diversi telescopi, molti dei quali fabbricati da Abe con le proprie mani. Soprattutto nei fine settimana, zio Abe mi portava nel suo laboratorio in soffitta, e una volta accertatosi che io fossi in grado di maneggiare strumenti e apparecchi, mi lasciava libero accesso alle sostanze fosforescenti e ai materiali fluorescenti, come pure alla sua lampada Wood a UV, così piccola che si teneva in mano (ed era molto più facile da usare della vecchia lampada a vapori di mercurio di casa nostra).

Nella sua soffitta, Abe aveva scaffali e scaffali di sostanze fosforescenti che mescolava come un artista con la tavolozza: il blu intenso del tungstato di calcio, l'azzurro più chiaro del tungstato di magnesio, il rosso dei composti dell'ittrio. Come la fosforescenza, anche la fluorescenza poteva essere spesso indotta aggiungendo attivatori di vario genere, e la ricerca su queste sostanze era uno dei principali interessi di Abe, in quanto le lampade fluorescenti stavano appena cominciando ad affermarsi e per produrre una luce visibile che fosse morbida, calda e piacevole occorrevano dei fosfori sofisticati.[3] Abe era particolarmente attratto dai colori purissimi e delicati che si ottenevano aggiungendo, come attivatori, diverse terre rare – ossido di europio, di erbio, di terbio. La presenza di queste sostanze, mi raccontava Abe, anche in quantità minime, conferiva a certi minerali la loro particolare fluorescenza.

Esistevano tuttavia anche sostanze che presentavano il fenomeno della fluorescenza in condizioni di purezza assoluta – e qui erano preponderanti i sali d'uranio (o, più rigorosamente, i sali di uranile). Quand'anche i sali di uranile fossero stati disciolti in acqua, le soluzioni ottenute sarebbero state fluorescenti: bastava una parte di soluto su un milione. La fluorescenza poteva anche essere trasferita al vetro, e il vetro all'uranio era stato molto diffuso nelle case dell'epoca vittoriana ed edoardiana (era proprio questo vetro colorato, montato sulla porta di casa nostra, ad avermi affascinato tanto). Il vetro all'uranio trasmetteva la luce gialla e di solito, guardando attraverso di esso, era tutto giallo; stimolato dalle radiazioni a breve lunghezza d'onda presenti nella luce diurna, però, emetteva una brillante fluorescenza verde smeraldo, e così spesso sembrava scintillare, passando dal verde al giallo a seconda dell'angolo di illuminazione. Il vetro colorato della nostra porta di casa venne poi infranto dall'esplosione di una bomba durante le incursioni aeree (e fu rimpiazzato da un brutto vetro bianco difettoso); i suoi colori, però, resi forse più intensi dalla nostalgia, rimasero vivi nella mia memoria, in un modo soprannaturale – in particolare ora che zio Abe mi aveva spiegato il suo segreto.[4]

Sebbene Abe avesse investito molte energie nello sviluppo delle vernici luminose, e in seguito sui fosfori per i raggi a tubi catodici, il suo interesse principale, che poi era anche quello di zio Dave, era concentrato sulle sfide lanciate dall'illuminazione. Fin dall'inizio egli aveva nutrito la speranza che fosse possibile sviluppare una forma di luce fredda efficiente, piacevole e pratica come la luce calda. Perciò, mentre i pensieri di zio Tungsteno erano fissi sull'incandescenza, zio Abe vide sempre con chiarezza, fin dal principio, che non sarebbe stato possibile ottenere una luce fredda davvero potente senza elettricità, e che la soluzione del problema doveva essere l'elettroluminescenza.

Il fatto che i gas e i vapori rarefatti emettessero luce quando venivano caricati elettricamente era noto fin dal diciassettesimo secolo, quando fu osservato che il mercurio di un barometro poteva essere elettrizzato per strofinamento del vetro, innescando una bellissima luminescenza bluastra nel vapore di mercurio rarefatto che si trovava nella regione di quasi-vuoto soprastante.[5]

Servendosi della scarica potente generata dai rocchetti di Ruhmkorff, inventati a metà del diciannovesimo secolo, si scoprì la possibilità di rendere luminescente una lunga colonna di vapore di mercurio (Alexandre-Edmond Becquerel ipotizzò ben presto che il rivestimento del tubo di scarica con una sostanza fluorescente avrebbe potuto renderlo più adatto all'illuminazione). Tuttavia, nel 1901, quando furono introdotte per scopi speciali, le lampade a vapori di mercurio erano pericolose e inaffidabili, e la loro luce – in assenza di un rivestimento fluorescente – era troppo bluastra per consentirne un uso domestico. I tentativi di rivestire questi tubi con polveri fluorescenti prima della Grande Guerra naufragarono di fronte a una moltitudine di problemi. Nel frattempo furono provati altri gas e vapori: l'anidride carbonica dava una luce bianca, l'argo una luce bluastra, l'elio una luce gialla e il neon, naturalmente, una luce rossa. I tubi al neon per le insegne divennero comuni a Londra negli anni Venti, ma solo dieci anni dopo i tubi fluorescenti (con una miscela di vapore di mercurio e un gas inerte) cominciarono a diventare una possibilità redditizia, e in questo sviluppo Abe ebbe un ruolo considerevole.

Per dimostrare che non aveva pregiudizi, zio Dave fece installare una lampada a fluorescenza nel suo stabilimento, e i due fratelli, che in gioventù erano stati testimoni della lotta fra gas ed elettricità, a volte discutevano sui rispettivi pro e contro delle lampade a incandescenza e a fluorescenza. Abe sosteneva che le lampade a filamento avrebbero fatto la stessa fine delle reticelle a gas, e Dave ribatteva che le lampade a fluorescenza erano destinate a rimanere ingombranti e che non avrebbero mai uguagliato la comodità e l'economicità delle lampadine a filamento. (Cinquant'anni dopo, entrambi sarebbero rimasti sorpresi nel constatare che per quanto le lampade a fluorescenza si fossero evolute in ogni direzione, quelle a filamento erano sempre usate, e i due tipi coesistevano mantenendo una serena relazione fraterna).

Più zio Abe mi mostrava questi fenomeni, più essi diventavano misteriosi. La luce, fino a un certo punto, la capivo: capivo che i colori erano il nostro modo di percepire le diverse frequenze delle lunghezze d'onda; e che il colore degli oggetti derivava dal modo in cui essi assorbivano o trasmettevano la luce, schermando alcune frequenze e lasciandone

passare altre. Capivo che le sostanze nere assorbivano tutta la luce, senza lasciar passare nulla; e che
per i metalli e gli specchi era vero l'opposto – il
fronte d'onda delle particelle luminose, così lo immaginavo io, colpiva lo specchio come una palla di
gomma ed era riflesso in una sorta di istantaneo
rimbalzo.

Ma nessuna di queste nozioni era d'aiuto quando
si trattava di spiegare i fenomeni della fluorescenza
e della fosforescenza, perché qui uno poteva inviare
una luce invisibile, una luce «nera», su un oggetto,
e quello per tutta risposta avrebbe emesso una luce
sua propria – bianca, rossa, verde o gialla – di una
frequenza non presente nella radiazione originale.

E poi c'era la questione del ritardo. Normalmente, l'azione della luce sembrava istantanea. Ma nel
caso della fosforescenza, sembrava che l'energia della luce solare fosse catturata, immagazzinata, trasformata in energia di una frequenza diversa, e poi
riemessa in una sorta di lento stillicidio, nell'arco di
ore (c'erano ritardi simili, mi raccontava zio Abe,
anche nel caso della fluorescenza, sebbene questi
ultimi fossero di gran lunga più contenuti, nell'ordine di frazioni di secondo). Com'era possibile tutto questo?

XIX
MAMMA

Un'estate dopo la guerra, a Bournemouth, riuscii a procurarmi un polpo enorme da un pescatore e lo tenni nella vasca da bagno della nostra camera d'albergo, che riempivo di acqua di mare. Gli davo da mangiare granchi vivi, che apriva col becco corneo, e credo si fosse affezionato a me. Sicuramente mi riconosceva quando entravo nel bagno, e assumeva diversi colori che segnalavano le sue emozioni. Sebbene a casa avessimo avuto cani e gatti, non avevo mai posseduto un animale tutto mio. Ora lo avevo, e pensavo che il mio polpo fosse intelligente e affezionato né più né meno di un cane. Volevo portarmelo a Londra, dargli una casa, un'enorme vasca abbellita con alghe e anemoni di mare, e fare di lui il mio personale beniamino.

Lessi moltissimo sugli acquari e l'acqua di mare artificiale – ma, nel caso specifico, non dovetti fare alcuna scelta, giacché un giorno la cameriera entrò e, vedendo il polpo nel bagno, ebbe una crisi isterica e lo trafisse, selvaggiamente, con una lunga scopa. L'animale, terrorizzato, emise un'enorme nube di inchiostro e quando io tornai, poco dopo, lo trovai morto, scompostamente immerso nel suo stesso inchiostro. Rientrato a Londra, tristemente, lo dissezionai, per imparare comunque quel che potevo, e per molti anni tenni i suoi resti in camera mia, a pezzi, in formalina.

Vivere in una famiglia di medici e ascoltare i miei genitori e i miei fratelli più grandi parlare di pazienti e patologie mi affascinava e al tempo stesso (a volte) mi spaventava; tuttavia, in un certo senso, il mio nuovo vocabolario chimico mi consentiva di competere con loro. Certo, loro potevano conversare di *empyema* (una parola bellissima, massiccia nelle sue quattro sillabe, che indicava un'orribile suppurazione all'interno della cavità toracica), ma io potevo rispondere con un *empireuma*, termine magnifico per riferirsi all'odore della materia organica quando brucia. Non era solo il suono di queste parole a piacermi, ma anche la loro etimologia: adesso, a scuola, stavo studiando latino e greco, e passavo ore intere a «dissezionare» origini e derivazioni dei termini chimici, a studiare le vie, a volte contorte e indirette, attraverso le quali essi avevano acquisito i loro attuali significati.

Entrambi i miei genitori erano inclini a raccontare storie che avevano per argomento la medicina – storie che potevano prendere spunto dalla descrizione di una condizione patologica o di un intervento chirurgico, per poi estendersi da questo a un'intera biografia. Specialmente mia madre raccontava queste storie ai suoi studenti e ai suoi colleghi, agli ospiti che venivano a cena, o a chiunque le capitasse a tiro; l'aspetto medico, per lei, era sempre incastonato in una vita. A volte vedevo il lattaio o il giardiniere lì pietrificati, ad ascoltare uno dei suoi racconti clinici.

Nell'ambulatorio c'era una grande libreria piena di testi di medicina, e io rovistavo fra di essi a caso, spesso in uno stato misto di incanto e orrore. Su alcuni continuavo a tornare: c'era, per esempio, il trattato di Bland-Sutton, *Tumours Innocent and Malignant*, notevole soprattutto per i disegni di mostruosi teratomi e tumori; gemelli siamesi uniti lungo la linea mediana o con le facce fuse insieme; vitelli a due teste; un bambino con una minuscola testa accessoria vicino all'orecchio (una testa che riproduceva in miniatura, stando a quanto lessi, le espressioni della faccia principale); e poi c'erano i «tricobezoar» – bizzarre masse di peli e altro materiale, inghiottite e incluse, a volte con esito fatale, nello stomaco; e, ancora, una ciste ovarica così grande che aveva dovuto essere trasportata in carriola; e, naturalmente, l'Uomo Elefante, del quale già mi aveva parlato mio padre (che aveva studiato al London Hospital non molti anni dopo che vi aveva soggiornato John Merrick). Non meno terrificante era l'*Atlas of Dermachromes*, che illustrava ogni orribile patologia cutanea esistente sulla faccia della Terra. Ma il più informativo, il più letto, era *Differential Diagnosis* di French – trovavo particolarmente affascinanti i piccoli disegni che lo illustravano. Anche qui, l'orrore era in agguato: la voce più spaventosa, per me, era quella sulla progeria, una senilità che avanzava velocissima e poteva far percorrere a un bambino di dieci anni un'intera vita nell'arco di qualche mese, trasformandolo in una creatura calva, con la voce stridula, le ossa fragili, il naso a uncino, con la stessa aria decrepita della strega tricentenaria delle *Miniere di Re Salomone* – la raggrinzita e scimmiesca Gagool – o del demente Struldbrugs di Luggnagg.

Con il ritorno a Londra e l'«apprendistato» presso i miei zii (era così che a volte lo immaginavo), molte delle paure di Braefield erano svanite come un brutto sogno; ciò nondimeno esse avevano lasciato un residuo di timore e superstizione, la sensazione che potesse essermi stato riservato qualcosa di tremendo, qualcosa che avrebbe potuto calare su di me in qualsiasi momento.

Credo che andassi a cercarmi i rischi della chimica, almeno in una certa misura, proprio per giocare con queste paure, un modo per convincermi che – con l'attenzione e la vigilanza, la prudenza e la previsione – fosse possibile controllare questo mondo pericoloso o comunque trovare la maniera di attraversarlo indenni. E nel caso della chimica, in effetti, facendo attenzione (e con un po' di fortuna) non mi feci mai troppo male e riuscii davvero a mantenere un senso di padronanza e di controllo. Ma riguardo alla vita e alla salute in generale, non si poteva contare su nessuna protezione del genere. Fui colto da diverse forme d'ansia e di paura: mi venne la paura dei cavalli (ancora usati dal lattaio per tirare il suo carro), perché temevo che potessero mordermi con i loro grossi denti; avevo paura di attraversare la strada, soprattutto dopo che la nostra cagna, Greta, era stata uccisa da una motocicletta; paura degli altri bambini che (nel migliore dei casi) ridevano di me; paura di posare il piede sulle fessure fra una pietra e l'altra del selciato; paura, soprattutto, della malattia e della morte.

I libri di medicina dei miei genitori coltivavano tutte queste paure, alimentando un'incipiente predisposizione all'ipocondria. Intorno ai dodici anni fui colpito da una misteriosa – ancorché non pericolosa – malattia della pelle: essa causava la produzione di un essudato dietro i gomiti e le ginocchia, che mi macchiava i vestiti e faceva sì che mi nascondessi alla vista degli altri quando ero svestito. Era forse nel mio destino – mi chiedevo pieno di paura

– ammalarmi di uno di quei disturbi della pelle o di quei mostruosi tumori di cui avevo letto nei libri? O forse il destino ineffabile che mi era stato riservato era la progeria?

Mi piaceva moltissimo il tavolo di Morrison, un'enorme struttura di ferro che si trovava nella saletta della prima colazione, abbastanza forte – verosimilmente – da sostenere l'intero peso della casa qualora fossimo stati bombardati. Erano stati descritti molti casi di persone che si erano salvate grazie al tavolo, e che altrimenti sarebbero rimaste schiacciate o soffocate sotto le macerie della propria casa. Durante i bombardamenti tutta la famiglia si riparava sotto il tavolo e l'idea di questa protezione, di questo riparo, assunse ai miei occhi un carattere quasi umano. Il tavolo ci avrebbe difesi, sarebbe stato in guardia per proteggerci, e si sarebbe preso cura di noi.

Lo trovavo molto accogliente, quasi una casetta all'interno della casa, e quando tornai dal St. Lawrence College – avevo dieci anni – a volte strisciavo là sotto anche se non c'era nessuna incursione, e poi me ne stavo lì tranquillo, seduto o steso.

I miei genitori compresero che in quel periodo ero particolarmente fragile e non commentarono mai il mio comportamento. Una sera, però, quando emersi da sotto di esso, rimasero inorriditi nel vedere un'area di calvizie sulla mia testa – tricofitosi, fu la loro istantanea diagnosi. Mia madre mi esaminò più da vicino e mormorò qualcosa a mio padre. Non avevano mai sentito di micosi a insorgenza così fulminea. Io non ammisi nulla, cercai di avere un'aria innocente, e nascosi il rasoio, il rasoio di Marcus, che avevo portato con me sotto il tavolo. Il giorno dopo mi portarono da un dermatologo, un tal dottor Muende. Il dottor Muende mi lanciò un'occhiata penetrante – non ebbi alcun dubbio che avesse visto dritto dentro di me –, prese un campione di

capelli dall'area nuda, e lo mise sotto al microscopio per esaminarlo. Dopo un secondo, sentenziò:
«*Dermatitis artefacta*», per dire che la perdita dei capelli era stata autoinflitta; a quelle parole io avvam-
pai diventando di porpora. Non ci furono domande
per capire come mai mi fossi rasato la testa o avessi
mentito.

Mia madre era una donna molto schiva e non
amava le occasioni mondane; se proprio doveva par-
teciparvi si chiudeva nel silenzio o nei suoi pensieri. C'era tuttavia un altro lato nel suo carattere, e
quando si sentiva a suo agio, in compagnia dei suoi
studenti, poteva diventare espansiva, esuberante –
un'esibizionista, un'attrice. Molti anni dopo, quando portai il mio primo libro alla Faber, l'editor della
casa editrice, una donna, mi disse: «Sa, noi ci siamo
già incontrati».
    «Non credo di ricordare» feci io imbarazzato.
«Non riesco mai a memorizzare i volti».
    «Non potrebbe» riprese lei. «È stato tanto tempo
fa, quando ero allieva di sua madre. Quel giorno faceva lezione sull'allattamento al seno e dopo qualche minuto, all'improvviso, s'interruppe e disse:
"Non c'è niente di difficile o di imbarazzante". Si
chinò e prese in braccio un neonato che dormiva
nascosto dietro alla cattedra; lo liberò dal lenzuoli-
no, e si mise ad allattarlo di fronte a tutti. Era il settembre del 1933, e quel bimbo era lei».
    Anch'io ho la stessa ritrosia di mia madre, lo stes-
so terrore dei rituali sociali, come pure la sua sfac-
ciataggine, la sua esuberanza di fronte al pubblico.
In ugual misura.
    C'era poi, in lei, ancora un altro livello, più
profondo, legato al lavoro, un ambito da cui veniva
completamente assorbita. In sala operatoria la sua
concentrazione era assoluta (sebbene potesse interrompere quel silenzio quasi religioso per racconta-

re una barzelletta o per passare una ricetta di cucina
a qualche sua assistente). Aveva un'acuta percezione della struttura, del modo in cui le cose sono as-
semblate – non importa se fossero corpi umani,
piante, strumenti scientifici o macchine. Aveva ancora il microscopio di quando era studentessa, un
vecchio Zeiss, e lo teneva lustro e oliato e in perfetto stato. Ancora si divertiva a dissezionare campioni,
a disidratarli, fissarli, trattarli con i diversi coloranti;
le piaceva quell'intricato armamentario di tecniche
usate per rendere stabili e ben visibili i tessuti sezionati. Con quei preparati mi iniziò ad alcune delle
meraviglie dell'istologia, e io imparai a riconoscere
– nelle brillanti colorazioni all'ematossilina-eosina,
oppure nell'ombreggiatura all'osmio – molte cellule diverse, sane e maligne. Riuscivo ad apprezzare la
bellezza astratta di quei preparati senza preoccuparmi troppo della malattia o dell'intervento chirurgico che li aveva portati in essere. Mi piacevano, anche, le resine e i liquidi odorosi usati per allestirli;
gli odori dell'olio di garofano, del balsamo del Ca-
nada e dello xilene sono ancora associati, nella mia
mente, all'immagine di mia madre, curva al microscopio, completamente intenta e assorta nell'osservazione.

Sebbene entrambi i miei genitori fossero molto
sensibili alla sofferenza dei loro pazienti – più alla
loro, pensavo a volte, che a quella dei loro figli –, per
orientamenti e prospettive essi erano completamente diversi. Mio padre trascorreva tutte le sue ore di
riposo in compagnia dei libri, in biblioteca, dove si
circondava di commentari biblici e, a volte, dei suoi
poeti preferiti della prima guerra mondiale. Gli esseri umani, con i loro comportamenti, i loro miti e
le loro culture, le loro lingue e le loro religioni, occupavano tutta la sua attenzione; a differenza della
mamma, egli aveva poco interesse per ciò che non
fosse umano, per la «natura». Penso che fosse stato

attratto dalla medicina in quanto attività di centrale importanza nella società umana, e credo che vedesse se stesso in un ruolo essenzialmente sociale e rituale. Quanto a mia madre, invece, penso che fosse stata attirata dalla medicina perché per lei essa faceva parte della storia naturale e della biologia. Lei non poteva considerare l'anatomia o la fisiologia umana senza pensare a paralleli e antecedenti negli altri primati e negli altri vertebrati. Questo non comprometteva la sua preoccupazione e il suo interesse per l'individuo, ma lo collocava, sempre, in un contesto più ampio, quello della biologia e della scienza in generale.

Il suo amore per la struttura si estendeva in tutte le direzioni. Il vecchio orologio del nonno, con i suoi complicati ingranaggi e il suo meccanismo interno, era molto delicato e richiedeva cure costanti. Mamma se ne occupava da sola, e così diventò una specie di orologiaio. Lo stesso accadeva per altri oggetti della casa, e perfino per gli impianti idraulici. Non c'era nulla che le desse maggior soddisfazione di riparare un rubinetto gocciolante o un gabinetto, e in genere l'intervento dell'idraulico era superfluo.

Ma le ore migliori, i momenti più felici, erano quelli che passava in giardino; qui il suo senso della struttura e della funzione, il suo senso estetico e la sua tenerezza potevano confluire – le piante, dopo tutto, erano creature viventi, ben più meravigliose, ma anche più bisognose di cure, di orologi o cisterne. Anni dopo, quando mi imbattei in un'espressione spesso usata dalla genetista Barbara McClintock – «una percezione dell'organismo» – mi resi conto che definiva esattamente mia madre, e che quel suo «sentire» l'organismo era alla base di tutto: dal suo pollice verde in giardino, alla sua delicatezza e al suo successo come medico.

Mia madre amava il giardino, i grandi platani che

bordavano Exeter Road, i lillà che la invadevano di
profumo a maggio, e le rose rampicanti che crescevano sul graticcio contro il muro di mattoni. Si de-
dicava alla cura delle piante ogni volta che poteva,
ed era affezionata soprattutto agli alberi da frutto
che aveva piantato lei stessa – un cotogno, un pero,
due meli selvatici e un noce. Era particolarmente
orgogliosa anche delle felci e le sue aiuole ne erano
quasi interamente ricoperte.

La serra, che sorgeva all'estremità del salotto, era
uno dei miei luoghi preferiti, il posto in cui, prima
della guerra, mia madre teneva le sue piante più delicate. In un modo o nell'altro, riuscì a salvarsi dalla
distruzione della guerra, e quando sbocciarono i
miei interessi personali per la botanica, la divisi con
lei. Ho dolci ricordi di una felce arborea, un *Cibo-
tium* lanuginoso che cercai di coltivare in serra nel
1946, e di una cicade, una *Zamia*, dalle foglie rigide
come cartone.

Un giorno, quando mio nipote Jonathan aveva
pochi mesi, trovai alcune radiografie, con la scritta
J. Sacks, lasciate in soggiorno. Cominciai a scorrerle
dapprima curioso, poi perplesso, infine inorridito:
Jonathan era un bambino così bello – nessuno
avrebbe mai immaginato, senza i raggi X, che fosse
spaventosamente deforme. Il suo bacino e le sue
gambette avevano ben poco di umano.

Andai da mamma con le lastre, scuotendo la testa. «Povero Jonathan...» cominciai.

Sembrava perplessa. «Jonathan?» disse. «Jonathan sta benissimo».

«Ma le sue lastre...» replicai. «Ho appena dato
un'occhiata alle sue lastre».

Mamma aveva un'aria sconcertata, poi scoppiò in
una fragorosa risata, e rise finché le lacrime non cominciarono a rigarle le guance. «J» non stava per
Jonathan, mi disse infine, ma per Jezebel, un altro

membro della famiglia. Jezebel, il nostro nuovo boxer, aveva avuto un po' di sangue nell'urina, e lei l'aveva portata in ospedale per farle una radiografia ai reni. Quella che io avevo interpretato come un'anatomia umana d'una deformità grottesca era, in effetti, un'anatomia canina perfettamente normale. Come avevo potuto prendere una cantonata così assurda? Sarebbe bastato un minimo di conoscenza, un briciolo di buon senso, a dirmi come stavano le cose... mia madre, professoressa di anatomia, scosse la testa incredula.

A un certo punto – negli anni Trenta – mia madre era passata da una specializzazione in chirurgia generale alla ginecologia e all'ostetricia. Non c'era nulla che le desse maggior soddisfazione di un parto impegnativo – una presentazione di spalla o podalica – portato a termine felicemente. A volte però portava a casa feti malformati – quelli anencefalici, con gli occhi sporgenti dalla testa appiattita senza cervello, o quelli affetti da spina bifida, nei quali tutto il midollo spinale e il tronco cerebrale erano esposti. Alcuni nascevano morti, altri erano stati silenziosamente affogati alla nascita da lei e dalla caposala («come un gattino», mi disse una volta), giacché, se fossero vissuti, non avrebbero mai avuto una vita cosciente o mentale. Ansiosa che imparassi l'anatomia e la medicina, ne sezionò diversi sotto i miei occhi, insistendo – avevo solo undici anni – perché seguissi il suo esempio. Credo che non abbia mai capito quanto ci stessi male – probabilmente immaginava che condividessi il suo entusiasmo. Sebbene avessi cominciato a fare esperimenti da solo – con i lombrichi, le rane e il mio polpo –, la dissezione di quei feti umani mi riempiva di disgusto. Spesso mia madre mi raccontava di quando ero neonato, di come fosse preoccupata per lo sviluppo del mio cranio, temendo che le fontanelle si fossero chiuse troppo presto e che io potessi diventare un idiota, un microcefalo. Così io vedevo in quei feti ciò che (nell'immaginazione) avrei potuto essere anch'io, cosa che rendeva ancor più difficile prendere le distanze, e amplificava l'orrore.

Benché tutti dessero per scontato, praticamente dalla mia nascita, che avrei fatto il medico (e più precisamente il chirurgo, il sogno di mia madre), queste precoci esperienze suscitarono in me una reazione di rigetto, mi fecero desiderare di fuggire; e di volgermi invece alle piante, che non avevano sentimenti, e soprattutto ai cristalli, ai minerali e agli elementi, che esistevano in un regno tutto loro, che non conosceva la morte, nel quale malattia, sofferenza e patologia non avevano potere alcuno.

A quattordici anni, mia madre decise che era tempo che fossi iniziato all'anatomia umana e si mise d'accordo con una collega, docente di anatomia del Royal Free Hospital. Compiacente, la professoressa G. mi condusse in sala anatomica. Là, su lunghi ripiani, giacevano allineati i cadaveri, avvolti in una cerata giallastra (per impedire che i tessuti, esposti all'aria, si disseccassero prima di venir sezionati). Per la prima volta vedevo un cadavere, ed ebbi l'impressione che i corpi fossero stranamente piccoli e rattrappiti. Nell'aria c'era un tanfo tremendo di tessuti necrotici e di conservanti, e quando entrai per poco non svenni: cominciai a vedere macchie davanti agli occhi ed ebbi un'improvvisa, travolgente ondata di nausea. La professoressa G. disse che aveva scelto apposta per me il cadavere di una ragazza di quattordici anni. In parte era già stato dissezionato, ma c'era una bella gamba ancora intatta, dalla quale avrei potuto cominciare. Volevo chiedere chi fosse la ragazza, di che cosa fosse morta, come fosse arrivata fin lì; la professoressa G. non mi diede alcuna informazione, e in un certo senso ne fui felice, perché ero terrorizzato all'idea di sapere. Dovevo pensare a quella cosa come a un cadavere, un oggetto senza nome fatto di nervi e muscoli, tessuti e organi, un oggetto da sezionare come avrei fatto con un verme o una rana, per imparare come fosse fatta la macchina umana. In fondo al tavolo c'era il manuale di anatomia di Cunningham; gli studenti lo usavano durante le dissezioni, e le sue pagine erano ingiallite e unte di grasso umano.

Mia madre me ne aveva acquistata una copia la settimana prima, in modo che avessi già un'infarinatura, ma il libro non mi aveva minimamente preparato all'esperienza reale – all'esperienza emozionale – di sezionare il mio primo cadavere. Per cominciare, la professoressa G. mi chiese di praticare un'ampia incisione iniziale lungo la coscia, allontanando il grasso ed esponendo la fascia sottostante. Mi diede vari suggerimenti, poi mi mise il bisturi in mano: sarebbe tornata dopo mezz'ora per vedere come me la cavavo.

Mi ci volle un mese per dissezionare quella gamba; la parte più difficile fu il piede, con i piccoli muscoli e i tendini fibrosi, e l'articolazione del ginocchio, in tutta la sua complessità. A volte riuscivo a percepire come tutto fosse messo insieme splendidamente, riuscivo a godere di un piacere intellettuale ed estetico simile a quello che mia madre traeva dalla chirurgia e dall'anatomia. Il suo maestro, quando studiava medicina, era stato il famoso studioso di anatomia comparata Frederic Wood-Jones. Mia madre amava i libri che egli aveva scritto – *Arboreal Man*, *The Hand* e *The Foot* – e conservava come tesori le copie che egli stesso le aveva dedicato. Si meravigliò quando le dissi che non riuscivo a «capire» il piede. «Ma è come un arco» disse, e cominciò a disegnare piedi – disegni che avrebbero potuto uscire dalla mano di un ingegnere, visti da ogni angolatura, per dimostrare come il piede combinasse stabilità e flessibilità, come esso fosse splendidamente progettato, o evoluto, per camminare (sebbene conservasse ancora alcuni evidenti residui della sua originaria funzione prensile).

Io mancavo della capacità di visualizzazione di mia madre, del suo spiccatissimo senso per la meccanica e l'ingegneria, ma mi piaceva sentirla parlare e vederla disegnare, in rapida successione, zampe di lucertole e uccelli, zoccoli di cavalli, zampe di leone e una serie di piedi di primati. Ma il piacere nel comprendere e apprezzare l'anatomia si perdeva nell'orrore della dissezione, e la sensazione trasmessami dalla sala anatomica si propagò alla vita esterna: non sapevo se sarei mai stato capace di amare i corpi caldi e animati dei vivi dopo aver avuto davanti, annusato e tagliato il cadavere puzzolente di formalina di una ragazzina della mia età.

XX
RAGGI PENETRANTI

Fu nella soffitta di Abe che venni iniziato ai raggi catodici. Zio Abe possedeva una pompa a vuoto molto efficiente e un rocchetto di Ruhmkorff – un cilindro di una sessantina di centimetri strettamente avvolto da chilometri e chilometri di filo di rame, sistemato su una base di mogano. Sopra il rocchetto c'erano due grandi elettrodi mobili di ottone fra i quali – quando il rocchetto era alimentato – scoccava una formidabile scintilla, un fulmine in miniatura, qualcosa degno del laboratorio del dottor Frankenstein. Lo zio mi mostrò come fare per separare gli elettrodi finché fossero abbastanza distanti per produrre la scintilla e mi fece vedere come collegarli a un tubo a vuoto lungo circa un metro. Non appena ridusse la pressione nel tubo caricato di elettricità, al suo interno si manifestò una serie di fenomeni straordinari:

dapprima comparve una luce tremula accompagnata da una scarica di bagliori rossi, simile a una minuscola aurora boreale, poi una colonna splendente di luce che riempiva tutto il tubo. Abbassando ulteriormente la pressione, la colonna si frammentò in dischi di luce separati da spazi scuri. Finalmente, quando la pressione arrivò a un decimillesimo di atmosfera, l'interno del tubo tornò completamente scuro, ma la sua estremità cominciò a emettere una brillante fluorescenza. Ora, mi spiegò zio Abe, il tubo era riempito di raggi catodici, piccole particelle emesse dal catodo a una velocità pari a un decimo di quella della luce, e con un contenuto energetico così elevato che se le si fosse fatte convergere su un catodo piatto, avrebbero potuto riscaldare un foglio di platino fino al calor rosso. Io ero un po' intimorito da questi raggi catodici (proprio come, da piccolo, da quelli ultravioletti nell'ambulatorio): erano al tempo stesso potenti e invisibili, e io mi chiedevo se non potessero uscire dal tubo e colpirci, senza che ce ne accorgessimo, nella soffitta buia.

I raggi catodici, mi assicurò zio Abe, potevano percorrere solo pochi centimetri nell'aria normale; esisteva tuttavia un altro tipo di raggio, di gran lunga più penetrante, che Wilhelm Roentgen aveva scoperto nel 1895 mentre conduceva alcuni esperimenti con un tubo catodico proprio come il nostro. Per impedire la fuga di raggi catodici Roentgen aveva avvolto il tubo con un cilindro di cartone nero; ciò nondimeno, rimase sbalordito nell'osservare che uno schermo verniciato con una sostanza fluorescente si illuminava intensamente a ogni scarica del tubo, sebbene si trovasse a metà strada fra il tubo stesso e l'altro estremo del laboratorio.

Immediatamente Roentgen decise di abbandonare gli altri progetti di ricerca per studiare questo fenomeno del tutto inatteso e quasi incredibile, ripetendo l'esperimento moltissime volte per convincersi che l'effetto fosse autentico. (Confidò alla moglie che se ne avesse parlato senza disporre di prove assolutamente convincenti, lo avrebbero preso per matto). Nelle sei settimane che seguirono, esplorò le proprietà di questi nuovi raggi straordinariamente penetranti e scoprì che, a differenza della luce visibile, non sembravano soggetti a rifrazione o diffrazione. Ne verificò allora l'abilità di passare attraverso ogni genere di solido e scoprì che, in una certa misura, potevano attraversare la maggior parte dei materiali comuni conservando la capacità di attivare uno schermo fluorescente. Quando Roentgen mise la mano di fronte allo schermo fluorescente, rimase sbalordito nel vedere la spettrale silhouette delle sue ossa. Allo stesso modo, una serie di pesi da bilancia, fatti di metallo, divenne visibile attraverso la custodia di legno che li conteneva – rispetto al metallo e all'osso, il legno e la carne erano più trasparenti ai raggi. Questi ultimi, scoprì Roentgen, impressionavano anche le lastre fotografiche, e quindi egli poté corredare il suo primo articolo sull'argomento con alcune fotografie ai raggi X (come li chiamò), compresa una radiografia della mano di sua moglie, in cui si vedeva la fede nuziale avvolgere lo scheletro di un dito.

Il primo gennaio 1896, i risultati e le prime radiografie comparvero su una piccola rivista accademica. Nell'arco di pochi giorni i principali quotidiani s'erano impadroniti della notizia. Il timido Roentgen era inorridito da tanto clamore e dopo una conferenza tenuta in quello stesso mese, non parlò più dei raggi X, e tornò a lavorare tranquillamente sui vari argomenti scientifici di cui si era occupato negli anni precedenti. (Declinò l'invito a tenere un discorso perfino quando, nel 1901, gli fu assegnato il primo premio Nobel per la fisica, in considerazione della sua scoperta).

L'utilità della nuova tecnologia era peraltro evidente e ben presto sorsero in ogni parte del mondo laboratori di radiologia per usi medici, come rilevare fratture ossee, trovare corpi estranei, calcoli biliari, eccetera. Alla fine del 1896 si contavano più di mille articoli scientifici sull'argomento. Le reazioni alla scoperta di Roentgen non restarono limitate all'ambiente medico e scientifico, ma essa colpì l'immaginazione popolare. Per un paio di dollari, per esempio, si poteva acquistare la radiografia di un bambino di nove settimane «che mostrava, con magnifica precisione, le ossa dello scheletro, lo stadio di ossificazione, la localizzazione del fegato, dello stomaco, del cuore, eccetera».

Si pensava che i raggi X potessero penetrare nella sfera più intima, nascosta e segreta della vita della gente. Gli schizofrenici erano convinti che mediante i raggi X si potessero leggere o influenzare i loro pensieri; altri che ormai nulla fosse al sicuro. «Si possono vedere le ossa degli altri a occhio nudo,» tuonava un editoriale «persino attraverso venti centimetri di legno massiccio. Non occorre insistere sulla rivoltante indecenza di tutto ciò». Per schermare le parti intime dai raggi ai quali nulla sfuggiva, furono messi in vendita capi di biancheria rivestiti di piombo. Sulla rivista «Photography» comparve una filastrocca che terminava così:

> Mi han detto che guardano
> tra manti e sottane, e perfino corsetti,
> i raggi Roentgen, quei maledetti.

Mio zio Yitzchak, collaboratore di mio padre durante i mesi della grande epidemia di influenza, aveva lavorato come radiologo subito dopo la prima guerra mondiale. Mio padre mi raccontò che, grazie ai raggi X, l'abilità diagnostica di Yitzchak era diventata sempre più prodigiosa, ed egli aveva acquisito la capacità di cogliere quasi inconsciamente i più piccoli indizi di qualsiasi processo patologico in atto.

Nel suo studio, dove andai a trovarlo alcune volte, zio Yitzchak mi mostrò qualcosa delle sue apparecchiature e del loro uso. Nella sua macchina, il tubo a raggi X non era più a vista come lo era stato nei primi modelli, ma si trovava alloggiato in una scatola di metallo – dotato di un becco e di una gobba, sembrava alquanto pericoloso e predatorio, come la testa di un uccello gigantesco. Zio Yitzchak mi portò in camera oscura perché guardassi mentre sviluppava una radiografia appena fatta. Sotto la luce rossa, vago e quasi traslucido, bellissimo, vidi il profilo di un femore sulla grande pellicola. Zio Yitzchak mi indicò una minuscola frattura, sottile come un capello, una linea grigia appena visibile.

«Avrai visto, nei negozi di scarpe» disse zio Yitzchak «i raggi X che mostrano le ossa muoversi attraverso la carne.[1] Per visualizzare altri tessuti del corpo possiamo anche usare speciali mezzi di contrasto – è meraviglioso!».

Mi chiese se volevo vederlo. «Ti ricordi del signor Spiegelman, il meccanico? Tuo padre sospetta che abbia un'ulcera gastrica, e lo ha mandato qui per accertamenti. Sta per farsi un "pasto" a base di bario.

«Usiamo il solfato di bario,» continuò zio Yitzchak mescolando la densa pasta bianca «perché gli ioni bario sono pesanti e quasi del tutto opachi ai raggi X». Il suo commento mi incuriosì e suscitò una riflessione: perché non usare ioni ancor più pesanti? Si poteva provare con piombo, mercurio o tallio – tutti elementi i cui ioni erano eccezionalmente pesanti, ma naturalmente il pasto si sarebbe rivelato letale. Con l'oro o il platino sarebbe stato divertente, ma decisamente troppo costoso. «Che ne diresti del tungsteno?» suggerii. «Gli atomi di tungsteno sono più pesanti di quelli di bario e il tungsteno non è né tossico né costoso».

Entrammo nell'ambulatorio, e zio Yitzchak mi presentò al signor Spiegelman, che si ricordava di me da uno dei nostri giri della domenica mattina. «Questo è Oliver, il figlio minore del dottor Sacks; vuole fare lo scienziato!». Zio Yitzchak fece accomodare il signor Spiegelman fra la macchina dei raggi X e uno schermo fluorescente, poi gli diede il bario. Spiegelman ne prese alcune cucchiaiate, storcendo la bocca mentre deglutiva; noi, intanto, osservavamo lo schermo. Si vedeva il bario scendere giù per la gola e riempire l'esofago che cominciò a contrarsi, lentamente, spingendo il bolo nello stomaco. Riuscii a scorgere, vagamente, un'ombra spettrale, i polmoni che si espandevano e si contraevano a ogni respiro. Cosa più sconvolgente di tutte, vidi una specie di sacchetto pulsante: il cuore, disse zio Yitzchak indicandolo.

A volte mi ero chiesto come sarebbe stato avere altri sensi. La mamma mi aveva raccontato che i pipistrelli usavano gli ultrasuoni, gli insetti vedevano gli ultravioletti e i serpenti a sonagli percepivano gli infrarossi. Guardando le viscere del signor Spiegelman esposte all'«occhio» dei raggi X, fui ben contento di non avere una visione ai raggi X, e di essere stato confinato dalla natura a una piccola porzione dello spettro.

Come zio Dave, anche Yitzchak aveva un forte interesse per i fondamenti teorici e gli sviluppi storici della sua disciplina, e anche lui aveva il suo piccolo «museo» – in questo caso, vecchi tubi a raggi X e a raggi catodici, fino a quelli più fragili, usati negli anni Novanta. Mi raccontò che i primi tubi non offrivano alcuna protezione dalla dispersione di radiazioni, la cui pericolosità all'epoca non era stata pienamente apprezzata. Eppure, aggiunse, i raggi X avevano mostrato fin dall'inizio la loro potenziale pericolosità: a qualche mese dalla loro introduzione, infatti, furono osservati casi di bruciature e lo stesso Lord Lister, lo scopritore dell'antisepsi, formulò una rac-

comandazione a tal proposito già nel 1896 – un mo-
nito al quale però nessuno prestò attenzione.[2]

Fin dall'inizio emerse con chiarezza che i raggi X
contenevano una grande quantità di energia e generavano calore ovunque fossero assorbiti. Ciò nondimeno, penetranti com'erano, non avevano una
grande portata nell'aria. Per le onde radio era vero
l'opposto giacché, opportunamente trasmesse, potevano balzare al di là della Manica alla velocità della luce. Anch'esse portavano energia. Mi chiedevo
se il sinistro raggio marziano della *Guerra dei mondi*,
il romanzo pubblicato solo due anni dopo la scoperta di Roentgen, non potesse essere stato suggerito a H.G. Wells da questi strani parenti, a volte pericolosi, della luce visibile. Il raggio, scriveva Wells,
era «il fantasma di un raggio di luce»; «un dito invisibile, e tuttavia intensamente riscaldato»; «una spa-
da di calore invisibile e ineluttabile». Proiettato da
uno specchio parabolico, esso rammolliva il ferro,
fondeva il vetro, faceva scorrere il piombo come fosse acqua, e induceva l'acqua a esplodere instanta-
neamente in vapore. Il suo passaggio nei campi, aggiungeva Wells, era «veloce come la luce».

Mentre prendevano il volo, generando innumerevoli applicazioni pratiche, e probabilmente un
ugual numero di fantasie, i raggi X ispirarono a
Henri Becquerel pensieri molto diversi. All'epoca
Becquerel era già un ricercatore insigne in molti
campi dell'ottica e proveniva da una famiglia che
per sessant'anni aveva coltivato un appassionato interesse per i fenomeni della luminescenza.[3] Al principio del 1896, fu assai incuriosito quando sentì le
prime notizie sulla scoperta di Roentgen, e in particolare quando seppe che i raggi X sembravano emanare non dal catodo stesso, ma dal punto fluorescente in cui i raggi catodici colpivano l'estremità
del tubo a vuoto. Si chiedeva se quei raggi invisibili

non fossero una forma speciale di energia associata alla fosforescenza visibile – e anzi, se tutti i fenomeni della fosforescenza non potessero essere accompagnati dall'emissione di raggi X.

Poiché in nessuna sostanza la fluorescenza era più splendente che nei sali di uranio, Becquerel ne prese un campione – per la precisione si trattava di uranilsolfato di potassio –, lo espose alla luce solare per diverse ore e poi lo depose su una lastra fotografica avvolta in carta nera. La sua eccitazione fu incontenibile quando scoprì che la lastra era stata annerita dal sale di uranio anche attraverso la carta, proprio come accadeva con i raggi X, e che si poteva ottenere facilmente la «radiografia» di una moneta.

Becquerel avrebbe voluto ripetere l'esperimento, ma per le avverse condizioni atmosferiche (l'inverno parigino era nel pieno, e il cielo rimaneva coperto) non poté esporre al sole il campione, che giacque per una settimana indisturbato nel cassetto, posato sulla lastra fotografica avvolta nella carta nera, con l'interposizione di una piccola croce di rame. Per qualche ragione – caso, presentimento? – Becquerel sviluppò poi la pellicola, e scoprì che era rimasta annerita, mostrando la chiara silhouette della croce di rame con un'intensità pari, se non superiore, a quella che avrebbe prodotto l'esposizione alla luce solare.

Aveva scoperto un potere ben più misterioso dei raggi Roentgen – la capacità dei sali di uranio di emettere una radiazione penetrante in grado di impressionare una lastra fotografica in un modo che non aveva nulla a che fare con l'esposizione alla luce o ai raggi X e nemmeno, a quanto sembrava, a una qualsiasi altra fonte esterna di energia. Come ebbe a scrivere in seguito suo figlio, «*Henri Becquerel fut stupefait*» – proprio come Roentgen lo era stato di fronte ai raggi X – ma poi, come lui, cominciò a esplorare «l'impossibile». Scoprì che i raggi conservavano tutta la loro efficacia anche se i sali erano te-

nuti due mesi in un cassetto; e che non avevano solo il potere di impressionare una lastra fotografica,
ma anche di ionizzare l'aria, facendo di essa un conduttore – così che dei corpi elettricamente carichi,
posti in prossimità dei campioni di uranio, avrebbero perso la propria carica. Questa osservazione, in
effetti, offrì un modo assai preciso per misurare,
con un elettroscopio, l'intensità della radiazione.

Studiando altre sostanze, vide che questo potere
non era un'esclusiva dei sali uranici, ma anche di
quelli uranosi, sebbene questi ultimi non fossero fosforescenti o fluorescenti. D'altro canto, il solfuro di
bario, il solfuro di zinco e altre sostanze fluorescenti
o fosforescenti non avevano tale capacità. Così, i
«raggi dell'uranio», come li chiamava Becquerel,
non avevano nulla a che fare con la fluorescenza o
con la fosforescenza in quanto tali, ma molto a che
fare con l'elemento uranio. Come i raggi X, avevano
una notevolissima capacità di penetrazione nei confronti di materiali opachi alla luce, ma, a differenza
di quelli, parevano emessi spontaneamente. Che co-
s'erano? Come faceva l'uranio a emetterli in continuazione, per mesi, apparentemente senza che il fenomeno subisse la benché minima attenuazione?

Zio Abe mi incoraggiò a ripetere nel mio laboratorio l'esperimento e mi regalò un pezzetto di pechblenda ricco di ossido di uranio. Portai a casa il pesante campione, avvolto in un foglio di piombo, nella cartella. La pechblenda era tagliata con precisione proprio nel mezzo, per mostrarne la struttura, e
io misi la sezione a contatto di una pellicola; avevo
pregato zio Yitzchak di regalarmi un pezzo di quella
speciale per raggi X, e la tenevo avvolta nella sua
carta scura. Per tre giorni lasciai la pechblenda po-
sata sulla pellicola così coperta, poi la portai da lui
per svilupparla. Quando zio Yitzchak la sviluppò davanti a me, non stavo più nella pelle, perché ora vedevo i bagliori della radioattività del minerale – ra-

diazioni ed energia la cui esistenza, senza la pellicola, nessuno avrebbe mai potuto immaginare.

Questo mi eccitava sia perché la fotografia stava diventando uno dei miei hobby sia perché avevo ottenuto la mia prima immagine con raggi invisibili! Avevo letto che anche il torio era radioattivo e, sapendo che le delicate reticelle usate per l'illuminazione a gas erano impregnate di torio, ne staccai una dalla sua base, e la distesi con attenzione su un altro pezzo di pellicola per raggi X. Questa volta dovetti aspettare più a lungo, ma dopo due settimane ottenni una bellissima «autoradiografia» in cui la struttura fine della reticella era rivelata dai raggi emessi dal torio.

Sebbene l'uranio fosse conosciuto già nel diciottesimo secolo, erano trascorsi più di cent'anni prima che se ne scoprisse la radioattività. Forse, ci si sarebbe potuti arrivare anche allora: bastava che qualcuno, per caso, avesse posato un pezzo di pechblenda vicino a una bottiglia di Leida carica o a un elettroscopio. Oppure, a metà del diciannovesimo secolo, se un pezzo di pechblenda, o di un altro minerale o sale di uranio, fosse stato lasciato nelle vicinanze di una pellicola fotografica. (Questo era effettivamente capitato a un chimico il quale, senza rendersi conto di quanto era accaduto, restituì le lastre al fabbricante, con una nota indignata in cui le definiva «difettose»). E comunque, se pure fosse stata scoperta prima, la radioattività sarebbe stata verosimilmente considerata alla stregua di una curiosità, di uno scherzo di natura – *lusus naturae*: nessuno ne avrebbe minimamente sospettato l'importanza, perché non c'era, allora, un quadro di riferimento che potesse illuminarne il significato. In effetti, la radioattività inizialmente suscitò pochissime reazioni. Perciò, a differenza della scoperta dei raggi X da parte di Roentgen, che catturò istantaneamente l'attenzione del pubblico, la scoperta di Becquerel dei raggi dell'uranio fu pressoché ignorata.

XXI

L'ELEMENTO DI MADAME CURIE

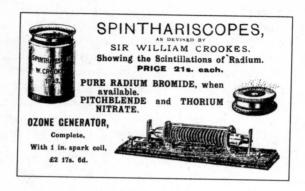

Mia madre lavorò presso molti ospedali, compreso il Marie Curie di Hampstead, specializzato nei trattamenti a base di radio e nella radioterapia. Da bambino non ero troppo sicuro di che cosa fosse il radio, ma capivo che aveva poteri terapeutici e poteva essere usato per curare diverse malattie. La mamma diceva che l'ospedale possedeva una «bomba» al radio. Avevo visto immagini di bombe e letto varie cose sull'argomento nella mia enciclopedia per ragazzi, e così mi immaginai anche questa come un grosso aggeggio con tanto di alette, pronto a esplodere da un momento all'altro. Meno allarmanti erano i «semi» di radon impiantati nei pazienti – piccoli aghi d'oro pieni di un gas misterioso – e un paio di volte mamma ne portò a casa uno esaurito. Sapevo che aveva un'ammirazione sconfinata per Marie Curie – una volta l'aveva incontrata – e anche quando ero piccolo mi raccontava di come i coniugi Curie avessero scoperto il radio, e di quanto fosse stato difficile, perché avevano dovuto usare tonnellate e tonnellate di minerale pesante per ricavarne un minuscolo granellino.

La biografia di Marie Curie scritta dalla figlia Eva, che mamma mi diede da leggere quando avevo dieci anni, fu il primo ritratto di scienziato che avessi mai letto, e mi fece una profonda impressione.[1] Lungi dall'essere un'arida celebrazione dei risultati ottenuti nella carriera, era pieno di immagini evocative e penetranti: Marie Curie che affondava le mani nei sacchi pieni del residuo di pechblenda, proveniente dalla miniera di Joachimsthal, in Boemia, ancora frammisto ad aghi di pino; e poi mentre inalava i fumi acidi stando in mezzo a enormi recipienti e crogioli che emettevano vapori, mescolandone il contenuto con un bastone di ferro lungo quasi quanto lei; e ancora, mentre trasformava le enormi masse simili a catrame in soluzioni incolori sempre più radioattive e le concentrava sempre di più, in quella sua rimessa esposta alle correnti d'aria, dove polvere e sabbia andavano continuamente a contaminarle, vanificando un lavoro di cui non si vedeva la fine. (Queste immagini furono rinforzate dal film *Madame Curie*, che vidi subito dopo aver letto il libro).

Sebbene la comunità scientifica avesse ignorato le notizie sui raggi di Becquerel, i coniugi Curie ne furono invece galvanizzati: si trattava d'un fenomeno senza precedenti o paralleli, era la rivelazione di una nuova e misteriosa fonte di energia; e a quanto pareva nessuno le stava prestando attenzione alcuna. I Curie si chiesero subito se non potessero esistere altre sostanze, oltre all'uranio, in grado di emettere raggi simili, e intrapresero una ricerca sistematica su tutto quanto capitava loro a tiro, compresi campioni di quasi tutti i settanta elementi allora conosciuti, in una forma o nell'altra: una ricerca, questa dei Curie, che a differenza di quella di Bec-

querel non rimase confinata alle sostanze fluorescenti. Essi trovarono che solo un'altra sostanza, oltre all'uranio, emetteva i raggi di Becquerel, ed era
anch'essa un elemento di peso atomico altissimo: il
torio. Saggiando una gran varietà di sali puri di uranio e torio, i Curie scoprirono che l'intensità del fenomeno radioattivo sembrava correlata solo alla
quantità di uranio o di torio presente nel campione;
pertanto, un grammo di uranio o di torio metallici
era più radioattivo di un grammo di un qualsiasi loro composto.

Sennonché, quando i coniugi Curie estesero la
loro indagine ad alcuni comuni minerali contenenti uranio e torio, si imbatterono in una curiosa anomalia, giacché taluni erano più attivi dell'elemento
puro. La radioattività dei campioni di pechblenda,
per esempio, poteva essere perfino quadrupla rispetto a quella dell'uranio puro. Non era possibile,
si chiesero i Curie in un momento di ispirazione,
che nel minerale ci fossero piccole quantità di qualche elemento sconosciuto, molto più radioattivo
dello stesso uranio?

Nel 1897 i coniugi Curie si lanciarono in una
complessa analisi chimica della pechblenda, sepa-
rando i numerosi elementi in essa contenuti in
gruppi analitici: sali dei metalli alcalini, degli elementi alcalino-terrosi, delle terre rare – gruppi fondamentalmente simili a quelli della tavola periodica
– per vedere se l'elemento radioattivo sconosciuto
avesse affinità chimiche con qualcuno di essi. Ben
presto fu chiaro che gran parte della radioattività
poteva essere concentrata mediante precipitazione
con il bismuto.

I Curie continuarono a lavorare sul loro residuo
di pechblenda e nel luglio del 1898 riuscirono a ottenere un estratto di bismuto quattrocento volte più
radioattivo dell'uranio stesso. A questo punto, sapendo che la spettroscopia poteva essere migliaia di

volte più sensibile delle tecniche di analisi chimica tradizionale, i Curie interpellarono l'insigne spettroscopista Eugène Demarçay, specializzato nell'analisi delle terre rare, per avere una conferma spettroscopica del loro nuovo elemento. Con loro grande delusione, non fu possibile ottenere una nuova impronta spettrale; ciò nondimeno i Curie scrissero:

«Crediamo che la sostanza che abbiamo estratto dalla pechblenda contenga un metallo non ancora segnalato, vicino al bismuto per le sue proprietà analitiche. Se l'esistenza di questo nuovo metallo verrà confermata, proponiamo di chiamarlo polonio, dal nome del paese natale di uno di noi».

Erano convinti che vi fosse ancora un elemento radioattivo, in attesa di essere scoperto, in quanto il polonio estratto insieme al bismuto rendeva conto solo in parte della radioattività della pechblenda.

Pierre e Marie Curie non avevano fretta – dopo tutto, sembrava che nessun altro, a parte il loro buon amico Becquerel, mostrasse il benché minimo interesse per il fenomeno della radioattività – e a quel punto partirono per una tranquilla vacanza estiva. (All'epoca non sapevano che esisteva un altro assiduo e acuto studioso dei raggi di Becquerel: il giovane e brillante neozelandese Ernest Rutherford, giunto a Cambridge per lavorare nel laboratorio di J.J. Thomson). In settembre i coniugi Curie ripresero l'inseguimento, concentrandosi sulla precipitazione con il bario – a quanto pare, molto efficace nell'estrarre la radioattività residua, presumibilmente perché strettamente affine, dal punto di vista chimico, al secondo elemento al quale stavano dando la caccia. Bruciando le tappe, in sole sei settimane ottennero una soluzione di cloruro di bario circa duemila volte più radioattiva dell'uranio, ma priva di bismuto (e presumibilmente anche di polonio). Ancora una volta i Curie ricorsero all'aiuto di Demarçay che stavolta, con loro somma gioia, trovò una linea spettrale non riconducibile ad alcun elemento conosciuto (in seguito ne furono trovate diverse: «due splendide bande rosse, una linea nel verde-azzurro, e due linee deboli nel violetto»). Incoraggiati da questo risultato, qualche giorno prima della fine del 1898, i coniugi Curie annunciarono la scoperta di un secondo nuovo elemento. Decisero di chiamarlo radio; giacché esso era presente solo in tracce mescolate al bario, la sua radioattività doveva «essere enorme».

Non ci voleva molto a proclamare la scoperta di un nuovo elemento: nel diciannovesimo secolo c'erano stati più di duecento annunci del genere, la maggior parte dei quali si rivelarono scambi d'identità oppure «scoperte» di elementi (o miscele di elementi) già noti. Ora, nell'arco di un solo anno, i coniugi Curie avevano annunciato l'esistenza non di uno, ma di ben due nuovi elementi – e lo avevano fatto esclusivamente osservando un aumento di radioattività materialmente associata al bismuto e al bario (oltre che, nel caso del radio, la comparsa di una singola, nuova, linea spettrale). Nessuno dei due nuovi elementi, comunque, era stato isolato – nemmeno in quantità microscopiche.

Pierre Curie era fondamentalmente un fisico e un teorico (sebbene si dimostrasse abile e ingegnoso in laboratorio, spesso progettando strumenti e apparecchiature nuove e originali, fra cui un elettrometro e una sensibile bilancia che sfruttava un nuovo principio piezoelettrico – strumenti entrambi utilizzati, in seguito, negli studi sulla radioattività). Per lui, il fenomeno della radioattività, così incredibile, era già abbastanza: apriva tutto un nuovo vasto ambito di ricerca, un nuovo continente nel quale poter verificare infinite nuove idee.

Ma per Marie, l'accento cadeva altrove: lei era chiaramente incantata dalla fisicità del radio, come dai suoi nuovi, strani poteri; voleva vederlo, sentirlo,

combinarlo chimicamente, trovarne il peso atomico
e la collocazione nella tavola periodica.

Fino a quel punto, il lavoro dei coniugi Curie era
stato essenzialmente chimico, volto com'era a rimuovere dalla pechblenda il calcio, il piombo, il silicio, l'alluminio, il ferro e una dozzina di terre rare:
insomma, tutti gli elementi a parte il bario. Finalmente, dopo un anno di questo lavoro, arrivò il momento in cui i metodi chimici non bastarono più.
Sembrava che non esistesse alcun modo per separare chimicamente il radio dal bario, e quindi Marie
Curie si accinse a cercare una differenza fisica tra i
loro composti. Sembrava probabile che il radio fosse un elemento alcalino-terroso come il bario, e che
quindi seguisse le tendenze del suo gruppo. Il cloruro di calcio è altamente solubile; il cloruro di sodio lo è un po' meno; il cloruro di bario ancora meno; il cloruro di radio, stando alle previsioni di Marie Curie, doveva essere pressoché insolubile. Forse,
pensò, avrebbe potuto far leva su questo per separare i cloruri di bario e di radio con una cristallizzazione frazionata. Quando una soluzione tiepida viene raffreddata, il soluto meno solubile sarà il primo
a cristallizzare. I pionieri di questo metodo erano
stati i chimici delle terre rare, impegnati nella lotta
per separare elementi chimicamente pressoché indistinguibili. Era una tecnica che richiedeva una pazienza infinita, giacché potevano rendersi necessarie centinaia – o anche migliaia – di cristallizzazioni;
fu questo processo ripetitivo, di esasperante lentezza, a far sì che i mesi diventassero anni.

I coniugi Curie confidavano di farcela entro il
1900, ma da quando annunciarono la probabile esistenza del nuovo elemento occorsero quasi quattro
anni per ottenere un decigrammo di cloruro di radio – meno della decimilionesima parte del materiale di partenza. Combattendo contro ogni sorta di
difficoltà materiali, contro i dubbi e lo scetticismo

della maggior parte dei colleghi e a volte anche con la propria disperazione e con lo sfinimento; lottando (sebbene inconsapevolmente) contro gli insidiosi effetti della radioattività sul loro stesso corpo, Pierre e Marie Curie finalmente trionfarono ottenendo qualche grano di candido cristallo di cloruro di radio – abbastanza puro da poter essere usato per calcolare il peso atomico del radio (226) e per assegnargli il suo posto corretto nella tavola periodica, proprio sotto al bario.

Ottenere un decigrammo della sostanza partendo da tonnellate di minerale era un risultato senza precedenti; mai un elemento era stato tanto difficile da isolare. La chimica, da sola, non sarebbe riuscita nell'impresa, ma neppure vi sarebbe giunta la spettroscopia, giacché il minerale doveva essere concentrato un migliaio di volte perché fosse possibile anche solo intravedere le deboli linee spettrali del radio. Per identificare l'infinitesima concentrazione dell'elemento nella vasta massa del materiale circostante, e per monitorarla mentre esso veniva lentamente spinto, riluttante, allo stato puro, era occorso un approccio completamente nuovo che prevedeva l'impiego della stessa radioattività.

Con questo risultato spettacolare, si accese l'entusiasmo del pubblico intorno ai coniugi Curie, ugualmente rivolto al magico, nuovo elemento, e alla romantica, eroica équipe – marito e moglie, interamente votati alla ricerca. Nel 1903, Marie Curie riassunse il lavoro dei precedenti sei anni nella sua tesi di dottorato, e nello stesso anno ricevette (insieme a Pierre Curie e a Becquerel) il premio Nobel per la fisica.

La sua tesi fu immediatamente tradotta in inglese e pubblicata (a cura di William Crookes) nelle «Chemical News»; mia madre ne aveva una copia sotto forma di opuscolo. Mi piacevano le minuziose descrizioni dei complicati procedimenti chimici dei

Curie, l'esame attento e sistematico delle proprietà del radio, ma soprattutto quel senso di eccitazione intellettuale e di meraviglia che sembrava fremere dietro ai toni equilibrati della prosa scientifica. Tutto il testo era molto realistico, perfino arido – ma c'era anche una sorta di poesia. E poi mi piacevano gli annunci pubblicitari sulla copertina, che riguardavano il radio, il torio, il polonio e l'uranio: tutti quegli elementi erano disponibili e accessibili a chiunque li desiderasse, non importa se per giocarci o per compiere esperimenti.

In Farringdon Road, poco distante da zio Tungsteno, A.C. Cossor vendeva «bromuro di radio puro (secondo disponibilità), pechblenda ... tubi ad alto vuoto di Crookes per mostrare la fluorescenza di vari minerali ... [e] altri materiali scientifici». Gli Harrington Brothers (che stavano in Oliver's Yard, non molto lontano) avevano in catalogo diversi sali di radio e minerali di uranio. La J.J. Griffin & Sons (che in seguito sarebbe diventata la Griffin & Tatlock, dove io stesso andavo a rifornirmi di reagenti chimici) vendeva «kunzite: nuovo minerale, sensibilissimo alle emanazioni del radio», mentre la Armbrecht, Nelson & Co. (di livello un po' superiore, in Grosvenor Square) offriva il solfuro di polonio (in provette da un grammo, a ventuno scellini), e schermi di willemite fluorescente (sei penny per pollice quadrato). «Possibilità di noleggiare i nostri inalatori per il torio, di nuova invenzione». Che cos'era mai, mi chiedevo io, un inalatore per il torio? Come ci si sarebbe sentiti, inalando l'elemento radioattivo: forse tonificati, rinvigoriti?

Sembrava che nessuno, all'epoca, avesse la benché minima idea della pericolosità di questi materiali.[2] La stessa Marie Curie, nella sua tesi, accennava che «se una sostanza radioattiva viene collocata al buio vicino all'occhio chiuso o alla tempia, l'occhio è investito da una sensazione di luce» e spesso provai a farlo io stesso, usando uno degli orologi luminosi di casa nostra, che avevano le cifre e le lancette trattate con la vernice luminosa di zio Abe.

Rimasi particolarmente toccato leggendo il passo in cui Eva Curie racconta di come una sera i suoi genitori fossero tornati a notte fonda nella rimessa, inquieti e impazienti di sapere come stesse procedendo la cristallizzazione frazionata; in quel momento, nell'oscurità, avevano visto un magico bagliore ovunque, proveniente da tutti i tubi, i recipienti e le bacinelle che contenevano i concentrati di radio, e avevano capito, per la prima volta, che esso era spontaneamente luminoso. La luminosità del fosforo richiedeva la presenza di ossigeno, ma quella del radio era del tutto intrinseca, proveniva dalla sua stessa radioattività. «Per noi era una vera gioia» si espresse poeticamente Marie Curie «andare in laboratorio di notte, per vedere la vaga silhouette delle bottiglie e delle capsule contenenti i nostri prodotti ... Era davvero una vista bellissima e sempre nuova per noi. Le provette, con i loro bagliori, sembravano piccole fioche lanterne».

Zio Abe aveva ancora un po' di radio, che gli era avanzato dal lavoro sulle vernici luminose, e me lo mostrava, tirando fuori un flacone contenente, sul fondo, qualche milligrammo di bromuro di radio: sembrava un grano di comunissimo sale. Zio Abe aveva tre piccoli schermi verniciati con platinocianuri – platinocianuro di litio, di sodio e di bario – e non appena avvicinava ad essi la provetta del radio (tenendola con un paio di pinze), quelli di colpo si accendevano, diventando fogli di fuoco dapprima rosso, poi giallo e poi verde; ciascun colore svaniva non appena egli tornava ad allontanare la provetta.

«Il radio ha un mucchio di effetti interessanti sulle sostanze che si trovano intorno» mi spiegava. «Tu ne conosci gli effetti in fotografia, ma esso ha anche la capacità di imbrunire la carta, di bruciarla e riempirla di buchi, riducendola simile a un colino. Il radio decompone gli atomi dell'aria, e poi essi si ricombinano in forme diverse – e infatti, quando sei in presenza di radio, senti l'odore dell'ozono e del perossido di azoto. Ha anche un effetto sul vetro – fa diventare azzurri i vetri molli mentre imbrunisce quelli duri; può colorare i diamanti e dà al salgemma un viola intenso e profondo». Zio Abe mi mostrò un pezzo di fluorite che lui stesso aveva esposto al radio per qualche giorno. In origine, mi spiegò, era color porpora, ma adesso era diventata pallida, caricata di una strana energia. La riscaldò un poco, molto al di sotto del calor rosso, ed essa improvvisamente emise un lampo brillante, come se avesse raggiunto il calor bianco, tornando al suo originale color porpora.

Un altro esperimento mostratomi da zio Abe consisteva nel caricare di elettricità una nappa di seta – lo faceva strofinandola con un pezzo di gomma – in modo che le sue frange, ora cariche, si respingessero e tendessero a separarsi. Ma non appena avvicinò il campione alla nappa, le frange collassarono, scaricandosi. Ciò accadeva, mi spiegò poi, perché la radioattività conferiva all'aria le proprietà di un conduttore, e quindi la nappa non riusciva più a trattenere su di sé la carica. Una forma estremamente raffinata di questo fenomeno era illustrata dall'elettroscopio a foglie d'oro che zio Abe teneva in laboratorio – una solida bottiglia con una barra metallica che passava attraverso il tappo e conduceva una carica, barra alla cui estremità erano sospese due sottili lamine d'oro. Quando l'elettroscopio era caricato, le foglie d'oro si separavano proprio come le frange della nappa di seta. Ma se avvicinava alla bottiglia una sostanza radioattiva, immediatamente l'elettroscopio si scaricava e le due lamine d'oro si riaccostavano. La sensibilità dell'elettroscopio era sorprendente – lo strumento era in grado di rilevare un miliardesimo di grano di radio, una quantità milioni di volte inferiore a quella rilevabile chimicamente, dimostrandosi migliaia di volte più sensibile perfino di uno spettroscopio.

Mi piaceva guardare l'orologio al radio di zio Abe – fondamentalmente si trattava di un elettroscopio a foglie d'oro contenente al suo interno, in un recipiente di vetro separato, dalla parete sottile, un poco di radio. Quest'ultimo, emettendo particelle negative, a poco a poco si caricava positivamente. Le foglie d'oro cominciavano a separarsi, finché toccavano le pareti del recipiente, e allora si scaricavano; e il ciclo ricominciava. Questo «orologio» aveva continuato ad aprire e chiudere le sue foglie d'oro, ogni tre minuti, da più di trent'anni, e zio Abe mi disse che era la migliore approssimazione di una macchina per il moto perpetuo.

Quello che era stato un piccolo enigma nel caso dell'uranio, era diventato un problema più acuto dopo l'isolamento del radio, un milione di volte più radioattivo. L'uranio poteva impressionare una lastra fotografica (sia pure impiegando diversi giorni) o scaricare un elettroscopio a foglie d'oro ultrasensibile; ma il radio faceva le stesse cose in una frazione di secondo; emetteva bagliori spontanei con la violenza della sua stessa attività; come divenne sempre più evidente nel nuovo secolo, il radio era in grado di penetrare materiali opachi, ozonizzare l'aria, tingere il vetro, indurre la fluorescenza, bruciare e distruggere i tessuti viventi del corpo – e lo faceva dimostrando, a seconda dei casi, un potere terapeutico o distruttivo.

Nel caso di tutte le altre radiazioni, dai raggi X alle onde radio, l'energia doveva essere fornita da una fonte esterna; invece, sembrava che gli elementi radioattivi fossero dotati di un'energia propria, e che potessero emetterla, per mesi o anni, senza decremento e senza che il fenomeno fosse minimamente influenzato dal caldo o dal freddo, dalla pressione o dai campi magnetici, dall'irradiazione o da reagenti chimici.

Da dove veniva quest'immensa quantità di energia? Nelle scienze fisiche, i princìpi più solidi erano quelli della conservazione: materia e energia non possono essere né create né distrutte. Mai s'era avuta una seria indicazione del fatto che questi princìpi potessero essere violati, e tuttavia, inizialmente, sembrò che il radio facesse proprio questo: pareva un *perpetuum mobile*, una fonte costante e inesauribile di energia gratuita.

Una possibile via d'uscita da questo dilemma consisteva nel supporre che l'energia delle sostanze radioattive avesse una fonte esterna; questo era proprio quanto inizialmente aveva ipotizzato Becquerel per analogia con la fosforescenza, e cioè che le sostanze radioattive assorbissero energia da qualcosa, da qualche parte, per poi riemetterla, lentamente, a modo loro. (Per questo fenomeno, Becquerel aveva coniato il termine *iperfosforescenza*).

L'idea di una fonte esterna – una radiazione simile ai raggi X, forse, nella quale la Terra si trovasse come immersa – era stata brevemente prospettata dai coniugi Curie, che avevano inviato un campione di concentrato di radio in Germania, a Hans Geitel e Julius Elster. Intimi amici, al punto da essere noti come «il Castore e il Polluce della fisica», Geitel ed Elster erano brillanti ricercatori e avevano già dimostrato come la radioattività non fosse influenzata dal vuoto, dai raggi catodici o dalla luce solare. Essi portarono il campione dei Curie a circa trecento metri di profondità, nei pozzi di una miniera negli Harzberge – un luogo dove nessun raggio X avrebbe potuto penetrare – e riscontrarono che la sua radioattività era immodificata.

L'energia del radio poteva forse venire dall'etere, quel mezzo misterioso e immateriale che si supponeva riempisse ogni angolo e ogni recesso dell'Universo consentendo la propagazione della luce, della gravità e di tutte le altre forme di energia cosmica? Questa fu l'opinione espressa da Mendeleev in occasione di una sua visita ai coniugi Curie, sebbene egli le avesse impartito una particolare piega chimica, giacché pensava che l'etere fosse composto di un «elemento etereo» leggerissimo, un gas inerte in grado di penetrare tutta la materia senza reagire chimicamente con essa, e con un peso atomico pari a circa metà di quello dell'idrogeno. (Mendeleev riteneva che questo nuovo elemento fosse già stato osservato nella corona solare, e perciò era stato chiamato coronio). Oltre a questo, Mendeleev immaginava un elemento etereo ultraleggero, con un peso atomico inferiore a un miliardesimo di quello dell'idrogeno, che permeasse il cosmo. Gli atomi di questi elementi eterei, egli credeva, erano attratti e in qualche modo assorbiti dai pesanti atomi dell'uranio e del torio, ai quali donavano la propria energia eterea.[3]

Rimasi sconcertato quando mi imbattei per la prima volta nei riferimenti all'etere – spesso scritto *Aether*, con la lettera maiuscola – poiché lo confondevo con il liquido mobile, infiammabile, dall'odore penetrante, che mia madre teneva nella borsa degli anestetici. Un etere «luminifero» era stato postulato da Thomas Young nel 1801 quale mezzo attraverso il quale avveniva la propagazione delle onde luminose: così mi raccontò zio Abe, e così si credette in generale per tutto il diciannovesimo secolo. Maxwell, tuttavia, riuscì ad aggirare il problema nelle sue equazioni, e un famoso esperimento, condotto al principio degli anni Novanta del diciannovesimo secolo, non aveva dimostrato alcuna «deriva eterea», in altre parole, nessun effetto del moto della

Terra sulla velocità della luce, effetto che peraltro ci si sarebbe potuti aspettare qualora l'etere fosse davvero esistito. Chiaramente, però, quando fu scoperta la radioattività, il concetto di etere era ancora molto forte nella mente di molti scienziati e quindi era naturale che essi vi ricorressero per trovare una spiegazione delle sue misteriose energie.[4]

D'altra parte, se era immaginabile che un lento stillicidio di energia, come quella emessa dall'uranio, potesse provenire da una fonte esterna, un'idea del genere era decisamente più inconcepibile nel caso del radio che (come Pierre Curie e Albert Laborde dimostrarono nel 1903) poteva portare, nell'arco di un'ora, una quantità d'acqua pari al suo peso dalla temperatura di congelamento a quella di ebollizione.[5] L'ipotesi divenne ancor più difficile da accettare di fronte a sostanze più intensamente radioattive, come il polonio puro (un piccolo campione del quale arrivava spontaneamente al calor rosso) o il radon, 200000 volte più radioattivo dello stesso radio – così radioattivo che ne bastava una pinta per vaporizzare istantaneamente qualsiasi recipiente in cui fosse contenuto. Un tal potere calorico era incomprensibile sulla base di qualsiasi ipotesi eterea o cosmica.

In mancanza di una fonte di energia esterna plausibile, i coniugi Curie furono costretti a tornare alla loro idea originale, e cioè che l'energia del radio dovesse avere un'origine *interna*, che si trattasse, insomma, di una «proprietà atomica» – sebbene la base di tutto questo fosse difficilmente immaginabile. Già nel 1898, Marie Curie formulò un pensiero più audace, addirittura scandaloso, e cioè che la radioattività potesse derivare dalla disintegrazione degli atomi, che potesse essere «un'emissione di materia accompagnata da una perdita di peso da parte delle sostanze radioattive»: un'ipotesi che dovette sembrare ancor più bizzarra delle sue alternative, giacché il fatto che gli atomi fossero indistruttibili, immutabili e indivisibili era stato un assioma, un assunto fondamentale della scienza. Tutta la chimica e la fisica classica erano state edificate su questa fede. Maxwell aveva detto:

«Sebbene nel corso delle ere abbiano avuto luogo, e possano tuttora verificarsi, delle catastrofi nei cieli, e sebbene i sistemi antichi possano essere dissolti, e nuovi sistemi possano evolvere dalle loro rovine, [gli atomi] dai quali questi sistemi sono costruiti – le fondamenta dell'universo materiale – rimangono intatti, e non conoscono usura. Essi sono oggi esattamente com'erano quando furono creati – perfetti nel numero, nella misura e nel peso».

Tutta la tradizione scientifica, da Democrito a Dalton, da Lucrezio a Maxwell, insisteva su questo principio, e si può facilmente comprendere come, dopo quel primo, audace pensiero sulla disintegrazione atomica, Marie Curie avesse poi abbandonato l'idea, e (usando un linguaggio insolitamente poetico) avesse concluso la sua tesi sul radio dicendo: «la causa di questa radiazione spontanea rimane un mistero ... un enigma profondo e meraviglioso».

XXII

CANNERY ROW

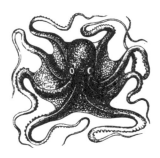

L'estate subito dopo la guerra, andammo in Svizzera: era il solo paese del continente che non fosse stato devastato, e dopo sei anni di bombe, razionamenti, austerità e limitazioni, bramavamo la normalità. Non appena varcammo il confine, la differenza ci apparve in tutta la sua evidenza; le uniformi dei doganieri svizzeri erano nuove fiammanti, ben diverse dalle divise logore del versante francese. Perfino il treno sembrò diventare più pulito e luminoso, e muoversi con un'efficienza e una velocità nuove. Al nostro arrivo a Lucerna, fummo accolti da una Brougham elettrica. Alta, eretta, con enormi finestrini di vetro – un veicolo che i miei genitori avevano visto nella loro infanzia, senza esserci però mai saliti –, l'antica vettura ci portò silenziosamente all'Hotel Schweizerhof, più grande e splendido di qualunque cosa avessi mai immaginato. In genere i miei sceglievano sistemazioni relativamente modeste, ma stavolta l'istinto li aveva guidati nella direzione opposta, verso l'albergo più sontuoso, lussuo-

so e opulento di Lucerna – una stravaganza ammis-
sibile, pensarono, dopo sei anni di guerra.

Lo Schweizerhof mi si è impresso nella mente anche per un altro motivo, perché fu proprio lì che
diedi il primo (e ultimo) concerto della mia vita.
Era passato poco più di un anno da quando era
morta la signora Silver, un anno in cui non avevo
più toccato un pianoforte; ma ora qualcosa di solare, di liberatorio, mi tirò fuori, mi fece desiderare di
suonare ancora, all'improvviso, e per altre persone.
Sebbene fossi cresciuto in compagnia di Bach e
Scarlatti, sotto l'influenza della signora Silver avevo
finito per innamorarmi dei romantici, soprattutto
di Schumann e delle energiche, esuberanti ma-
zurke di Chopin. Molte erano tecnicamente fuori
della mia portata, ma io le conoscevo tutte a memoria, tutte e cinquanta, o pressappoco, e (mi illude-
vo) potevo almeno dare l'idea del loro sentimento e
della loro vitalità. Erano miniature, ma ognuna
sembrava contenere un intero mondo.

In un modo o nell'altro i miei genitori persuasero
la direzione dell'Hotel a organizzare un concerto
nel salone, a farmi usare il pianoforte a coda (un
Bösendorfer maestoso – mai visto uno così grande –
con una tastiera più ampia del nostro Bernstein), e
ad annunciare per la sera del giovedì successivo un
recital del «giovane pianista inglese Oliver Sacks».
Ero letteralmente terrorizzato, e più si avvicinava il
giorno fatidico più diventavo nervoso. Quella sera
indossai il mio abito migliore (fatto su misura per il
bar mitzvah, il mese prima). Entrai nel salone, mi in-
chinai, tirai fuori una specie di sorriso, e sentendo-
mi morire dalla paura – al limite dell'incontinenza
– mi sedetti al piano. Dopo le battute d'apertura
della prima mazurka, feci un'unica tirata, e portai il
tutto a una vivace conclusione. Ci furono gli applau-
si; ci furono i sorrisi; ci fu indulgenza per le stecche,
e così mi caricai per il pezzo successivo, e poi per

quello dopo ancora, tagliando finalmente il traguardo con un'opera postuma (che immaginavo vagamente fosse stata in qualche modo completata dopo la morte di Chopin).

L'esibizione mi procurò un piacere raro e speciale. I miei interessi per la chimica, la mineralogia, la scienza erano tutte cose mie private, condivise con gli zii e basta, mentre quello era un evento aperto e pubblico, che implicava apprezzamenti, scambi, un dare e un ricevere. Fu l'apertura di qualcosa di nuovo, l'inizio di un rapporto.

Indulgemmo spudoratamente ai lussi dello Schweizerhof, standocene a mollo per ore, almeno così ci sembrava, nelle enormi vasche da bagno, e mangiando fino a stare male nel sontuoso ristorante. Ma alla fine ci stancammo delle nostre sregolatezze e cominciammo a vagare per la città vecchia, con le sue strade tortuose e i suoi scorci improvvisi di laghi e montagne. Prendemmo la funicolare fino in cima al Rigi-Kulm – era la prima volta che andavo su una funivia, o su una montagna. E poi ci spostammo nel villaggio alpino di Arosa, dove l'aria era fredda e asciutta, e vidi per la prima volta le stelle alpine e le genziane, e minuscole chiese di legno dipinto, e sentii l'*Alpenhorn* risuonare di valle in valle. Fu proprio ad Arosa, io credo, più che a Lucerna, che un improvviso senso di gioia, un sentimento di liberazione e rilassamento, la percezione della dolcezza della vita, di un futuro, di una promessa finalmente mi travolsero. Avevo tredici anni – tredici! –, non avevo forse tutta la vita di fronte a me?

Durante il viaggio di ritorno, ci fermammo a Zurigo (la città, mi aveva raccontato zio Abe, dove era vissuto e aveva lavorato il giovane Einstein). Questo soggiorno, sebbene per altri versi insignificante, rimane impresso nella mia memoria per un motivo molto speciale. Mio padre, che ovunque si fermasse cercava sempre una piscina, ne individuò una municipale, molto grande. Immediatamente cominciò a macinare vasche, con le potenti bracciate di cui era maestro; io, invece, molto più pigro, mi trovai una tavoletta di sughero, mi ci appoggiai sopra e decisi, per una volta, di lasciare che fosse lei a tenermi a galla, abbandonandomi. Mentre galleggiavo, persi completamente la percezione del tempo, disteso immobile sulla tavoletta, o remando piano piano con le mani. Fui invaso da una strana sensazione di serenità, una specie di estasi, un sentimento che avevo a volte conosciuto nei sogni. Non era la prima volta che galleggiavo su una tavoletta, o con i bracciali di gomma o il salvagente, ma stavolta stava accadendo qualcosa di magico: un'immensa onda di gioia, che montava lentamente sollevandomi sempre più in alto, senza fine, per sempre, e poi finalmente s'acquietò in una languorosa beatitudine. Era la sensazione più meravigliosa e traboccante di pace che avessi mai provato.

Fu solo quando venne il momento di togliermi i calzoncini da bagno che me ne resi conto – dovevo aver avuto un orgasmo. Non mi venne in mente di collegarlo al «sesso» o ad altre persone; non provai ansia o sensi di colpa, ma lo tenni per me, come una cosa magica, privata, una benedizione o una grazia venuta a me spontaneamente, senza che io l'avessi cercata. Mi sentii come se avessi scoperto un grande segreto.

Nel gennaio del 1946 lasciai la scuola di Hampstead, The Hall, per trasferirmi in una molto più grande, St. Paul, a Hammersmith. Fu qui, nella Walker Library, che incontrai Jonathan Miller la prima volta: io ero nascosto in un angolo, tutto intento a leggere un libro ottocentesco sull'elettrostatica – intento a leggere, per non so quale ragione, di «uova elettriche» – quando un'ombra cadde sulla pagina. Alzai lo sguardo e vidi un ragazzo straordinaria-

mente alto e allampanato, con un volto molto mobile, occhi brillanti maliziosi, e una massa incolta e
rigogliosa di capelli rossi. Cominciammo a parlare,
e da quel momento diventammo intimi amici.

Prima di allora, avevo avuto solo un vero amico,
Eric Korn, che conoscevo quasi fin dalla nascita.
Eric mi seguì da The Hall a St. Paul un anno dopo,
e adesso io, lui e Jonathan formavamo un trio inseparabile, tenuto insieme non solo da legami personali ma anche familiari (i nostri padri, trent'anni
prima, avevano studiato medicina insieme, e le nostre famiglie erano sempre rimaste vicine). Jonathan ed Eric non condividevano davvero il mio
amore per la chimica – sebbene fossero stati miei
complici nell'esperimento del lancio del sodio, e
poi in un paio di altri – ma erano molto interessati
alla biologia, e quando fu il momento, inevitabilmente ci trovammo insieme a frequentare lo stesso
corso, e ci innamorammo tutti del nostro professore, Sid Pask.

Sid era uno splendido maestro. Era anche un tipo
dalla mentalità ristretta, fanatico, tormentato da
una spaventosa balbuzie (che noi non ci stancava-
mo mai di imitare) e in fondo non aveva un'intelligenza eccezionale. Usando la dissuasione, l'ironia,
il ridicolo, o il potere, il signor Pask ci distoglieva da
ogni altra attività – dallo sport al sesso, alla religione, alla famiglia, e a tutte le altre materie. Pretendeva che anche noi, come lui, avessimo un unico interesse.

La maggior parte dei suoi allievi lo giudicava insopportabilmente severo ed esigente, un aguzzino.
Cercavano in ogni modo di sfuggire alla piccola tirannia di quell'uomo pedante, perché era così che
lo consideravano. Il braccio di ferro andava avanti
per un po', e poi, all'improvviso, avevano partita
vinta: erano liberi. Pask smetteva di tormentarli con

i suoi cavilli e non avanzava più ridicole pretese sul loro tempo e le loro energie.

Eppure, ogni anno c'era qualcuno che raccoglieva la sfida di Pask. In cambio, lui dava tutto se stesso – tutto il suo tempo e tutta la sua dedizione alla biologia. Stavamo alzati fino a tardi con lui nel Museo di Storia naturale (una volta mi nascosi in una delle sale e riuscii a passarci la notte). Sacrificavamo ogni fine settimana per andare a raccogliere campioni di piante. Nel gelo dell'inverno, ci alzavamo all'alba per frequentare il suo corso di gennaio sulle acque dolci. E una volta all'anno – questo ricordo è ancora circondato da una dolcezza quasi intollerabile – andavamo con lui a Millport per tre settimane di biologia marina.

Millport, al largo della costa occidentale della Scozia, aveva una stazione di biologia marina splendidamente attrezzata, dove eravamo sempre accolti con un caloroso benvenuto e coinvolti in ogni sorta di esperimenti. (All'epoca erano in atto fondamentali osservazioni sullo sviluppo dei ricci di mare, e Lord Rothschild era infinitamente paziente con i ragazzi che si affollavano entusiasti intorno alle sue capsule di Petri sbirciando per vedere le trasparenti larve *pluteus*). Jonathan, Eric e io facemmo diversi campionamenti sulla costa rocciosa, contando tutti gli animali e le alghe che potevamo su piccole porzioni di terreno (circa trenta centimetri di lato) – procedendo dalla sommità della roccia coperta di licheni (*Xanthorina litterina* era il nome eufonico del lichene) fino alla linea costiera e alle pozze di marea sottostanti. Eric era particolarmente spiritoso e ricco d'inventiva, e una volta che ci serviva un filo a piombo per avere l'esatta verticale, ma non sapevamo come sospenderlo, staccò dalla base di una roccia una patella, assicurò ad essa l'estremità del filo a piombo, e poi la riattaccò saldamente in cima alla roccia servendosene come di una puntina da disegno naturale.

Eric, Jonathan e io adottammo alcuni gruppi zoologici: Eric si innamorò dei cetrioli di mare, le oloturie; Jonathan dei policheti, vermi iridescenti dotati di setole; e io di calamari, seppie, polpi – cefalopodi insomma: i più intelligenti e, secondo me, i più belli di tutti gli invertebrati. Un giorno scendemmo tutti insieme lungo la costa fino ad Hythe, nel Kent, dove i genitori di Jonathan avevano preso una casa per l'estate, e uscimmo su un peschereccio per una giornata di pesca. I pescatori, di solito, ributtavano in mare le seppie che finivano nelle reti (in Inghilterra non erano un cibo diffuso). Ma io, fanaticamente, insistetti affinché me le tenessero da parte; al momento di rientrare, sul ponte ce ne saranno state decine. Le portammo a casa – tutte – in secchi e tinozze; le mettemmo in grandi barattoli giù nel seminterrato e aggiungemmo un poco di alcol per conservarle. I genitori di Jonathan erano via, e quindi non avemmo esitazioni. Avremmo fatto in modo di presentarle al nostro professore – già vedevamo il suo sorriso sbalordito – così tutti i compagni avrebbero avuto il loro bravo cefalopode da dissezionare; e per gli appassionati ce ne sarebbero state anche due o tre. Io stesso avrei tenuto una piccola conferenza sulle seppie al Field Club, dilungandomi sulla loro intelligenza e il loro grande cervello, e sui loro occhi dotati di una retina con i fotorecettori orientati verso la luce; e ancora, sulla loro colorazione, rapidamente cangiante.

Qualche giorno dopo, proprio quando i genitori di Jonathan erano in procinto di tornare, sentimmo dei colpi sordi provenienti dal seminterrato; scendemmo e ci trovammo di fronte a una scena grottesca: i nostri esemplari, fissati in modo inadeguato, si erano putrefatti e avevano fermentato, e i gas così prodotti avevano fatto esplodere i recipienti, scagliando masse di seppie sui muri e sul pavimento; c'erano frammenti di seppia perfino attaccati al soffitto. Il tanfo della putrefazione era spaventoso, spaventoso in modo inimmaginabile. Facemmo del nostro meglio per grattar via dalle pareti le masse di seppie che vi si erano incollate nell'impatto. Annaffiammo il seminterrato con la canna dell'acqua, proteggendoci il naso con un fazzoletto, ma il fetore non voleva andarsene, e quando aprimmo porte e finestre per arieggiare il locale, si estese anche fuori dalla casa, come una sorta di miasma, per una cinquantina di metri in tutte le direzioni.

Eric, sempre ingegnoso, suggerì di mascherare il puzzo, sostituendolo con un odore magari più forte ma piacevole: un'essenza di cocco sarebbe andata benissimo. Messe insieme le nostre risorse, ne acquistammo un bottiglione per irrigare il seminterrato e innaffiare generosamente il resto della casa e il giardino.

I genitori di Jonathan arrivarono un'ora dopo e, avvicinandosi alla casa, furono investiti da un soffocante profumo di cocco. Ma quando si fecero più vicini, entrarono in una zona dominata dal fetore delle seppie putrefatte: i due odori, i due vapori, per qualche strano motivo, si erano organizzati distribuendosi a zone alterne dell'ampiezza di circa un metro e mezzo-due metri. Quando giunsero sul luogo del delitto – il seminterrato – il tanfo era tale che non lo si poteva reggere più di qualche secondo. In seguito a quell'episodio cademmo in disgrazia tutti e tre, ma soprattutto io, perché l'incidente era frutto del mio fanatismo (non sarebbe bastata una seppia sola?) e anche della mia incompetenza nel non capire quanto alcol sarebbe occorso. I genitori di Jonathan dovettero abbreviare la vacanza e lasciare la casa (la quale, sapemmo, rimase inagibile per mesi). Il mio amore per le seppie, comunque, ne uscì intatto.

Forse tutta la storia aveva una spiegazione chimica, oltre che biologica; le seppie (come molti altri molluschi e crostacei) hanno infatti sangue blu, non rosso, in quanto hanno evoluto un sistema di trasporto dell'ossigeno completamente diverso da quello di noi vertebrati. Mentre il nostro pigmento respiratorio, l'emoglobina, è rosso e contiene ferro, il loro, l'emocianina, è verde-azzurro e contiene rame. Sia il ferro che il rame hanno un eccellente potenziale di riduzione: possono legare facilmente l'ossigeno, passando a uno stato di ossidazione superiore, e poi liberarlo, riducendosi, al momento opportuno. Mi chiedevo se gli elementi vicini al ferro e al rame nella tavola periodica (alcuni dei quali avevano potenziali redox anche maggiori) non fossero mai stati sfruttati come pigmenti respiratori; mi eccitò moltissimo venire a sapere che certe ascidie, i tunicati, erano estremamente ricchi di vanadio, e avevano cellule speciali, i vanadociti, specificamente destinate a immagazzinarlo. Perché i tunicati avessero quelle cellule era un mistero, giacché esse non sembravano far parte di un sistema di trasporto dell'ossigeno. Nella mia presunzione, pensavo, assurdamente, che sarei venuto a capo del mistero in una delle nostre escursioni annuali a Millport. Tuttavia, non mi spinsi oltre la raccolta di un gran secchio di ascidie (la stessa bramosia, la stessa mancanza di misura, che mi aveva indotto a fare incetta di seppie). Progettavo di incenerirle, e misurare poi nelle ceneri il contenuto di vanadio (avevo letto che in alcune specie poteva superare il 40 per cento). E ciò mi fece balenare l'unica idea commerciale della mia vita: aprire un impianto per la produzione di vanadio – acri di fitoplancton, seminati di ascidie. Esse avrebbero estratto per me il prezioso vanadio dall'acqua di mare, proprio come facevano da 300 milioni di anni, e io l'avrei rivenduto a 500 sterline la tonnellata. Il solo problema – mi resi conto nel contemplare sbalordito i miei pensieri di genocidio – sarebbe stato il vero e proprio olocausto di ascidie richiesto dall'operazione.

Il mondo organico, con tutta la sua complessità, stava entrando nella mia vita, mi stava trasformando, nelle roccaforti del mio stesso corpo. All'improvviso, cominciai a crescere rapidamente; iniziarono a spuntarmi peli sul volto, sotto le ascelle, intorno ai genitali; e la mia voce – ancora limpida e acuta quando cantavo l'*haftorah* – ora si rompeva, producendosi in erratici cambiamenti di tono. A scuola, nelle ore di biologia, sviluppai un improvviso, intenso interesse per la sessualità di piante e animali, in particolare quelli «inferiori», gli invertebrati e le gimnosperme. Trovavo affascinante la sessualità delle cicadi e dei ginkgo, quel loro conservare spermatozoi mobili, come le felci, pur sviluppando grossi semi ben protetti. E i cefalopodi, i calamari, erano ancor più interessanti: i maschi infilavano un braccio modificato, che portava le spermatofore, nella cavità del mantello della femmina. Ero ancora molto lontano dalla sessualità umana – dalla mia sessualità – ma la vedevo ormai come un argomento estremamente appassionante; a modo suo, era interessante come la valenza o la periodicità.

Per quanto fossimo innamorati della biologia, non riuscivamo a essere monomaniacali come il signor Pask: eravamo soggetti ai richiami della giovinezza, dell'adolescenza; e in noi c'era l'energia di menti desiderose di esplorare in tutte le direzioni, non ancora pronte a vincolarsi.

Per quattro anni, le mie inclinazioni erano state prevalentemente scientifiche; una passione per l'ordine e la bellezza formale mi aveva attirato verso la tavola periodica e gli atomi di Dalton. L'atomo quantistico di Bohr mi era parso una cosa celestiale, quasi che fosse stato creato così perfetto in previsione di una durata eterna. A volte provavo una sorta di estasi di fronte all'ordine razionale, alla formale armonia dell'Universo. Ora, con l'affermarsi di altri interessi, avvertivo anche il sentimento opposto, una sorta di vuoto o di aridità interiore, perché ormai la bellezza e l'amore per la scienza non mi bastavano, ed ero affamato di ciò che era umano, personale.

Fu soprattutto la musica a tirar fuori questa fame, e a placarla; la musica a farmi tremare, o desiderare di piangere, o gridare; la musica, che sembrava penetrarmi nel profondo, far leva sulla mia condizione – sebbene non potessi dire di che si trattasse, perché mi colpisse in quel modo. Mozart, soprattutto, evocava sentimenti di un'intensità quasi insostenibile la cui definizione, però, era al di là della mia portata e forse andava oltre il potere delle parole.

La poesia divenne importante in un modo nuovo, personale. A scuola avevamo «fatto» Milton e Pope, ma ora cominciai a scoprirli per conto mio. C'erano, in Pope, versi di una dolcezza da togliere il fiato – «*Die of a rose in aromatic pain*» – che continuavo a sussurrare a me stesso, finché mi trasportavano in un altro mondo.

Jonathan, Eric e io eravamo cresciuti con l'amore per i libri e la letteratura: la madre di Jonathan scriveva romanzi e biografie; Eric, il più precoce di noi, leggeva poesie da quando aveva otto anni. Le mie letture tendevano di più alla storia e alle biografie, soprattutto alle narrazioni personali e ai diari. (A quell'epoca cominciai anch'io a tenere un diario). Eric e Jonathan mi introdussero a una gamma più ampia di autori: Jonathan iniziandomi a Selma Lagerlöf e a Proust (io avevo sentito parlare solo di Joseph-Louis Proust, il chimico, non di Marcel) ed Eric a T.S. Eliot, la cui poesia, secondo lui, era più grande di quella di Shakespeare. E fu Eric a portarmi al Cosmo Restaurant in Finchley Road, dove davanti a un tè al limone e a uno strudel ascoltavamo

un giovane poeta, studente di medicina, Dannie
Abse, recitare le poesie che aveva appena scritto.

Sfrontatamente, noi tre decidemmo di fondare
una Società Letteraria a scuola; ce n'era già una,
questo è vero – la Milton Society – ma era pressoché
agonizzante da anni. Jonathan sarebbe stato il nostro segretario, Eric il tesoriere e io (sebbene mi
sentissi il più ignorante dei tre, e anche il più timido) il presidente.

Indicemmo una prima riunione per esplorare la
situazione, e si presentò un gruppo di curiosi. C'era
un gran desiderio di invitare oratori esterni a parlare per noi – poeti, drammaturghi, romanzieri, gior-
nalisti – e toccò a me, come presidente, invogliarli
ad accettare. Un numero sbalorditivo di scrittori
venne effettivamente ai nostri incontri, attirati (immagino) dall'assoluta eccentricità degli inviti, da
quel loro assurdo miscuglio di accenti infantili e
adulti, e dall'idea, forse, di una folla di ragazzini entusiasti che avevano davvero letto alcune delle loro
opere ed erano tutti eccitati all'idea di incontrarli.
Il colpo più grosso sarebbe stato Bernard Shaw; mi
mandò una bellissima cartolina, scritta con mano
incerta, dicendo che gli sarebbe piaciuto moltissimo venire, ma era troppo vecchio per viaggiare (al-
l'epoca aveva novantadue anni e una salute vacillan-
te). Grazie agli oratori che invitavamo e alle accesis-
sime discussioni che seguivano, diventammo molto
popolari; a volte, ai nostri incontri settimanali si
presentavano cinquanta o settanta ragazzini, di gran
lunga molti di più di quanti si fossero mai visti alle
soporifere riunioni della Milton Society. E poi pub-
blicavamo il «Prickly Pear», una rivista mimeografa-
ta in inchiostro color porpora, piena di sbavature,
comprendente pezzi scritti dagli studenti, a volte da
uno dei professori e, molto sporadicamente, da
scrittori esterni, scrittori «veri».

Ma il nostro stesso successo, e forse anche altri

pensieri, mai esplicitamente espressi – e cioè che ci stessimo prendendo gioco dell'autorità, che nutrissimo intenti sovversivi, che avessimo «ucciso» la Milton Society (che per reazione adesso aveva sospeso del tutto i suoi incontri, peraltro mai troppo frequenti), come pure il fatto che fossimo una banda di ragazzini ebrei impertinenti, rumorosi e svegli che andavano rimessi al loro posto – ebbene, tutto questo portò alla nostra rovina. Un giorno il preside mi mandò a chiamare e senza tanti complimenti mi disse: «Sacks, siete sciolti».

«Che cosa intende, signore?» farfugliai. «Lei non può "scioglierci" così».

«Sacks, io posso fare quello che voglio. La vostra Società Letteraria è sciolta da questo momento».

«Ma perché, signore?» chiesi. «Quali sono le sue motivazioni?».

«Non sono tenuto a renderne conto a te, Sacks. Non devo avere motivazioni. Ora puoi andare, Sacks. Non esistete. Non esistete più». E con questo schioccò le dita – licenziandoci e annientandoci con un gesto – e tornò al suo lavoro.

Portai la notizia a Eric e Jonathan, e ad altri che erano stati membri della nostra società. Eravamo offesi e sconcertati, ma ci sentivamo completamente inermi. Il preside aveva l'autorità, il potere assoluto, e non c'era nulla che potessimo fare per resistere o per opporci a lui.

Cannery Row fu publicato nel 1945 o nel 1946, e io devo averlo letto quasi subito – forse nel 1948, quando già facevo biologia a scuola e la biologia marina era andata ad aggiungersi alla lista dei miei interessi. Mi piaceva il personaggio di Doc, la sua ricerca del piccolo polpo nelle pozze di marea vicino a Monterey, il suo bere frappé alla birra con i ragazzi, l'idilliaca serenità e dolcezza della sua vita. Pensavo che anche a me sarebbe piaciuta una vita come la sua, vivere in una California magica, mitica (che per me, con i film western, era già una terra della fantasia). Mentre entravo nell'adolescenza, l'America era sempre più nei miei pensieri – era stato il nostro grande alleato durante la guerra; il suo potere, le sue risorse, erano quasi illimitati. Non aveva forse fabbricato la prima bomba atomica del mondo? I soldati americani in licenza camminavano per le strade di Londra e i loro gesti, il loro modo di parlare, sembravano esprimere una fiducia in se stessi, una nonchalance e una tranquillità che per noi, dopo sei anni di guerra, erano quasi inimmaginabili. La rivista «Life», nei suoi grandi articoli a tutta pagina, mostrava montagne, canyon, deserti, paesaggi di una spaziosità e di una magnificenza superiori a qualsiasi cosa potesse trovarsi in Europa – senza contare le città americane piene di gente sorridente, traboccante di entusiasmo e ben nutrita, con le case splendenti, i negozi pieni, intenti a godersi una vita d'una ricchezza e di un'allegria impensabili per noi, ancora alle prese con i rigidi razionamenti e la consapevolezza della miseria degli anni di guerra. A questo quadro affascinante di serenità d'oltreoceano, a questa spontaneità e a questo splendore amplificati, musical come *Annie Get Your Gun* e *Oklahoma* non facevano che aggiungere un'ulteriore forza mitopoietica. Fu in quell'atmosfera di romantica espansione che *Cannery Row* e (nonostante la sua sdolcinatezza) il suo seguito, *Sweet Thursday*, ebbero un tale impatto su di me.

Se mai (ai tempi di St. Lawrence) avevo a volte immaginato di avere un passato leggendario, ora cominciavo ad avere fantasie sul futuro, a vedere me stesso come scienziato o naturalista sulle coste o nel vasto entroterra americano. Lessi le descrizioni del viaggio di Lewis e Clark, lessi Emerson e Thoreau; e soprattutto, lessi John Muir. Mi innamorai dei paesaggi sublimi e romantici di Albert Bierstadt e delle splendide, sensuali fotografie di Ansel Adams (a volte fantasticavo di diventare io stesso un fotografo paesaggista).

Quando ebbi sedici o diciassette anni, ormai profondamente innamorato della biologia marina, scrissi ai laboratori di biologia marina di tutti gli Stati Uniti: a Woods Hole, nel Massachusetts; allo Scripps Institute di La Jolla; al Golden Gate Aquarium di San Francisco; e naturalmente al Cannery Row di Monterey (ormai sapevo che «Doc» era una persona reale, Ed Ricketts). Credo d'aver ricevuto risposte gentili da tutti; pur accogliendo come i benvenuti il mio interesse e il mio entusiasmo, i miei interlocutori indicavano tuttavia molto chiaramente la necessità di una qualifica reale, e mi invitavano a ricontattarli quando avessi conseguito una laurea in biologia (dieci anni dopo, però, quando finalmente andai in California, non fu nei panni di biologo marino, ma in quelli di neurologo).

XXIII
IL MONDO LIBERATO

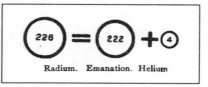

Radium. Emanation. Helium

Pierre e Marie Curie avevano notato fin dall'inizio che le loro sostanze radioattive avevano lo strano potere di «indurre» la radioattività nelle proprie vicinanze. Essi trovarono questo fenomeno al tempo stesso interessante e fastidioso, in quando la contaminazione delle apparecchiature rendeva pressoché impossibile misurare la radioattività dei campioni:

«I diversi oggetti usati nel laboratorio di chimica» scriveva Marie nella sua tesi «... acquistano subito la radioattività. Le particelle di polvere, l'aria della stanza, i vestiti, tutto diventa radioattivo. L'aria della stanza diventa un conduttore. Nel nostro laboratorio il problema è diventato serissimo, e non abbiamo più alcun apparecchio isolato correttamente».[1]

Nel leggere questo passo, pensai alla nostra casa e a quella di zio Abe, e mi chiedevo se anch'esse, in misura minore, fossero diventate radioattive – se i quadranti degli orologi di zio Abe, trattati con la vernice al radio, non stessero inducendo la radioattività in tutto quanto stava loro intorno, riempiendo silenziosamente l'aria di raggi penetranti.

In un primo tempo, i coniugi Curie (come anche Becquerel) furono inclini ad attribuire questa «radioattività indotta» a qualcosa di immateriale, o a considerarla come un fenomeno di «risonanza», forse analogo alla fosforescenza o alla fluorescenza. D'altra parte, c'erano anche delle indicazioni di un'emissione materiale. Già nel 1897, avevano scoperto che tenendo del torio in una bottiglia a chiusura ermetica, la sua radioattività aumentava, per tornare al livello precedente non appena il recipiente veniva aperto. I Curie non approfondirono questa osservazione, e fu Ernest Rutherford a comprenderne per primo la straordinaria implicazione, e cioè che entrava in essere una nuova sostanza, generata dal torio e di gran lunga più radioattiva di esso.

Rutherford si avvalse dell'aiuto del giovane chimico Frederick Soddy, e insieme riuscirono a dimostrare che l'«emanazione» del torio era in realtà una sostanza materiale, un gas, che poteva essere isolato. Era possibile anche liquefarlo, quasi con la stessa facilità del cloro, ma non reagiva con alcun reagente chimico; era inerte come l'argon e gli altri gas inerti appena scoperti. A questo punto Soddy pensò potesse trattarsi di argon e, come scrisse in seguito, fu «sopraffatto da qualcosa di più grande della gioia – non mi riesce di esprimerlo molto bene – una specie di esaltazione ... Ricordo benissimo che me ne stavo in piedi, pietrificato, come stordito dal colossale impatto della cosa, e mi sfuggì di bocca – così perlomeno mi parve, la frase: "Rutherford, questa è trasmutazione, il torio si sta disintegrando e trasmutando in gas argon".

«La replica di Rutherford fu, come sempre, attenta alle conseguenze pratiche: "Per carità, Soddy, non chiamarla *trasmutazione*. Altrimenti ci taglieranno la testa come alchimisti"».

Il nuovo gas, però, non era argon; era un elemento nuovo di zecca, invece, con un suo spettro esclusivo di linee luminose. Diffondeva molto lentamente ed era straordinariamente denso: 111 volte più denso dell'idrogeno, contro le sole 20 volte dell'argon. Supponendo che la molecola del nuovo gas fosse monoatomica, come gli altri gas inerti, il suo peso atomico doveva essere di 222. Si trattava pertanto dell'elemento più pesante, e anche dell'ultimo, nella serie dei gas inerti, il membro finale del Gruppo 0 di Mendeleev. Rutherford e Soddy lo chiamarono provvisoriamente «thoron» o «Emanazione».

Il thoron svaniva rapidamente – dopo un minuto ce n'era la metà, dopo due minuti la quarta parte, e in capo a dieci minuti non era più rilevabile. Proprio la rapidità del suo decadimento (e la comparsa, al suo posto, di un deposito radioattivo) consentì a Rutherford e a Soddy di cogliere ciò che per l'uranio o il radio non era stato chiaro – che effettivamente gli atomi degli elementi radioattivi andavano incontro a una disintegrazione continua, nel corso della quale si trasformavano in altri atomi.

Ogni elemento radioattivo, essi scoprirono, aveva la sua velocità di decadimento caratteristica, la sua «emivita». L'emivita di un elemento poteva essere stabilita con grandissima precisione: quella di un isotopo del radon, per esempio, poté essere calcolata in 3,8235 giorni. La vita di un singolo atomo individuale, però, non poteva essere assolutamente prevista. Questo pensiero mi sconcertava sempre di più, e continuavo a rileggere le parole di Soddy:

«A ogni istante, la probabilità che un atomo si disintegri o no in un particolare secondo è *fissa*. Essa non ha nulla a che fare con qualsiasi considerazione esterna o interna, e in particolare *non* è aumentata dal fatto che l'atomo sia già sopravvissuto, in passato, per un qualsiasi periodo di tempo ... Tutto quello che possiamo dire è che la causa immediata della disintegrazione atomica sembra imputabile al caso».

Sembrava dunque che la longevità di un singolo atomo individuale potesse variare da zero all'infinito, e che nulla consentisse di distinguere un atomo «in procinto» di disintegrarsi da uno che avesse ancora un miliardo di anni di fronte a sé.

Trovavo profondamente misterioso e sconcertante che un atomo potesse disintegrarsi in qualsiasi momento, senza un «motivo». Tutto questo sembrava allontanare la radioattività dal dominio della continuità o del processo, dall'universo intelligibile e causale – alludendo a un regno in cui le leggi di tipo classico non significavano più nulla.

L'emivita del radio era molto più lunga di quella della sua emanazione, il radon: circa 1600 anni. E d'altra parte era ancora breve se paragonata all'età della Terra; ma perché, allora, se il radio decadeva costantemente, non era scomparso dalla faccia della Terra molto tempo fa? La risposta – come Rutherford dedusse e fu ben presto in grado di dimostrare – era che il radio stesso veniva generato da elementi con un'emivita molto più lunga, un'intera serie di sostanze che egli ricostruì fino all'elemento capostipite: l'uranio. L'uranio, dal canto suo, aveva un'emivita di quattro miliardi e mezzo di anni, approssimativamente l'età della Terra. Altre cascate di elementi radioattivi furono ricavate dal torio, la cui emivita era addirittura più lunga di quella dell'uranio. In termini di energia atomica, pertanto, la Terra stava ancora sfruttando l'uranio e il torio presenti su di essa all'epoca della sua formazione.

Queste scoperte ebbero un impatto decisivo su un annoso dibattito riguardante l'età della Terra. Il grande Lord Kelvin, pochi anni dopo la pubblicazione (nel 1859) dell'*Origine delle specie*, aveva sostenuto che – considerando la sua velocità di raffred-

damento, e assumendo che non esistesse altra fonte
di calore oltre al Sole – la Terra non dovesse avere
più di venti milioni di anni, e che nell'arco di altri
cinque sarebbe diventata troppo fredda per sostenere la vita. Questo calcolo non era solo una fonte di
sgomento di per sé; era anche impossibile da ricon-
ciliare con la documentazione fossile, stando alla
quale la vita era presente sulla Terra da centinaia di
milioni di anni. Ciò nondimeno, sembrava non ci
fosse modo di confutarlo, e Darwin ne fu profondamente disturbato.

Solo con la scoperta della radioattività l'enigma
poté essere risolto. Si diceva che il giovane Rutherford, affrontando nervosamente il famoso Lord
Kelvin – ormai ottantenne –, avesse suggerito che i
suoi calcoli fossero fondati su una premessa sbagliata. Oltre al Sole, disse Rutherford, *esisteva* un'altra fonte di calore, una fonte che per la Terra era
importantissima. Gli elementi radioattivi (principalmente l'uranio, il torio e i loro prodotti di decadimento, ma anche l'isotopo radioattivo del potassio) erano serviti a mantenere calda la Terra per
miliardi di anni e a proteggerla dalla prematura
morte termica prevista da Kelvin. Rutherford aveva
in mano un pezzo di pechblenda, della quale aveva
stimato l'età in base al contenuto di elio. *Quel* frammento della Terra, disse, aveva almeno 500 milioni
di anni.

Rutherford e Soddy riuscirono infine a delineare
tre cascate radioattive distinte, ciascuna contenente
all'incirca una decina di prodotti di decadimento
che emanavano dalla disintegrazione degli elementi parentali originali. Era possibile che tutti quei
prodotti di decadimento fossero elementi diversi?
Nella tavola periodica, fra il bismuto e il torio, non
c'era spazio per altri trentasei elementi – forse se ne
sarebbe potuta collocare una dozzina, ma non di

più. Solo gradualmente si capì che molti di quegli elementi non erano altro che diverse versioni gli uni degli altri; sebbene avessero emivite molto diverse, le emanazioni, ad esempio, del radio, del torio e dell'attinio erano chimicamente identiche: si trattava sempre dello stesso elemento, seppure con un peso atomico leggermente diverso. (In seguito Soddy denominò queste versioni dello stesso elemento «isotopi»). E il punto d'arrivo di ciascuna serie era simile: il radio G, l'attinio E e il torio E – così venivano chiamati – erano tutti isotopi del piombo.

Ogni sostanza che partecipava a queste cascate aveva, in termini di radioattività, una propria identità esclusiva – un'emivita fissa e invariabile e una caratteristica emissione di radiazioni; fu proprio questo a permettere a Rutherford e a Soddy di classificarli e di fondare la nuova scienza della radiochimica.

L'ipotesi della disintegrazione atomica, che Marie Curie aveva formulato in un primo tempo per poi ritrarsene, non poteva più essere negata. Ormai era evidente che ogni sostanza radioattiva si disintegrava nell'atto stesso di emettere energia trasformandosi in un altro elemento: in altre parole, al cuore della radioattività c'era un fenomeno di trasmutazione.

In parte, la chimica mi piaceva anche perché era una scienza delle trasformazioni e studiava innumerevoli composti basati su qualche decina di elementi fissi, invarianti ed eterni. Per me era essenziale, dal punto di vista psicologico, la percezione della stabilità e dell'invarianza degli elementi: li sentivo come punti fermi, come ancore, in un mondo instabile. Ma ora, con la radioattività, arrivavano trasformazioni davvero incredibili. Quale chimico avrebbe mai potuto concepire che dall'uranio, un metallo duro che ricordava il tungsteno, potessero scaturire un metallo alcalino-terroso come il radio; un gas inerte come il radon; un elemento come il polonio simile al tellurio; forme radioattive di bismuto e di tallio; e, infine, il piombo; in altre parole, rappresentanti di quasi tutti i gruppi della tavola periodica?

Nessun chimico avrebbe mai concepito una cosa simile (un alchimista sì) perché quel tipo di trasformazione si collocava al di fuori della sfera della chimica. Nessun processo chimico, nessuna aggressione chimica, avrebbero mai potuto alterare l'identità di un elemento, e questo valeva anche per gli elementi radioattivi. Il radio, dal punto di vista chimico, si comportava in modo simile al bario; la sua radioattività era una proprietà del tutto diversa, assolutamente non correlata alle sue proprietà chimiche o fisiche. La radioattività era un'aggiunta meravigliosa (o terribile), una proprietà completamente diversa (e che a volte mi infastidiva, perché mi piaceva la densità dell'uranio metallico, così simile a quella del tungsteno, e poi la fluorescenza e la bellezza dei suoi minerali e dei suoi sali, ma capivo che non avrei potuto maneggiarlo a lungo in condizioni di sicurezza; allo stesso modo mi faceva infuriare l'intensa radioattività del radon, che altrimenti sarebbe stato un gas pesante ideale).

La radioattività non alterava le realtà della chimica, o il concetto di elemento; non scuoteva l'idea della loro stabilità e della loro identità. Ciò che faceva, invece, era di alludere all'esistenza di due regni nell'atomo: uno relativamente superficiale e accessibile che governava la reattività e la combinazione chimica, e un altro più profondo – inaccessibile a tutti i consueti agenti chimici e fisici e alle loro energie relativamente basse – in cui qualsiasi trasformazione produceva un fondamentale cambiamento di identità.

Zio Abe aveva a casa sua uno «spintariscopio», proprio come quelli pubblicizzati sulla copertina della tesi di Marie Curie. Era uno strumento di una semplicità stupenda, che consisteva di uno schermo fluorescente e di un oculare, e conteneva all'interno una quantità infinitesima di radio. Guardando attraverso l'oculare, si potevano vedere decine di scintillazioni al secondo. Quando zio Abe me lo porse, e io me lo portai all'occhio, trovai lo spettacolo incantevole, magico; era come assistere a una pioggia ininterrotta di meteore o stelle cadenti.

Gli spintariscopi, venduti a pochi scellini, erano giocattoli scientifici all'ultima moda nei salotti edoardiani – un'aggiunta nuova ed esclusiva del ventesimo secolo, che s'affiancava agli stereoscopi e ai tubi Geissler ereditati dai tempi vittoriani. Ma se è vero che fecero la loro comparsa come una sorta di giocattolo, ben presto ci si rese conto che dimostravano qualcosa di fondamentalmente importante, giacché le minuscole scintille, o scintillazioni, provenivano dalla disintegrazione di singoli atomi di radio, dalle singole particelle alfa che ciascuno di essi emetteva al momento dell'esplosione. Nessuno avrebbe potuto immaginare, mi disse zio Abe, che saremmo mai stati in grado di vedere l'effetto di singoli atomi, e meno che mai di poterli contare individualmente.

«Qui c'è meno di un milionesimo di milligrammo di radio, e tuttavia, sulla piccola area dello schermo, hanno luogo decine di scintillazioni al secondo. Pensa un po' quante sarebbero se avessimo un grammo di radio, una quantità un miliardo di volte più grande».

«Cento miliardi» calcolai io.

«Ci sei andato vicino» disse zio Abe. «Centotrentasei miliardi, per essere precisi; il numero non varia mai. Ogni secondo, in un grammo di radio si disintegrano centotrentasei miliardi di atomi, e se pensi che tutto questo va avanti per migliaia di anni, puoi farti un'idea di quanti atomi siano contenuti in un solo grammo di radio».

Gli esperimenti condotti al volgere del secolo avevano dimostrato che il radio emetteva non solo raggi alfa, ma anche diversi altri tipi di radiazione. La maggior parte dei fenomeni radioattivi poteva essere attribuita a questi diversi tipi di raggi: la capacità di ionizzare l'aria era in particolar modo una prerogativa dei raggi alfa, mentre quella di stimolare la fluorescenza o di impressionare le lastre fotografiche era più pronunciata con i raggi beta. Ogni elemento radioattivo aveva le sue emissioni caratteristiche: le preparazioni di radio, per esempio, emettevano sia raggi alfa sia raggi beta, mentre quelle di polonio emettevano solo raggi alfa. L'uranio impressionava le lastre fotografiche più rapidamente del torio, ma il torio era più potente quando si trattava di scaricare un elettroscopio.

Le particelle alfa emesse dal decadimento radioattivo (in seguito emerse che si trattava di nuclei di elio) erano caricate positivamente e dotate di una massa relativamente elevata – migliaia di volte superiore a quella delle particelle beta, gli elettroni – e percorrevano, senza deviazioni, traiettorie rettilinee attraversando la materia, ignorandola, senza alcun fenomeno di dispersione o deflessione (sebbene, nel processo, potessero perdere un poco della loro velocità). Perlomeno, sembrava che le cose stessero così, sebbene, nel 1906, Rutherford avesse osservato che potevano aver luogo, sporadicamente, leggere deflessioni. Altri ignorarono questo dato, ma agli occhi di Rutherford si trattava di osservazioni gravide di possibili significati. Le particelle alfa non sarebbero forse state proiettili ideali – proiettili di dimensioni atomiche – con i quali bombardare altri atomi e sondarne la struttura? Chiese allora al suo giovane assistente Hans Geiger e a uno studente, Ernest Marsden, di allestire un esperimento di scintillazione usando schermi di sottili lamine metalliche, in modo che si potesse tenere il conto di ogni singola particella alfa che le bombardasse. Dirigendo le particelle alfa su una sottile lamina d'oro, all'incirca una particella su ottomila andava incontro a una deflessione importante: maggiore di 90°, a volte addirittura di 180°. In seguito, Rutherford dirà: «Era in assoluto l'evento più incredibile che mi fosse mai capitato. Incredibile come sparare un proiettile da quindici pollici contro un foglio di carta e vederselo rimbalzare contro».

Rutherford rifletté per quasi un anno su questi curiosi risultati; poi, un giorno, Geiger scrisse: «Entrò nella mia stanza, evidentemente di ottimo umore, e mi disse che sapeva com'erano fatti gli atomi e che cosa significassero quegli strani fenomeni di dispersione».

Rutherford aveva capito che gli atomi non potevano essere una gelatina omogenea di positività con gli elettroni infilati dentro a mo' di uvetta (come aveva suggerito J.J. Thomson nel suo modello atomico del *plum pudding*); in tal caso, infatti, le particelle alfa li avrebbero sempre attraversati. Data la grande energia e la carica delle particelle alfa, si poteva presumere che, sporadicamente, esse sarebbero state deflesse da qualcosa dotato di una carica positiva superiore alla loro. E d'altra parte, ciò accadeva solo a una particella su ottomila. Le altre 7999 potevano trapassare la lamina sfrecciando come proiettili, senza subire alcuna deflessione, quasi che la maggior parte degli atomi di oro fosse costituita da spazio vuoto; una su ottomila, però, veniva bloccata, e tornava indietro come una pallina da tennis che avesse colpito una sfera di solido tungsteno. La massa dell'atomo di oro, dedusse Rutherford, doveva essere concentrata al centro, in uno spazio piccolissimo, difficile da centrare, sotto forma di un nucleo di densità quasi inconcepibile. L'atomo, egli propose, doveva consistere in larghissima misura di spazio vuoto, con un nucleo denso e positivamente carico che rendeva conto solo di un centomillesimo del suo diametro, e un numero relativamente basso di elettroni, carichi negativamente, in orbita intorno a quel nucleo: a tutti gli effetti, un sistema solare in miniatura.

Gli esperimenti di Rutherford, il suo modello nucleare dell'atomo, offrirono una base strutturale per spiegare le enormi differenze fra i processi radioattivi e quelli chimici – in termini di energie coinvolte, differenze di milioni di volte. (Per sottolineare questo fatto, Soddy, nelle sue conferenze divulgative, teneva in mano un recipiente di ossido di uranio da una libbra: lì dentro, diceva, c'era l'energia di centosessanta tonnellate di carbone).

La trasformazione chimica o la ionizzazione implicavano l'aggiunta o la sottrazione di uno o due elettroni, e questo richiedeva solo un'energia modesta, pari a due o tre elettronvolt, che poteva essere prodotta facilmente: da una reazione chimica, dal calore, dalla luce o da una semplice batteria da 3 volt. I processi radioattivi coinvolgevano i nuclei degli atomi, e poiché questi ultimi erano tenuti insieme da forze di gran lunga superiori, la loro disintegrazione liberava energie molto maggiori, nell'ordine di alcuni milioni di elettronvolt.

Soddy coniò il termine *energia atomica* subito dopo gli inizi del ventesimo secolo, almeno dieci anni prima della scoperta del nucleo. Nessuno sapeva – né era mai riuscito, neppur lontanamente, a formulare in proposito un'ipotesi verosimile – come facessero, il Sole e le stelle, a irradiare tanta energia e a continuare a farlo per milioni di anni. L'energia chimica sarebbe stata risibilmente inadeguata allo scopo: un Sole fatto di carbone si sarebbe estinto, bruciando, in diecimila anni. La radioattività e l'energia atomica potevano forse offrire una risposta?

«Supponendo» scriveva Soddy «che il nostro Sole ... fosse fatto di radio puro ... non vi sarebbe alcuna difficoltà a render conto della sua emissione di
energia». Soddy si chiedeva se la trasmutazione che
aveva luogo spontaneamente nelle sostanze radioattive non potesse venir prodotta artificialmente.[2]
Questo pensiero lo spinse a vette estatiche, profeti-
che, quasi mistiche:

«Il radio ci ha insegnato che non c'è limite alla
quantità di energia presente nel mondo ... Una razza capace di trasmutare la materia avrebbe ben poco bisogno di guadagnarsi il pane col sudore della
fronte ... Una razza di tal guisa potrebbe trasformare un continente deserto, sciogliere il gelo dei poli,
e fare di tutto il mondo un Eden sorridente ... Si sono aperte prospettive interamente nuove. Il patri-
monio dell'uomo è aumentato, le sue aspirazioni si
sono elevate e il suo destino è stato nobilitato in una
tal misura da spingersi oltre la nostra attuale capacità di previsione ... Un giorno egli conquisterà il
potere di regolare ai propri fini le fonti primarie di
energia che oggi la Natura conserva tanto gelosa-
mente per il futuro».

Lessi il libro di Soddy, *The Interpretation of Radium*,
nell'ultimo anno di guerra, e rimasi stregato dalla
sua visione di un'energia, di una luce, infinite. Le
inebrianti parole di Soddy mi trasmisero un senso
di esaltazione, il senso del potere e della redenzione
che aveva accompagnato la scoperta del radio e della radioattività ai primi del secolo.

E d'altra parte, insieme a tutto questo, Soddy
parlò anche di possibilità oscure. A ben vedere, egli
le aveva avute ben presenti sin da quando, nel 1903,
aveva inventato l'espressione *energia atomica*, parlando della Terra come di «un magazzino zeppo di
esplosivi inconcepibilmente più potenti di tutti
quelli che conosciamo». Questa osservazione riecheggiava spesso nel suo libro, e fu la potente visio-

ne di Soddy a ispirare H.G. Wells inducendolo a tornare allo stile fantascientifico di un tempo e a pubblicare, nel 1914, *La liberazione del mondo* (che Wells dedicò a *The Interpretation of Radium*). Qui Wells immaginava un nuovo elemento radioattivo, denominato carolino, che liberava energia in quella che pareva quasi una reazione a catena:[3]

«Prima d'allora, in guerra, bombe e razzi erano sempre stati solo temporaneamente esplosivi, deflagravano in un istante, una volta per tutte ... Ma il carolino ... una volta che il suo processo degenerativo era innescato, continuava a irradiare furiosamente energia, e non c'era nulla che potesse arrestarlo».

Nell'agosto del 1945, quando sentimmo le notizie di Hiroshima, pensai alle profezie di Soddy e Wells. I miei sentimenti sulla bomba erano stranamente contrastanti. La nostra guerra, dopo tutto, era finita, avevamo avuto il giorno della vittoria; a differenza degli americani, non avevamo patito una Pearl Harbor e, a parte le campagne in Malesia e in Birmania, non avevano affrontato direttamente i giapponesi in battaglia. Il bombardamento atomico sembrava, per certi versi, una sorta di spaventoso post-scriptum, una dimostrazione tremenda della quale, forse, non ci sarebbe stato bisogno.

Ciò nondimeno, provai anche – come molti, allora – un senso di trionfo per la conquista scientifica rappresentata dalla scissione dell'atomo, e rimasi incantato dallo Smyth Report, pubblicato nell'agosto del 1945, che dava una descrizione completa della costruzione della bomba. L'orrore mi colpì in pieno solo nell'estate successiva, quando uscì un'edizione speciale del «New Yorker» interamente dedicata a *Hiroshima*, di John Hersey (Einstein, dissero, ne aveva acquistato un migliaio di copie), subito dopo trasmesso dalla BBC sul Terzo Programma. Fino ad allora, la chimica e la fisica erano state per me fonte di piacere e meraviglia, e forse non ero mai stato pienamente consapevole delle loro potenzialità negative. Come tutti, fui profondamente turbato dalla bomba atomica. La fisica atomica e nucleare non avrebbe più avuto la stessa innocenza e spensieratezza di cui aveva goduto ai tempi di Rutherford e dei coniugi Curie.

XXIV
LUCE BRILLANTE

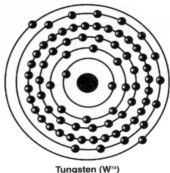

Tungsten (W⁷⁴)

Quanti elementi servono a Dio per costruire un universo? Nel 1810 se ne conoscevano una cinquantina e, se Dalton aveva visto giusto, ciò implicava l'esistenza di altrettanti tipi di atomi. Certamente a Dio non occorrerebbero cinquanta tipi di costituenti elementari per il suo universo: di sicuro, a suo tempo, lo progettò in modo più economico. William Prout, un medico di Londra con un'inclinazione per la chimica, osservò che i pesi atomici erano vicini a numeri interi e di conseguenza multipli del peso atomico dell'idrogeno; ipotizzò allora che l'elemento primordiale fosse l'idrogeno, e che tutti gli altri fossero stati costruiti a partire da esso. Dio perciò dovette creare un solo tipo di atomo, e tutti gli altri poterono essere generati da quello grazie a un processo di «condensazione» naturale.

Purtroppo, emerse che alcuni elementi avevano pesi atomici frazionari. Un valore leggermente superiore o inferiore a un intero si poteva ancora arrotondare (e Dalton l'aveva fatto) ma come comportarsi, per esempio, nel caso del cloro, con il suo peso atomico di 35,5? Per questi motivi l'ipotesi di Prout era difficilmente sostenibile, e ulteriori problemi emersero quando Mendeleev compilò la tavola periodica. Chiaramente, dal punto di vista chimico, il tellurio veniva prima dello iodio; il suo peso atomico, però, invece di essere inferiore, era maggiore. Nonostante queste difficoltà, per tutto il diciannovesimo secolo l'ipotesi di Prout non si spense mai del tutto: era così bella, e talmente semplice, che secondo molti chimici e fisici doveva contenere una verità essenziale.

Esisteva forse una qualche proprietà atomica più intima, più fondamentale del peso atomico? Per rispondere a questa domanda bisognava disporre di un sistema per «sondare» l'atomo, in particolare, per sondarne la porzione centrale: il nucleo. Nel 1913, un secolo dopo Prout, Harry Moseley, un brillante giovane fisico che lavorava con Rutherford, si mise a esplorare gli atomi con la spettroscopia a raggi X, una tecnica nuovissima. L'apparato sperimentale di Moseley era affascinante e al tempo stesso aveva qualcosa di fanciullesco: prese un trenino, mise in ogni vagone un diverso elemento, e facendolo muovere all'interno di un tubo a vuoto lungo circa un metro, bombardò ogni elemento con raggi catodici, provocando l'emissione di una radiazione X caratteristica. Riportando in un grafico la radice quadrata delle frequenze osservate in funzione del numero atomico degli elementi, Moseley vide che i punti erano disposti lungo una retta; costruendo il grafico in altro modo, egli vide pure che l'aumento della frequenza presentava una discontinuità, un salto o gradino, passando da un elemento al successivo. Ciò doveva riflettere, pensò, una proprietà atomica fondamentale – e questa non poteva che essere la carica del nucleo.

La scoperta consentì a Moseley (come ebbe poi a dire Soddy) di «fare l'appello» degli elementi. Non si potevano ammettere lacune, nella sequenza, ma essa doveva consistere in una successione regolare di gradini. Se ci si imbatteva in una lacuna, significava che mancava un elemento. Ormai l'ordine degli elementi era conosciuto con certezza: dall'idrogeno all'uranio ce n'erano esattamente novantadue, non uno di più. Era chiaro altresì che sette mancavano all'appello, ed erano ancora da scoprire. Le «anomalie» associate ai pesi atomici furono risolte: il tellurio poteva anche avere un peso atomico leggermente superiore a quello dello iodio, ma era comunque l'elemento 52, e lo iodio il 53. La proprietà essenziale era il *numero*, e non il *peso*, atomico.

L'intelligenza e la tempestività del lavoro di Moseley, completato in pochi mesi a cavallo fra il 1913 e il 1914, produsse reazioni contrastanti. Chi era mai questo giovincello saccente – pensò qualche chimico anziano – per decretare il completamento della tavola periodica, escludendo perentoriamente la possibilità che esistessero altri elementi, a parte quelli da lui stesso previsti? Che ne sapeva costui della chimica, dei lunghi, ardui processi di distillazione, filtrazione e cristallizzazione che potevano rendersi necessari per concentrare un nuovo elemento o analizzare un nuovo composto? Ma Urbain, uno dei più grandi esperti di chimica analitica di allora – un uomo che aveva effettuato quindicimila cristallizzazioni frazionate per isolare il lutezio –, apprezzò immediatamente la portata di quel risultato e capì che Moseley, lungi dall'attentare all'autonomia della chimica, aveva di fatto confermato la tavola periodica ristabilendone la centralità: «La legge di Moseley ... ha confermato in un paio di giorni le conclusioni dei miei vent'anni di paziente lavoro».

In precedenza, i numeri atomici erano stati usati per indicare la sequenza degli elementi in base al

peso atomico, ma ora Moseley diede loro un significato reale. Il numero atomico indicava la carica
nucleare, l'identità – l'identità chimica – dell'elemento, in modo assoluto e sicuro. Esistevano, per
esempio, diverse forme di piombo – i suoi isotopi –
con diversi pesi atomici, ma tutte avevano lo stesso
numero atomico, 82. Il piombo era, nella sua quin-
tessenza, il numero 82, e non poteva cambiare numero atomico senza cessare di essere piombo. Il
tungsteno era necessariamente, inevitabilmente,
l'elemento 74. Ma in che modo quel suo essere 74
gli conferiva la sua identità?

Sebbene Moseley avesse mostrato l'autentico numero e il vero ordine degli elementi, altre fondamentali questioni rimanevano ancora aperte: questioni che avevano tormentato Mendeleev e gli scienziati del suo tempo – questioni che avevano tormentato zio Abe ai tempi della sua gioventù, e che ora
tormentavano me, nel momento in cui il piacere della chimica, della spettroscopia e dei giochi con la radioattività lasciava il passo a un furioso: Perché? Perché, tanto per cominciare, esistevano gli elementi, e
perché avevano le proprietà che avevano? Che cosa
rendeva i metalli alcalini e gli alogeni, a modo loro e
con manifestazioni opposte, tanto violentemente
reattivi? Che cosa spiegava la somiglianza delle terre
rare, e gli splendidi colori e le proprietà magnetiche
dei loro sali? Che cosa generava gli spettri esclusivi e
complessi degli elementi, e le regolarità numeriche
ravvisatevi da Balmer? E soprattutto, che cosa permetteva loro di essere stabili, di mantenersi immo-
dificati per miliardi di anni, non solo sulla Terra, ma
a quanto pare anche sul Sole e sulle stelle? Queste
erano le domande sulle quali si era macerato zio
Abe da giovane, quarant'anni prima – ma nel 1913,
mi raccontò, tutti quegli interrogativi, e decine di altri, avevano in linea di principio trovato una risposta,

e all'improvviso si era aperto tutto un nuovo mondo di conoscenze.

Rutherford e Moseley si erano interessati soprattutto del nucleo dell'atomo, della sua massa e delle sue unità di carica elettrica. Era probabile però che fossero gli elettroni orbitanti, con la loro organizzazione e i loro legami, a determinare le proprietà chimiche di un elemento e anche (come tutto lasciava supporre) molte delle sue proprietà fisiche. Ma qui, con l'entrata in scena degli elettroni, il modello di Rutherford faceva cilecca. Stando alla fisica classica di Maxwell, infatti, un atomo simile a un sistema solare non poteva proprio funzionare: ruotando intorno al nucleo più di un trilione di volte al secondo, gli elettroni avrebbero creato una radiazione sotto forma di luce visibile, e un atomo siffatto avrebbe emesso un effimero lampo di luce, per poi collassare su se stesso nel momento in cui i suoi elettroni, persa energia, fossero andati a schiantarsi sul nucleo. La realtà però – lasciando da parte la radioattività – era che gli elementi e i loro atomi duravano miliardi di anni; in effetti, duravano per sempre. Come era possibile, allora, che un atomo fosse stabile e resistesse a quello che invece sembrava un destino quasi istantaneo?

Per giungere a un compromesso, occorreva invocare, o inventare, princìpi interamente nuovi. Imparare tutto questo fu la terza estasi della mia vita, perlomeno della mia vita chimica: la prima era stata l'incontro con Dalton e la teoria atomica; la seconda la conoscenza di Mendeleev e della sua tavola periodica. Ma la terza, io credo, fu per certi versi la più stupefacente di tutte, perché contravveniva (o sembrava contravvenire) a tutta la scienza classica che conoscevo, e a tutto quello che sapevo su razionalità e causalità.

Nel 1913 anche Niels Bohr lavorava nel laboratorio di Rutherford, e toccò proprio a lui colmare l'impossibile, conciliando il modello atomico di Rutherford con la teoria quantistica di Planck. Il concetto che l'energia fosse assorbita o emessa non in modo continuo, ma sotto forma di pacchetti discreti – i «quanti» – era rimasto sepolto e silente, come una bomba a orologeria, da quando Planck l'aveva suggerito, nel 1900. Einstein si era servito dell'idea, nei suoi studi sull'effetto fotoelettrico; ma, a parte ciò, la teoria quantistica e le sue rivoluzionarie potenzialità erano state stranamente trascurate, finché Bohr non ricorse ad essa per aggirare le impossibilità dell'atomo di Rutherford. La concezione atomica classica, il modello planetario, permetteva agli elettroni di occupare un'infinità di orbite, tutte instabili, tutte che li portavano a schiantarsi sul nucleo. Bohr ipotizzò, invece, un atomo con un numero limitato di orbite discrete, ciascuna caratterizzata da uno specifico livello energetico, o stato quantico. Bohr chiamò la meno energetica di queste orbite, la più vicina al nucleo, «stato fondamentale»: un elettrone poteva rimanere lì, orbitando intorno al suo nucleo, senza emettere o perdere energia, per sempre. Si trattava di un postulato di un'audacia sorprendente e scandalosa, giacché implicava che la teoria classica dell'elettromagnetismo fosse inapplicabile al regno miniaturizzato dell'atomo.

All'epoca non c'era alcuna evidenza di questo; si trattò di una vera e propria impennata dell'ispirazione, dell'immaginazione, non diversa dai salti che Bohr ora postulava per gli stessi elettroni, che passavano, senza avvertimenti o intermediari, da un livello energetico all'altro. Secondo Bohr, infatti, oltre allo stato fondamentale, esistevano orbite elettroniche a maggior contenuto energetico, «stati stazionari» a maggior energia, nei quali gli elettroni potevano essere brevemente trasferiti. Pertanto, se un atomo assorbiva energia della giusta frequenza, uno dei suoi elettroni poteva passare dallo stato fondamentale a un'orbita di energia superiore; prima o poi, comunque, sarebbe tornato al suo stato fondamentale di origine, emettendo energia alla stessa, esatta, frequenza di quella precedentemente assorbita – era precisamente questo che accadeva nel caso della fluorescenza e della fosforescenza, ed era questo che spiegava l'identità delle emissioni spettrali e delle linee di assorbimento, rimasta un mistero per più di cinquant'anni.

Gli atomi, nella concezione di Bohr, non potevano assorbire o emettere energia se non grazie a questi salti quantici, e le linee discrete dei loro spettri non erano altro che l'espressione della loro transizione da uno stato stazionario all'altro. I dislivelli energetici diminuivano con la distanza dal nucleo, e secondo i calcoli di Bohr questi intervalli corrispondevano esattamente alle linee dello spettro dell'idrogeno (e alla formula calcolata da Balmer per queste ultime). Questa coincidenza fra teoria e realtà fu il primo grande trionfo del fisico danese. Einstein definì il suo lavoro «un'*enorme* conquista»; e trentacinque anni dopo, retrospettivamente, dichiarava: «ancora oggi mi sembra un miracolo ... è la più alta forma di musicalità nella sfera del pensiero». Fino ad allora – sottolineava Bohr – lo spettro dell'idrogeno, gli spettri in generale, erano stati splendidi e privi di significato come i disegni sulle ali delle farfalle; ora però era chiaro che essi riflettevano gli stati energetici dell'atomo, le orbite quantiche in cui gli elettroni piroettavano e cantavano. «Il linguaggio degli spettri» scrisse il grande spettroscopista Arnold Sommerfeld «si è rivelato una musica atomica delle sfere».

Ma era possibile estendere la teoria dei quanti ad atomi più complessi contenenti molti elettroni? La teoria quantistica poteva spiegare le loro proprietà chimiche, la tavola periodica? Quando la vita della comunità scientifica riprese, dopo la prima guerra mondiale, rispondere a queste domande divenne l'obiettivo di Bohr.[1]

Dato che la carica nucleare, o il numero di protoni nel nucleo, aumentava col numero atomico, per conservare la neutralità dell'atomo occorreva aggiungere un egual numero di elettroni. Bohr immaginava che ciò avvenisse in modo gerarchico e ordinato. Laddove prima si era interessato alle possibili orbite dell'elettrone solitario dell'idrogeno, ora estese il suo modello a una gerarchia di orbite o gusci atomici per tutti gli elementi. Questi gusci avrebbero avuto livelli energetici loro propri, definiti e discreti; pertanto, se gli elettroni fossero stati aggiunti uno alla volta, dapprima avrebbero occupato l'orbita a minor contenuto energetico fra quelle disponibili, e quando quella fosse stata riempita, sarebbero andati a occupare la successiva, e poi quella ancora successiva, e così via. I gusci di Bohr corrispondevano ai periodi di Mendeleev: il primo guscio, il più interno, poteva accogliere due soli elettroni, proprio come il primo periodo di Mendeleev. Quando era completato, cominciava a riempirsi il secondo guscio, il quale, come il secondo periodo di Mendeleev, poteva accogliere non più di otto elettroni. Lo stesso accadeva per il terzo periodo o guscio. Bohr riteneva che mediante questo processo di costruzione, o *Aufbau*, sarebbe stato possibile ottenere tutti gli elementi, che avrebbero così trovato spontaneamente la propria collocazione nella tavola periodica.

La posizione di ciascun elemento nella tavola periodica indicava quindi il numero di elettroni presenti nei suoi atomi, e adesso la sua reattività e i suoi legami potevano essere interpretati in termini elettronici, in base al diverso grado di riempimento del guscio di elettroni più esterno, quello dei cosiddetti elettroni di valenza. I gas inerti avevano, senza eccezioni, il guscio esterno di valenza con un corredo completo di otto elettroni, e questo li rendeva pressoché incapaci di reagire. I metalli alcalini, quelli del Gruppo I, avevano un solo elettrone nel guscio più esterno, e bramavano di liberarsene per raggiungere la stabilità della configurazione di un gas inerte; gli alogeni del Gruppo VII, viceversa, possedendo già sette elettroni nel guscio di valenza, ambivano ad acquisire l'ottavo per raggiungere anch'essi la configurazione del gas inerte. Pertanto, quando il sodio entrava in contatto con il cloro, si verificava un'unione immediata (in effetti, un'unione esplosiva), nel corso della quale ciascun atomo di sodio donava l'elettrone soprannumerario, mentre ciascun atomo di cloro era pronto ad accettarlo, entrambi ionizzandosi nel processo.

La sistemazione degli elementi di transizione e delle terre rare nella tavola periodica aveva sempre dato luogo a problemi particolari. Bohr ora suggerì una soluzione ingegnosa ed elegante: gli elementi di transizione, ipotizzò, contenevano un guscio addizionale di dieci elettroni ciascuno; quanto alle terre rare, avevano un guscio addizionale che ne ospitava quattordici. Sul carattere chimico dell'elemento, i gusci più interni, sepolti in profondità nel caso delle terre rare, non influivano in misura neppure lontanamente paragonabile al guscio più esterno; ciò spiegava la relativa somiglianza di tutti gli elementi di transizione e in particolare la somiglianza estrema di tutte le terre rare.

La tavola periodica elettronica di Bohr, fondata sulla struttura atomica, era essenzialmente uguale a quella empirica di Mendeleev, basata sulla reattività chimica (e quasi identica a quelle ideate in tempi preelettronici, come la tavola piramidale di Thomson e la tavola ultralunga ideata da Werner nel

1905). Indipendentemente dal fatto che la tavola periodica fosse dedotta dalle proprietà chimiche degli elementi o dai gusci elettronici dei loro atomi, si perveniva comunque esattamente allo stesso risultato.[2] Moseley e Bohr avevano chiarito perfettamente un fatto: la tavola periodica era basata su una serie numerica fondamentale che determinava il numero degli elementi in ciascun periodo: due nel primo periodo, otto nel secondo e nel terzo, diciotto nel quarto e nel quinto; trentadue nel sesto e forse anche nel settimo. Continuavo a ripetere fra me i termini di questa serie: 2, 8, 8, 18, 18, 32.

A questo punto ripresi a visitare il Museo della Scienza e a passare ore e ore fissando la gigantesca tavola periodica che vi era esposta, stavolta concentrandomi sui numeri atomici scritti in rosso in ciascuno scomparto. Guardavo, ad esempio, il vanadio – nella sua casella c'era una pepita lucente – e pensavo ad esso come all'elemento 23, un 23 fatto di 5 + 18: cinque elettroni in un guscio più esterno, intorno a una configurazione più interna di diciotto, la configurazione dell'argon. Cinque elettroni: ecco quindi spiegata la sua massima valenza di cinque; tre di essi, però, formavano un guscio più interno incompleto, ed era proprio quest'ultimo, ormai lo sapevo, a dare origine ai colori e alla sensibilità magnetica caratteristici del vanadio. Questa percezione del quantitativo non sostituiva il senso concreto, fenomenico, del vanadio, ma piuttosto lo amplificava; ora infatti era per me come una rivelazione, in termini atomici, del perché il vanadio avesse le proprietà che aveva. Il qualitativo e il quantitativo si erano fusi nella mia mente: l'esplorazione delle qualità essenziali che fanno del vanadio il vanadio poteva ora essere affrontata da entrambi i fronti.

Nel complesso, Bohr e Moseley mi restituirono l'aritmetica – l'aritmetica essenziale e trasparente della tavola periodica – suggerita, ma solo in modo confuso, dai pesi atomici. Il carattere e l'identità degli elementi potevano ora essere inferiti, in ogni caso in larga misura, dai loro numeri atomici, che non indicavano più soltanto la carica nucleare, ma l'architettura stessa di ciascun atomo. Era tutto divinamente bello, logico, semplice ed economico. L'abaco di Dio.

Che cosa rendeva metallici i metalli? La struttura elettronica spiegava come mai lo stato metallico sembrasse così fondamentale, così diverso nel suo carattere da qualsiasi altro. Talune proprietà meccaniche dei metalli potevano ora trovar spiegazione nella forza che teneva legati al nucleo gli elettroni. A un atomo strettamente legato – un atomo con un'elevata «energia di legame» – sembravano competere una durezza e una densità insolite, e un elevato punto di fusione. E così i miei metalli preferiti – il tantalio, il tungsteno, il renio, l'osmio: i metalli dei filamenti, insomma – avevano le più alte energie di legame di qualsiasi altro elemento. (E pertanto, cosa che mi fece moltissimo piacere, le loro eccezionali qualità, e il debole che io avevo per loro, avevano una giustificazione atomica). La conducibilità dei metalli era attribuita a un «gas» di elettroni liberi e mobili, facilmente allontanabili dai loro atomi – il che spiegava come mai un campo elettrico potesse indurre una corrente di elettroni mobili attraverso un filo. Quell'oceano di elettroni liberi sulla superficie di un metallo poteva anche spiegarne la particolare lucentezza, in quanto, oscillando violentemente all'impatto con la luce, essi la disperdevano o riflettevano rimandandola indietro.

La teoria del gas elettronico comportava anche un'ulteriore implicazione, e cioè che in condizioni estreme di temperatura e pressione, tutti i non metalli – tutta la materia – potessero essere portati allo stato metallico. Negli anni Venti si ottenne questo risultato per il fosforo, e negli anni Trenta venne prospettata questa possibilità anche per l'idrogeno, a pressioni superiori al milione di atmosfere: nel cuore di giganti gassosi come Giove, poteva quindi esistere dell'idrogeno metallico. L'idea che *tutto* potesse essere «metallizzato» era per me una fonte di profonda soddisfazione.[3]

Per molto tempo i singolari poteri della luce blu o violetta – ossia della luce a breve lunghezza d'onda contrapposta a quella rossa, di lunghezza d'onda superiore – mi avevano sconcertato. Il fenomeno era evidente in camera oscura: si poteva tenere accesa una luce rossa abbastanza intensa senza impressionare una pellicola, ma il minimo accenno di luce bianca, di luce diurna (ovviamente contenente il blu), l'avrebbe immediatamente danneggiata. La differenza era evidente anche in laboratorio, dove in presenza di luce rossa si poteva mescolare il cloro all'idrogeno senza alcun rischio, mentre in presenza di un barlume di luce bianca la stessa miscela sarebbe esplosa. La cosa era evidente anche nell'armadietto dei minerali di zio Dave, nei quali la luce blu o violetta – non però quella rossa o arancione – poteva indurre la fosforescenza o la fluorescenza. Infine, c'erano le cellule fotoelettriche che zio Abe teneva in casa sua: attivate dal minimo raggio di luce blu, non avrebbero risposto nemmeno a un'inondazione di luce rossa. Come era possibile che un'enorme quantità di luce rossa fosse meno efficace di una minuscola quantità di luce blu? Solo dopo aver imparato qualcosa su Bohr e Planck compresi che la soluzione di questi apparenti paradossi era da ricercare nella natura discreta della radiazione e della luce, e negli stati quantici dell'atomo. La luce o la radiazione si manifestano in unità minime, o quanti, la cui energia dipende dalla frequenza. Un quanto di luce a breve lunghezza d'onda – un quanto blu, per così dire – aveva più energia di uno rosso, e un quanto di raggi X o di raggi gamma aveva un'energia di gran lunga superiore a entrambi. Ciascun tipo di atomo o molecola – non importa se si trattasse di un sale d'argento in un'emulsione fotografica, di idrogeno o di cloro in laboratorio, di cesio o selenio nelle fotocellule di zio Abe, o di solfuro o tungstato di calcio nella vetrina dei minerali di zio Dave – richiedeva un livello specifico di energia per evocare una risposta; e quel livello poteva essere raggiunto anche da un solo quanto a elevato contenuto energetico, mentre non sarebbe stata evocata da un migliaio di quanti a bassa energia.

Da bambino pensavo che la luce avesse forma e dimensioni: le forme floreali delle fiamme delle candele, come magnolie ancora in boccio, e i poligoni luminosi nelle lampadine al tungsteno di mio zio. Solo quando zio Abe mi mostrò il suo spintariscopio e io vidi le singole scintille, cominciai a rendermi conto di come la luce, tutta la luce, provenisse da atomi e molecole che dapprima erano stati eccitati e poi, nel tornare al loro stato fondamentale, si liberavano dell'eccesso di energia emettendolo sotto forma di radiazione visibile. Nel caso di un solido riscaldato, come il filamento incandescente di una lampadina, venivano emesse energie di diverse lunghezze d'onda; nel caso di un vapore incandescente, come quello del sodio in una fiamma al sodio, erano emesse invece solo alcune lunghezze d'onda molto specifiche. (La luce azzurra della fiamma di una candela, quell'azzurro che mi aveva tanto affascinato da bambino, era generata, come appresi in seguito, da molecole di carbonio biatomico che si raffreddavano emettendo l'energia assorbita durante il riscaldamento).

Ma il Sole e le stelle non somigliavano a nessuna fonte di luce terrestre. Erano di una luminosità e di un biancore che superava quello delle lampade a filamento più caldo (alcune, come Sirio, erano quasi blu). Si poteva dedurre, dall'intensità della radiazione solare, una temperatura superficiale di circa 6000 gradi. Zio Abe mi raccontava che ai tempi della sua giovinezza nessuno aveva idea di come spiegare l'incandescenza e l'energia spaventose del Sole. *Incandescenza* non era il termine corretto, perché nel Sole non c'era combustione nel senso ordinario del termine – al di sopra di 1000 gradi, infatti, la maggior parte delle reazioni chimiche cessa.

E non poteva essere che l'attività del Sole fosse mantenuta dall'energia gravitazionale, ossia dall'energia generata da una gigantesca massa in contrazione? Sembrava che anche questo meccanismo fosse del tutto inadeguato per rendere conto del calore ardente e dell'energia del Sole e delle stelle, emessa senza un accenno di attenuazione per miliardi di anni. Quanto alla radioattività, nemmeno quella era una fonte plausibile di energia, giacché nelle stelle gli elementi radioattivi erano presenti in quantità nemmeno lontanamente vicine a quelle necessarie, e la loro emissione di energia era troppo lenta e tranquilla.

Fu solo nel 1929 che venne avanzata un'altra idea, e cioè che, date le temperature e le pressioni prodigiose presenti all'interno di una stella, gli atomi degli elementi leggeri potessero fondersi insieme formando atomi più pesanti; tanto per cominciare, che gli atomi di idrogeno potessero fondersi a formare l'elio; in altre parole, che la fonte di energia del cosmo fosse termonucleare. Affinché i nuclei leggeri potessero fondere occorreva fornir loro enormi quantità di energia, ma una volta innescata la fusione, sarebbe stata emessa ancor più energia, la quale, a sua volta, avrebbe riscaldato e fuso altri nuclei leggeri, producendo altra energia; questo processo avrebbe mantenuto attiva la reazione termonucleare. L'interno del Sole raggiunge temperature enormi, qualcosa nell'ordine dei venti milioni di gradi. Trovavo difficile immaginare una temperatura del genere: nel suo *Nascita e morte del sole*, George Gamow scrisse che un forno funzionante a quella temperatura avrebbe distrutto qualsiasi cosa intorno a sé nel raggio di centinaia di chilometri.

A quei valori di temperatura e pressione, i nuclei atomici – nudi e spogliati dei loro elettroni – si sarebbero precipitati a velocità spaventosa (l'energia media associata all'agitazione termica di questi nuclei sarebbe stata simile a quella delle particelle alfa) e avrebbero continuato a collidere, senza protezione, uno sull'altro, fondendosi fino a formare i nuclei di elementi più pesanti.

«Dobbiamo immaginare l'interno del Sole» scriveva Gamow «come una sorta di gigantesco laboratorio alchemico naturale nel quale la trasformazione dei vari elementi gli uni negli altri si verifica quasi con la stessa facilità con cui, nei nostri laboratori terrestri, hanno luogo le comuni reazioni chimiche».

La conversione dell'idrogeno in elio produceva una gran quantità di luce e calore, in quanto la massa dell'atomo di elio era leggermente inferiore a quella di quattro atomi di idrogeno, e questa piccola differenza (meno dell'1 per cento) veniva totalmente trasformata in energia, secondo la famosa relazione di Einstein $E = mc^2$. Per produrre l'energia generata dal Sole, in ogni secondo dovevano essere convertite in elio centinaia di milioni di tonnellate di idrogeno; il Sole, d'altra parte, è composto prevalentemente di idrogeno, e la sua massa è talmente enorme che da quando esiste la Terra ne è stata consumata solo una piccola frazione. Se il tasso di fusione dovesse declinare, il Sole lo ripristinerebbe contraendosi e riscaldandosi; viceversa, se dovesse aumentare troppo, il Sole si espanderebbe e si raffredderebbe, con il risultato di ridurlo. Perciò, come disse Gamow, il Sole rappresentava «il più ingegnoso modello di "macchina nucleare", e forse l'unico possibile», una fornace in grado di autoregolarsi, in cui la forza esplosiva della fusione nucleare era perfettamente bilanciata dalla forza di gravitazione. La fusione dell'idrogeno in elio non si limitava a fornire un'enorme quantità di energia, ma creava anche un nuovo elemento. Gli atomi di elio, a temperatura sufficientemente elevata, potevano fondere in elementi più pesanti, che a loro volta potevano generarne di più pesanti ancora.

Pertanto, grazie a un'eccitante convergenza, nello stesso momento furono risolti due antichi problemi: quello della luce delle stelle, e quello della creazione degli elementi. Bohr aveva immaginato il suo *Aufbau*, la costruzione dei diversi elementi a partire dall'idrogeno, come una fabbricazione puramente teorica, ma nelle stelle si realizzava effettivamente qualcosa del genere. L'idrogeno, l'elemento 1, non era solo il combustibile dell'Universo, ma anche la sua fondamentale unità di costruzione, l'atomo primordiale, come l'aveva concepito Prout nel lontano 1815. Tutto questo – e cioè che per cominciare non servisse altro che il primo, e il più semplice, degli atomi – sembrava molto elegante e convincente.[4]

L'atomo di Bohr mi sembrava d'una bellezza ineffabile, sublime, con i suoi elettroni che ruotavano, trilioni di volte al secondo, ruotando per sempre in orbite predestinate: autentica macchina per il moto perpetuo resa possibile dall'irriducibilità del quanto, e dal fatto che l'elettrone rotante non spendeva alcuna energia, in altre parole, non compiva alcun lavoro. E gli atomi più complessi erano ancora più belli, con decine di elettroni che percorrevano traiettorie separate ma organizzate in gusci e sotto-

gusci come minuscole cipolle. Non solo mi sembravano belli, oggetti delicatissimi e al tempo stesso indistruttibili, ma a loro modo, con quella loro capacità di equilibrare numeri, forze, gusci ed energie,
erano perfetti – perfetti come equazioni (dalle quali, effettivamente, potevano essere descritti). E nulla, nessuna forza ordinaria, poteva turbare la loro
perfezione. Gli atomi di Bohr erano sicuramente vicini alla visione di Leibniz, al migliore dei mondi
possibili.

«Dio pensa in numeri» diceva spesso zia Len. «I
numeri sono il modo in cui è assemblato il mondo».
Questo pensiero non mi aveva mai abbandonato, e
ora mi sembrava davvero di abbracciare tutto il
mondo fisico. Avevo cominciato a leggere un po' di
filosofia, ormai, e Leibniz, per quanto mi riusciva di
penetrarlo, mi affascinava in modo particolare. Parlava di una «matematica divina», con la quale creare la più ricca realtà possibile con i mezzi più eco-
nomici, e adesso mi sembrava che questo fosse evidente ovunque. La splendida parsimonia grazie alla
quale milioni di composti potevano essere ottenuti
da qualche decina di elementi, e circa cento elementi dall'idrogeno stesso; l'economia con cui l'intera gamma degli atomi era composta a partire da
una o due particelle; e il modo in cui la stabilità e
l'identità dell'atomo era garantita dai suoi stessi numeri quantici: ebbene, in tutto questo c'era abbastanza bellezza da far pensare all'opera di Dio.

XXV
FINE DI UN AMORE

Quando avevo quattordici anni, era ormai praticamente scontato che avrei fatto il medico; mio padre e
mia madre erano medici e i miei fratelli studiavano
medicina. I miei genitori erano stati più che tolleranti nei confronti dei miei precoci interessi scientifici, e
ne erano perfino compiaciuti – ma adesso, avevano
l'aria di pensare, era ora che smettessi di giocare. Un
episodio mi è rimasto nitidamente impresso. Era l'e-
state del 1947 – la guerra era finita da un paio d'anni
– e noi stavamo viaggiando nel Sud della Francia, a
bordo della nostra nuova Humber; io ero sul sedile
posteriore, che parlavo entusiasticamente del tallio:
di come fosse stato scoperto, insieme all'indio, nella
seconda metà dell'Ottocento, grazie alla sua linea
spettrale di un verde brillante; di come alcuni dei
suoi sali, una volta disciolti, potessero formare soluzioni quasi cinque volte più dense dell'acqua; di come fosse, in un certo senso, l'ornitorinco degli elementi chimici, dotato di qualità così paradossali da
rendere incerta la sua corretta collocazione nella tavola periodica – tenero, pesante e fusibile come il

ZIO TUNGSTENO

piombo, era però chimicamente simile al gallio e all'indio, e tuttavia i suoi ossidi erano scuri come quelli del manganese e del ferro, mentre i solfati erano incolori come quelli del sodio e del potassio. I sali del tallio, come quelli d'argento, erano sensibili alla luce: eh già, si sarebbe potuto fondare un'intera arte fotografica solo sul tallio! Lo ione talloso, continuai imperterrito, presentava grandi somiglianze con lo ione potassio, somiglianze che, per quanto affascinanti in laboratorio o in uno stabilimento chimico, si rivelavano decisamente letali per l'organismo; sì, perché il tallio, essendo biologicamente quasi indistinguibile dal potassio, si insinuava in tutti i suoi ruoli e le sue vie metaboliche, sabotando la vittima inerme dall'interno. Parlavo, parlavo e non mi accorgevo – mentre davo fiato alla tromba del mio narcisismo – che lì davanti i miei genitori erano sprofondati in un silenzio di tomba, visibilmente annoiati, innervositi, con una faccia che esprimeva disapprovazione; dopo venti minuti buoni, la misura era colma e mio padre sbottò: «E basta con questo tallio!».

Non fu una cosa improvvisa – non è che una mattina io mi fossi svegliato e avessi scoperto che la chimica, per me, era morta; fu una cosa graduale, che scese su di me un poco alla volta, e da principio, credo, inavvertitamente. A un certo momento, quando avevo quattordici anni, mi resi conto che non mi svegliavo più in preda ai miei entusiasmi improvvisi – «Oggi vado a comprare la soluzione di Clerici!, e poi mi voglio leggere tutto su Humphry Davy e i pesci elettrici! ... Finalmente capirò il diamagnetismo, speriamo!». Sembrava che non avessi più queste illuminazioni improvvise, queste epifanie, quegli eccitamenti definiti da Flaubert (che ora stavo leggendo) «erezioni della mente». Erezioni del corpo, quelle sì – erano una componente nuova e stravagante della mia vita; ma quelle improvvise estasi della mente, quegli improvvisi paesaggi di beatitudine e illuminazione, sembravano avermi lasciato, abbandonato. O ero stato io ad abbandonare loro? In effetti, non andavo più nel mio piccolo laboratorio; me ne resi conto solo quando un giorno, girando per casa, scesi giù e trovai tutto coperto da un leggero strato di polvere. Erano mesi che quasi non vedevo zio Abe e zio Dave, e avevo smesso di portarmi dietro lo spettroscopio da tasca.

C'erano state volte in cui mi ero seduto nella Science Library, rimanendo incantato per ore, completamente dimentico del trascorrere del tempo. Altre volte mi era parso di *vedere* le linee di forza, o gli elettroni danzare e librarsi nei loro orbitali; ma ora anche questo potere quasi allucinatorio se n'era andato. Ero meno sognatore, più concentrato, dicevano le mie pagelle: probabilmente era quella l'impressione che davo; ciò che provavo io, però, era completamente diverso; sentivo che tutto un mondo interiore era morto, mi era stato portato via.

Pensavo spesso al racconto di Wells della porta nella parete, al giardino incantato in cui il bambino viene ammesso, e dal quale è poi esiliato o espulso. Al principio egli non si accorge di aver perso qualcosa, sottoposto com'è alle pressioni della vita e del mondo esterno, ma successivamente questa consapevolezza comincia a montare in lui consumandolo e portandolo infine alla distruzione. Boyle aveva chiamato il suo laboratorio «Elisio», Hertz aveva parlato della fisica come di «un paese incantato di fate». Ora sentivo di essere fuori da quell'Elisio, sentivo che le porte del paese delle fate s'erano chiuse, che ero stato espulso dal giardino dei numeri, dal giardino di Mendeleev, dai magici domìni del gioco ai quali avevo avuto accesso una volta.

Con la «nuova» meccanica quantistica, sviluppata a metà degli anni Venti, non era più possibile considerare gli elettroni come piccole particelle orbitanti, adesso andavano concepiti come onde; non si poteva più parlare della posizione di un elettrone, ma solo della sua funzione d'onda, ossia della probabilità che esso si trovasse in un dato punto. Non se ne potevano misurare posizione e velocità simultaneamente. Sembrava, in un certo senso, che un elettrone potesse trovarsi ovunque e in nessun luogo. Tutto questo fece vacillare la mia mente. Avevo sempre guardato alla chimica, alla scienza, come a una fonte da cui ricavare ordine e certezze e ora, improvvisamente, tutto questo svaniva.[1] Era una situazione scioccante; e ormai avevo superato i miei zii. Ero andato oltre, e mi trovavo da solo, in acque profonde.[2]

La nuova meccanica quantistica prometteva di spiegare tutta la chimica. E sebbene io provassi entusiasmo per questo, vi percepivo anche una certa minaccia. «La chimica» scriveva Crookes «sarà fondata su basi interamente nuove ... Non avremo più bisogno di compiere esperimenti, giacché sapremo a priori quale sarà, inevitabilmente, il risultato di ciascuno di essi». Non ero sicuro che tutto questo mi piacesse. Significava, forse, che i chimici del futuro (sempre che fossero esistiti) non avrebbero più dovuto maneggiare un reagente? Che non avrebbero mai visto i colori dei sali di vanadio, mai annusato un seleniuro di idrogeno né ammirato la forma di un cristallo? Che sarebbero vissuti in un mondo matematico senza colori e senza odori? Mi sembrava una prospettiva terribile perché, almeno per quanto mi riguardava, *io* avevo bisogno di odorare, toccare e sentire, avevo bisogno di collocare me stesso, i miei sensi, al centro del mondo percettivo.[3]

Avevo sognato di diventare un chimico, ma la chimica che mi emozionava veramente era quella descrittiva, naturalistica, diligentemente dettagliata, del diciannovesimo secolo, non la nuova chimica dell'era quantistica. La chimica che conoscevo e che amavo era finita, o stava cambiando natura, lasciandomi indietro (o comunque, così mi pareva). Sentivo di essere arrivato alla fine del cammino, quanto meno del mio, e di aver spinto il mio viaggio nella chimica il più lontano possibile.

Dopo essermi lasciati alle spalle gli orrori e le paure di Braefield, ero vissuto (retrospettivamente, ho questa sensazione) in una sorta di dolce interludio. Ero stato guidato in una regione di ordine, educato ad amare la scienza, da due zii saggi, affettuosi e comprensivi. I miei genitori mi avevano dato sostegno e fiducia, permettendomi di allestire un laboratorio e di seguire i miei capricci. A scuola, tutto sommato, non si curavano di controllarmi: facevo i compiti, e per il resto ero libero di dedicarmi ai miei strumenti. Forse, era anche una tregua biologica, la particolare calma della latenza.

Ma ora tutto questo era cambiato: altri interessi si affollavano in me, eccitandomi, seducendomi, trascinandomi in direzioni diverse. La vita, in un certo senso, era più ampia e più ricca, ma anche più superficiale. La mia antica passione, quel mio centro interiore, calmo e profondo, non esisteva più. L'adolescenza mi aveva travolto come un tifone, investendomi con i suoi appetiti insaziabili. A scuola avevo lasciato il «versante» classico, meno pesante, per spostarmi su quello impegnativo e severo dello studio scientifico. In un certo senso, ero stato viziato dai miei due zii, come pure dalla libertà e dalla spontaneità di cui avevo goduto nel mio apprendistato. Ora dovevo starmene seduto in aula, prendere appunti, dare esami, leggere libri di testo piatti, impersonali, letali. Quello che era stato divertente e piacevole quando potevo dedicarmici a modo mio, diventava un tormento, ora che dovevo farlo a comando. Quella che per me era stata una materia sacra e piena di poesia, era ridotta adesso a una cosa prosaica e profana.

Era la fine della chimica? Erano i miei limiti intellettuali? L'adolescenza? La scuola? Era forse l'inevitabile traiettoria – la storia naturale – dell'entusiasmo, che brucia per un po' come una stella, emettendo luce e calore, e poi si esaurisce via via e si estingue? O forse avevo scoperto, almeno nel mondo fisico e nelle scienze fisiche, il senso della stabilità e dell'ordine di cui avevo un così disperato bisogno – e quindi ora potevo rilassarmi, sentirmi meno ossessionato e andare avanti? Oppure, più semplicemente, stavo crescendo, e «diventare grandi» fa dimenticare le percezioni mistiche e poetiche dell'infanzia, la beatitudine e la freschezza di cui scriveva Wordsworth, così che esse finiscono per svanire nella luce di tutti i giorni?

POSTFAZIONE

Verso la fine del 1997 Roald Hoffmann – eravamo amici da quando avevo letto il suo *Chemistry Imagined* qualche anno prima –, sapendo qualcosa della mia infanzia chimica, mi spedì un pacchetto curioso. Dentro c'era un grande poster della tavola periodica, con fotografie di ciascun elemento; un catalogo chimico, in modo che potessi eventualmente ordinare qualcosa; e una barretta di un metallo molto denso, grigiastro, che quando aprii il pacco cadde sul pavimento producendo un rumore sordo e cupo. Lo riconobbi dal suono («Il suono del tungsteno sinterizzato» diceva sempre mio zio. «Non esiste nulla di simile»).

Quel suono fu una sorta di richiamo proustiano, e subito mi venne in mente zio Dave, lo zio Tungsteno, seduto nel laboratorio, il colletto dalle punte ripiegate, le maniche della camicia arrotolate, le mani nere, impregnate della polvere di tungsteno. Altre immagini emersero all'istante nella mia mente: la fabbrica di zio Dave, le sue collezioni di vecchie lampadine, di metalli pesanti e di minerali. E poi, il ricordo della mia iniziazione alle meraviglie della metallurgia e della chimica, sotto la sua guida, all'età di dieci anni. Pensavo che ne avrei tracciato un rapido schizzo, ma i ricordi, ormai innescati, continuavano a emergere – non solo ricordi dello zio, ma di tutti gli eventi di quel primo periodo della mia vita, della mia infanzia, molti dei quali dimenticati da almeno cinquant'anni. Quello che era cominciato come un brano di una pagina, si trasformò in una vasta impresa mineraria: uno scavo durato quattro anni che ha portato alla luce due milioni di parole, forse anche di più – dalle quali a un certo punto cominciò a cristallizzare un libro.

Così tirai fuori i miei vecchi testi (e molti ne ho comprati di nuovi), sistemai la barretta di tungsteno su un piccolo piedistallo e tappezzai la cucina di tabelle e grafici chimici. Immerso nella vasca da bagno, leggevo le tavole delle abbondanze cosmiche degli elementi. Nei freddi tristi pomeriggi del sabato, mi raggomitolavo con un grosso volume del *Dictionary of Applied Chemistry* di Thorpe – uno dei libri preferiti di zio Tungsteno – aprendolo dove capitava e leggendo a caso.

Evidentemente, la passione per la chimica, che pensavo si fosse spenta quando avevo quattordici anni, era ancora viva, rimasta annidata nel profondo per tutti quegli anni. Sebbene la mia vita avesse imboccato una direzione diversa, i nuovi orizzonti della chimica mi riempivano d'entusiasmo. Ai miei tempi, gli elementi si fermavano al numero 92, l'uranio, ma avevo seguito con attenzione la scoperta di nuovi elementi, fino al numero 118. Probabilmente questi nuovi elementi esistono solo in laboratorio e non si trovano in nessun altro luogo dell'Universo, ma mi ha fatto ugualmente piacere apprendere che gli ultimi di essi, per quanto ancora radioattivi, appartengono a un'«isola di stabilità» a lungo cercata, nella quale i nuclei atomici sono quasi un milione di volte più stabili di quelli degli elementi precedenti.

Oggi gli astronomi si interrogano sull'esistenza di pianeti giganteschi con nuclei di idrogeno metallico, o su stelle di diamante, o con croste di eliuro di ferro. I gas inerti sono stati persuasi a combinarsi, e ho visto fluoruri di xenon – una cosa quasi impensabile: negli anni Quaranta per me sarebbe stata pura fantasia. Le terre rare, che zio Tungsteno e zio Abe amavano tanto, sono diventate comuni, e trovano infiniti impieghi nei materiali fluorescenti, nei fosfori di ogni colore, nei superconduttori ad alta temperatura, e in minuscoli magneti di forza incredibile. I poteri della chimica di sintesi sono diventati prodigiosi: oggi siamo in grado di progettare molecole con qualsiasi struttura e qualsiasi proprietà desideriamo – o quasi.

Il tungsteno, con la sua densità e la sua durezza, ha trovato nuovi impieghi nei giavellotti e nelle racchette da tennis e – cosa più inquietante – nei rivestimenti di missili e proiettili. Ma si è anche rivelato indispensabile – e questo mi fa decisamente più piacere – per certi batteri primitivi che traggono energia metabolizzando i composti dello zolfo presenti negli sbocchi idrotermali delle profondità oceaniche. Se, come oggi si ipotizza, batteri siffatti furono i primi organismi vissuti sulla Terra, allora il tungsteno potrebbe essere stato un elemento essenziale per l'origine della vita.

Il mio vecchio entusiasmo riaffiora ogni tanto in associazioni e impulsi curiosi: l'improvviso desiderio di una biglia di cadmio, o magari la voglia di sentire la freddezza del diamante contro la mia faccia. Le targhe delle auto evocano immediatamente gli elementi chimici – soprattutto a New York, dove ce ne sono moltissime che cominciano con U, V, W e Y: uranio, vanadio, tungsteno e ittrio. Quando poi il simbolo dell'elemento è seguito dal suo numero atomico, come in W74 o in Y39, è un piacere in più, un regalo, una grazia. Anche i fiori mi fanno venire in mente gli elementi: il colore dei lillà in primavera, per me, è quello del vanadio bivalente. I ravanelli rievocano l'odore del selenio.

Le lampadine – la vecchia passione di famiglia – continuano a evolvere in modo meraviglioso. Le lampade al sodio, un trionfo di giallo, conobbero una gran diffusione negli anni Cinquanta, mentre le lampade al quarzo-iodio, le luminosissime lampade alogene, comparvero negli anni Sessanta. A dodici anni, dopo la guerra, me ne andavo in giro per Piccadilly con uno spettroscopio in tasca, e oggi ho riscoperto quella stessa gioia, camminando per Times Square, e guardando le luci di New York come emissioni atomiche, attraverso un piccolo spettroscopio.

Spesso, la notte, sogno la chimica – sogni che fondono, combinandoli, passato e presente, trasformando righe e colonne della tavola periodica nel reticolo delle strade di Manhattan. La posizione del tungsteno, proprio all'intersezione del Gruppo VI con il Periodo 6, diventa qui sinonimo dell'incrocio fra la Sixth Avenue e la Sixth Street. (Naturalmente a New York un tale incrocio non esiste, ma nella New York dei miei sogni eccome, ed è un incrocio importante). Sogno di mangiare hamburger allo scandio. A volte sogno anche il linguaggio indecifrabile dello stagno (forse un ricordo confuso del suo «grido» lamentoso). Nel sogno che preferisco, però, me ne vado all'opera (io sono Afnio) dividendo un palco al Metropolitan con gli altri pesanti metalli di transizione, i miei vecchi, preziosi amici di un tempo: Tantalio, Renio, Osmio, Iridio, Platino, Oro e Tungsteno.

NOTE

IV. «UN METALLO IDEALE»

1. Solo una persona rimase: Miss Levy, la segretaria di mio padre. Lavorava con lui dal 1930, e sebbene fosse un po' riservata e formale (sarebbe stato impensabile chiamarla con il nome di battesimo; per noi fu sempre Miss Levy) e perennemente impegnatissima, a volte mi lasciava sedere nella sua stanzetta accanto alla stufa a gas permettendomi di stare lì a giocare mentre lei copiava le lettere di mio padre. (Mi piaceva il ticchettio dei tasti della macchina per scrivere, e il campanello che suonava alla fine di ogni riga). Miss Levy abitava a cinque minuti da casa nostra (a Shoot-Up Hill, un nome che sembrava più adatto per l'epopea western di Tombstone – e i duelli alla pistola dell'O.K. Corral – che non per Kilburn) e arrivava alle nove in punto, ogni mattina dei giorni feriali. Da quando la conoscevo, in tutti quegli anni non era mai arrivata in ritardo, non era mai stata di cattivo umore o in disordine, non si era mai ammalata. Il suo orario, la sua tranquilla presenza, rimasero una costante per tutta la guerra; sebbene ogni altra cosa fosse cambiata, sembrava che lei fosse inattaccabile dalle vicende della vita.

Miss Levy, che aveva un paio d'anni più di mio padre, continuò a lavorare cinquanta ore la settimana fino a novant'anni senza fare alcuna evidente concessione all'età.

Per lei, come del resto per i miei genitori, l'idea di andare in pensione era inconcepibile.

2. Durante la guerra boera in famiglia si temette per tutti i parenti che vivevano in Africa, ed è probabile che questo avesse impressionato profondamente mia madre, che a distanza di oltre quarant'anni cantava ancora, o recitava, una canzoncina di quell'epoca:

> One, two, three – relief of Kimberley
> Four, five, six – relief of Ladysmith
> Seven, eight, nine – relief of Bloemfontein.

3. Nel diciannovesimo secolo si fecero vari tentativi per fabbricare i diamanti, i più famosi dei quali furono quelli di Henri Moissan, il chimico francese che per primo isolò il fluoro e inventò un forno ad arco elettrico. Non è sicuro se fosse riuscito nel suo intento: probabilmente i minuscoli e duri cristalli che egli produsse e scambiò per diamanti erano carburo di silicio (oggi noto come moissanite). L'atmosfera che circondava quei pionieristici tentativi di ottenere diamanti artificiali, con tutta l'eccitazione, i pericoli e le ambizioni sfrenate di allora, è vivacemente descritta nel racconto di H.G. Wells *Il fabbricante di diamanti*.

4. I fratelli d'Elhuyar, Juan José e Fausto, erano membri della Real Sociedad Bascongada de los Amigos del País, un'associazione dedita a coltivare le arti e le scienze, i cui affiliati si riunivano tutte le sere: il lunedì discutevano di matematica, il martedì effettuavano esperimenti con macchine elettriche e pompe a vuoto, e così via. Nel 1777 i due fratelli furono mandati all'estero, uno a studiare mineralogia, l'altro metallurgia. I loro viaggi li portarono in tutta Europa, e nel 1782 uno di essi – Juan José – fece visita a Scheele.

Tornati in Spagna, i d'Elhuyar si applicarono allo studio della wolframite, un pesante minerale nero, dal quale ottennero una polvere gialla e densa (l'acido wolframico); essi capirono che l'acido wolframico era identico all'acido tungstico, il composto che Scheele aveva estratto dal *tung sten* svedese e che, secondo lo stesso Scheele, doveva contenere un nuovo elemento. A differenza di Scheele, però, i d'Elhuyar andarono avanti, riscaldarono il minerale con il carbone e nel 1783 ottennero un nuo-

vo elemento metallico allo stato puro, che chiamarono
wolframio.

VI. IL PAESE DELLA STIBNITE

1. A Ivigtut, in Groenlandia, la criolite era il minerale
principale di una vasta massa pegmatitica sottoposta a
una continua attività estrattiva da più di un secolo. I minatori provenienti dalla Danimarca a volte prendevano
massi di criolite trasparente per usarli come ancore per
le barche, e non si abituarono mai al modo in cui essi svanivano e diventavano invisibili nell'istante stesso in cui
sprofondavano sotto la superficie dell'acqua.

2. Oltre ai circa cento nomi degli elementi esistenti, ne
furono coniati almeno il doppio per elementi che non
riuscirono mai a spuntarla, la cui esistenza era stata immaginata o proclamata sulla base di caratteristiche chimiche o spettroscopiche uniche, ma che alla fine si rivelarono sostanze elementari già note o miscele. Molti furono i nomi di luoghi, spesso esotici, scartati perché gli
elementi corrispondenti si dimostrarono fasulli: «floren-
zio», «moldavio», «norvegio», «elvezio», «austrio»,
«russio», «illinio», «virginio», «alabamina» e lo splendido «bohemio».

Questi elementi fantastici e i loro nomi, soprattutto
quelli che avevano a che fare con le stelle, suscitavano in
me una strana emozione. Al mio orecchio, i più belli erano «aldebaranio» e «cassiopeo» (i nomi dati da Auer a
elementi effettivamente esistenti, l'itterbio e il lutezio) e
«denebio» per una terra rara esistente solo nel mito.
C'erano stati anche un «cosmio» e un «neutronio» («l'e-
lemento 0») per non parlare dell'«arconio», dell'«aste-
rio», dell'«eterio» e dell'«anodio», una sorta di elemento primordiale, di Ur-elemento, del quale si supponeva
fossero costituiti tutti gli altri.

A volte, in seguito a nuove scoperte, ci furono compe-
tizioni fra nomi diversi. Andrés del Rio scoprì il vanadio
in Messico nel 1800 e lo chiamò «panchromium» per la
varietà dei suoi sali multicolori. Altri chimici però dubi-

tarono della sua scoperta, e alla fine egli rinunciò alla
priorità su di essa; l'elemento fu riscoperto e rinominato
trent'anni dopo da un chimico svedese, stavolta in onore
di Vanadis, la divinità scandinava della bellezza. Anche
altri nomi obsoleti o caduti in digrazia facevano riferimento a elementi esistenti: per esempio, il magnifico
«jargonio», un elemento presumibilmente presente negli zirconi e nei minerali di zirconio, era con ogni probabilità un elemento reale, l'afnio.

VII. SVAGHI CHIMICI

1. Thomas Mann fa una bellissima descrizione delle fiori-
ture di silice nel *Doctor Faustus*: «Non dimenticherò mai
quella scena. Il vaso ... era pieno per tre quarti d'un'acqua leggermente vischiosa, cioè di silicato di potassio diluito e dal fondo sabbioso vi sorgeva un grottesco paesaggio di creature di vario colore, una confusa vegetazione di germogli azzurri, verdi e bruni, che facevano pensare ad alghe, funghi, polipi, fissati allo scoglio, o anche
a muschi, a conchiglie, a pannocchie, ad alberelli o a ra-
metti, qua e là persino a membra – la cosa più strana che
mi sia mai capitata: strana non tanto per l'aspetto, certo
molto curioso e stupefacente, ma per la sua natura
profondamente malinconica. Quando infatti il babbo ci
domandava che cosa ne pensassimo, noi rispondevamo,
esitando, che potevano essere piante. "No" rispondeva,
"non sono piante, fingono di esserlo. Ma non stimatele
meno per questo! Appunto perché ne prendono l'aspetto e cercano alla meglio di esser tali, sono degne d'ogni
rispetto"» [Thomas Mann, *Doctor Faustus*, trad. it. di E.
Pocar, Mondadori, Milano, 1949, cap. III].

2. Griffin non fu solo un docente a diversi livelli – scrisse
The Radical Theory in Chemistry e *A System of Crystallo-
graphy*, entrambi più tecnici delle sue *Recreations* – ma anche un fabbricante e un fornitore di apparecchiature
chimiche: il suo «apparato chimico e filosofico» era usato in tutta Europa. A un secolo di distanza, quando io ero
bambino, la sua azienda, che in seguito si sarebbe chia-

mata Griffin & Tatlock, era ancora un fornitore importante.

VIII. CHIMICA, ODORI PESTILENZIALI

1. Qualche anno dopo lessi *Hiroshima*, di John Hersey, e
rimasi colpito da questo passaggio: «Quando penetrò fra
i cespugli, vide una ventina di uomini, tutti nelle stesse
condizioni, una visione da incubo: i volti completamente
ustionati, le orbite vuote, il fluido formatosi dagli occhi
liquefatti colato sulle guance. (Quando la bomba era
esplosa, dovevano aver tenuto la faccia rivolta verso l'alto...)».

2. In seguito lessi che queste idee sulla «sintonizzazione»
erano state sollevate la prima volta nel diciottesimo secolo dal matematico Eulero, secondo cui il colore degli oggetti era dovuto alla presenza, sulla loro superficie, di
«piccole particelle» – atomi – sintonizzate in modo da rispondere alla luce di diversa frequenza. Pertanto, un oggetto appariva rosso perché aveva «particelle» sintonizzate in modo da vibrare – da entrare in risonanza – con i
raggi rossi della luce incidente: «La natura della radiazione, grazie alla quale vediamo un oggetto opaco, non
dipende dalla fonte di luce ma dal movimento vibratorio
delle piccolissime particelle [atomi] presenti sulla superficie dell'oggetto stesso. Queste particelle sono come
corde tese, accordate su una certa frequenza, che vibra-
no rispondendo a vibrazioni simili dell'aria, anche se
nessuno le pizzica. Proprio come una corda tesa è ecci-
tata dal suono stesso che essa emette, le particelle su-
perficiali cominciano a vibrare in sintonia con la radiazione incidente, emettendo onde proprie in tutte le direzioni».

David Park, in *Natura e significato della luce*, scrive a proposito della teoria di Eulero: «Ritengo che quella sia stata la prima volta in cui qualcuno, convinto dell'esistenza
degli atomi, abbia suggerito una loro struttura interna vi-
brante. Gli atomi di Newton e di Boyle sono gruppi di
piccole sfere solide, quelli di Eulero somigliano piuttosto

a strumenti musicali. La sua acuta intuizione fu riscoperta molto tempo dopo, e in quell'occasione nessuno ricordava più chi l'avesse avuta per primo».

3. Naturalmente, oggi nessuna di queste sostanze chimiche è in vendita; anche i laboratori scolastici e museali si limitano sempre di più a reagenti meno pericolosi – e meno divertenti.

Linus Pauling, in uno schizzo autobiografico, racconta come anche lui si procurasse da un farmacista locale il cianuro di potassio (per uccidere gli insetti in una boccetta): «Pensate alle differenze rispetto a oggi. Non appena il ragazzo mostra interesse per la chimica gli regalano il set del piccolo chimico. Però niente cianuro di potassio. E nemmeno il solfato di rame, e nessun'altra cosa interessante, giacché tutte le sostanze chimiche interessanti sono considerate pericolose. Questi giovani chimici in erba non hanno la possibilità di fare nulla di divertente con i loro reagenti. Ripensandoci, trovo piuttosto straordinario il fatto che Mr Ziegler, un amico di famiglia, mi avesse dato senza batter ciglio circa dieci grammi di cianuro di potassio: a me, un ragazzino di undici anni».

Qualche tempo fa tornai a Finchley per rivedere il vecchio edificio nel quale, mezzo secolo fa, aveva sede il negozio di Griffin & Tatlock, ma non lo trovai più. Di tutti quei fornitori che con i loro reagenti e semplici apparecchiature avevano offerto un inimmaginabile divertimento a intere generazioni, non c'era più neppure l'ombra.

IX. VISITE A DOMICILIO

1. Molti anni dopo, leggendo la bellissima descrizione che Keynes fa di Lloyd George nel suo *Le conseguenze economiche della pace*, mi tornò in mente, per qualche strano motivo, zia Lina. Keynes parla dell'«infallibile, quasi medianica sensibilità» del primo ministro britannico nei confronti delle persone che gli stavano intorno: «A vederlo controllare il gruppo avvalendosi di sei o sette sensi di cui le persone comuni non dispongono – giudi-

care il carattere, la motivazione e gli impulsi inconsci di ciascuno di loro, percependo ciò che stessero pensando e persino cosa fossero sul punto di dire, combinando con istinto telepatico il ragionamento o l'appello più confacenti alla vanità, alle debolezze o all'interesse egoistico del suo interlocutore – si intuiva che al povero Presidente [Wilson] sarebbe toccata la parte della mosca cieca».

X. UN LINGUAGGIO CHIMICO

1. Lo stesso Hooke sarebbe diventato un prodigio di energia e genialità scientifica, grazie al talento meccanico e all'abilità matematica. Teneva voluminosi blocchi di appunti, pieni di descrizioni dettagliate fin nei minimi particolari, che forniscono un quadro impareggiabile non solo della sua incessante attività mentale, ma anche del clima intellettuale in cui operava la scienza del diciassettesimo secolo. La *Micrographia* di Hooke, insieme alla descrizione del suo microscopio, conteneva i disegni delle complesse strutture anatomiche, mai viste prima, di insetti e altre creature (compreso un mostruoso pidocchio attaccato a un capello umano grosso come una gaffa). Egli stimò la frequenza del battito d'ali delle mosche dal tono musicale del loro ronzio. Fu il primo a interpretare i fossili come resti e impronte di animali estinti. Illustrò il progetto di un anemometro, di un termometro, di un igrometro e di un barometro. E a volte diede prova di un'audacia intellettuale superiore a quella dello stesso Boyle – come nel caso della interpretazione del fenomeno della combustione, che, disse, «è compiuta da una sostanza intrinseca e mescolata con l'Aria». Identificò quella sostanza con «la proprietà, presente nell'Aria, che essa perde nei Polmoni». Questo concetto – di una sostanza presente in quantità limitata nell'aria, necessaria per la combustione e la respirazione – è molto più vicino a quello di un gas chimicamente attivo di quanto non lo sia la teoria delle particelle di fuoco di Boyle. Le idee di Hooke furono in gran parte ignorate e di-

menticate, al punto che nel 1803 uno studioso osservò: «Non conosco cosa più inspiegabile, nella storia della scienza, del totale oblio di questa teoria del dottor Hooke, così chiaramente espressa, e potenzialmente in grado di attirare l'attenzione». Uno dei motivi fu l'implacabile ostilità di Newton, il quale non solo sviluppò un odio tale contro Hooke da rifiutare la presidenza della Royal Society finché egli fu in vita, ma fece anche di tutto per distruggerne la reputazione. Ma una causa ancor più profonda è forse quella che Gunther Stent definisce «immaturità» nella scienza: il fatto che le idee di Hooke (soprattutto quelle sulla combustione) fossero talmente radicali da essere inammissibili, e perfino incomprensibili, per la mentalità dei suoi contemporanei.

2. Nella biografia di Lavoisier scritta da Douglas McKie troviamo un completo elenco delle attività dello scienziato, che offre una colorita testimonianza del suo tempo non meno che della sua straordinaria versatilità. «Lavoisier prese parte» scrive McKie «alla preparazione di rapporti sull'approvvigionamento idrico della città di Parigi; sulle carceri, l'ipnotismo, l'adulterazione del sidro, la collocazione dei mattatoi pubblici, le "macchine aerostatiche di Montgolfier" (le mongolfiere) allora appena inventate; sul candeggio, le tavole dei pesi specifici, gli idrometri, la teoria dei colori, le lampade, le meteoriti, le griglie che non fanno fumo; sulla fabbricazione degli arazzi e l'incisione di stemmi; sulla carta, i fossili, una poltrona per invalidi, un mantice ad acqua, il tartaro, le sorgenti sulfuree; sulla coltivazione del cavolo e della rapa per i semi e l'olio che da quelli si estrae; su una grattugia per tabacco, le miniere di carbone, il sapone bianco, la decomposizione del nitrato, la produzione dell'amido ... sullo stoccaggio di acqua dolce nelle navi, e poi sull'aria viziata e la presenza di olio nell'acqua sorgiva ... sulla rimozione di olio e unto dai tessuti di seta e di lana, la preparazione di etere nitroso per distillazione; sugli eteri, un crogiolo, un nuovo inchiostro e un calamaio al quale bastava aggiungere dell'acqua per avere sempre a disposizione l'inchiostro ... sul contenuto di alcali delle acque minerali, su una polveriera per l'Arsenale di Pari-

gi, e ancora sui minerali dei Pirenei, il frumento e la farina, i pozzi neri e l'aria che da essi esala; sulla supposta presenza di oro nelle ceneri dei tessuti vegetali; sull'acido arsenico, la separazione dell'oro e dell'argento e la base del sale di Epsom; sull'ottenimento di matasse di seta, la soluzione dello stagno usato nelle tinture; sui vulcani, la putrefazione, i liquidi antincendio, le leghe, l'arrugginimento del ferro; sul possibile uso dell'"aria infiammabile" in uno spettacolo di fuochi d'artificio (dietro richiesta della polizia); sugli strati carboniferi, l'acido marino deflogisticato, gli stoppini per lampade, la storia naturale della Corsica, il fetore dei pozzi di Parigi, la presunta solubilità dell'oro nell'acido nitrico, le proprietà igrometriche della soda, i minerali grezzi di ferro e di sale dei Pirenei, le miniere di piombo argentifero, un nuovo tipo di barile, la fabbricazione di lastre di vetro, i combustibili, la conversione della torba in carbone, la costruzione di mulini per il grano, la produzione dello zucchero, gli straordinari effetti del fulmine e la macerazione del lino. Ancora, scrisse su argomenti quali i depositi minerari francesi, i recipienti da cucina smaltati, la formazione dell'acqua, la coniazione, la proporzione delle diverse componenti nei composti chimici, la vegetazione, e su molti altri, di gran lunga troppi per poter essere descritti qui, seppur dedicando loro solo un brevissimo accenno».

3. Cent'anni prima Boyle aveva effettuato esperimenti con i metalli, e sapeva bene che quando venivano fortemente riscaldati aumentavano di peso, formando un ossido o una cenere più pesante del materiale originale. La spiegazione che egli dava del fenomeno non era però chimica, ma meccanica: egli vi vedeva la manifestazione dell'assorbimento di «particelle di fuoco». Allo stesso modo, considerava l'aria non in termini chimici, ma piuttosto come un fluido elastico di tipo particolare che mediante una sorta di ventilazione meccanica eliminava le impurità dai polmoni. Nel secolo successivo, i dati sperimentali non furono sempre coerenti, in parte perché i giganteschi «specchi ustori» impiegati in laboratorio erano talmente potenti da portare alcuni ossidi metallici alla parziale vaporizzazione o alla sublimazione, causan-

do così una perdita, invece che un aumento, di peso. Ancor più spesso, però, non si effettuavano misure di peso: all'epoca la chimica analitica era ancora in larga misura qualitativa.

4. Quello stesso mese, Lavoisier ricevette una lettera in cui Scheele descriveva la preparazione di quella che chiamava «Aria di Fuoco» (l'ossigeno) mista ad «Aria Viziata» (anidride carbonica), mediante il riscaldamento del carbonato d'argento; Scheele aveva ottenuto l'Aria di Fuoco pura dall'ossido mercurico, ancora prima di Priestley. Lavoisier, tuttavia, rivendicò la scoperta dell'ossigeno, ritenendo che i suoi predecessori non avessero capito nulla di ciò che stavano osservando.

Tutto questo, e la questione di che cosa sia una «scoperta», è stato esplorato nel lavoro teatrale *Oxygen*, di Roald Hoffmann e Carl Djerassi.

5. La sostituzione del flogisto con l'ossidazione ebbe effetti pratici immediati. Adesso era chiaro che, per bruciare completamente, un combustibile aveva bisogno della maggior quantità possibile di aria. François-Pierre Argand, un contemporaneo di Lavoisier, fu lesto a sfruttare la nuova teoria della combustione, progettando una lampada con uno stoppino di nastro piatto, curvato in modo da entrare in un cilindro, così che l'aria potesse raggiungerlo sia dall'interno che dall'esterno, e con un camino che produceva una corrente d'aria verso l'alto. Nel 1783 il bruciatore di Argand era ormai affermato; non s'era mai vista una lampada così efficiente e luminosa.

6. L'elenco degli elementi di Lavoisier comprendeva i tre gas a cui egli stesso aveva dato il nome (ossigeno, azoto e idrogeno), tre non metalli (zolfo, fosforo e carbonio) e diciassette metalli. Ne facevano parte anche i «radicali» muriatico, fluorico e boracico, e cinque «terre»: gesso, magnesia, barite, allumina e silice. Lavoisier era convinto che essi contenessero nuovi elementi che ben presto sarebbero stati isolati (furono effettivamente ottenuti tutti entro il 1825 – tranne il fluoro, che mandò a vuoto i tentativi dei chimici per altri sessant'anni). Gli ultimi due «elementi» di Lavoisier erano la Luce e il Calore – quasi

che egli non fosse riuscito a sbarazzarsi completamente dello spettro del flogisto.

7. Più di cinquant'anni dopo (per il mio sessantacinquesimo compleanno) riuscii a realizzare questa mia fantasia; oltre ai normali palloncini a elio ne gonfiai alcuni di xeno, gas di una densità sbalorditiva: non avrebbero potuto essere più simili ai «palloni di piombo» (l'esafluoruro di tungsteno, ancora più denso, sarebbe stato troppo pericoloso: a contatto con l'umidità atmosferica, infatti, si idrolizza e produce acido fluidrico). Se si facevano ruotare questi palloncini allo xeno fra le mani, e poi ci si fermava, a causa del movimento acquisito, essi continuavano a girare per un minuto, proprio come se fossero stati riempiti di un liquido.

XI. HUMPHRY DAVY: UN CHIMICO-POETA

1. Sebbene fosse stato il primo a osservare che idrogeno e ossigeno, se fatti detonare insieme, producevano l'acqua, Cavendish spiegò la loro reazione basandosi sulla teoria del flogisto. Lavoisier, avendo sentito parlare del lavoro di Cavendish, ripeté l'esperimento, interpretandone correttamente i risultati, e si attribuì la scoperta senza menzionare il contributo dello scienziato inglese. Questi non ne fu minimamente toccato, essendo del tutto indifferente a questioni di priorità e, in effetti, a tutte le questioni meramente umane o emotive.

Mentre Boyle, Priestley e Davy, anche dal punto di vista umano, erano figure affascinanti, Cavendish era diverso. I suoi risultati erano sorprendenti – dalla scoperta dell'idrogeno e dalle splendide ricerche sul calore e l'elettricità alla famosa (e straordinariamente accurata) stima del peso della Terra. Non meno sconcertanti, e già materia di leggenda quando era ancora in vita, furono il suo isolamento (parlava di rado, e pretendeva che i domestici si rivolgessero a lui per iscritto); l'indifferenza per il successo mondano e i beni materiali (benché fosse nipote di un duca, e per gran parte della sua vita l'uomo più ricco d'Inghilterra); la sua disarmante ingenuità e incapacità di gestire i rapporti umani. Quando lessi altre cose su di lui, rimasi turbato e, se possibile, ancora più sconcertato.

«Non aveva amori, odi, speranze, paure o venerazioni, come ognuno di noi» scriveva il suo biografo George Wilson nel 1851. «Si isolava dai suoi simili, e apparentemente anche da Dio. Non c'era nulla di serio, entusiastico, eroico o generoso nella sua natura, come del resto c'era ben poco di meschino, spregevole o ignobile. Era quasi privo di passioni. Ogni cosa la cui comprensione richiedesse qualcosa di più del puro intelletto, o necessitasse dell'esercizio della fantasia, dell'immaginazione, dell'affetto o della fede, gli risultava sgradevole. Leggendo le sue memorie non percepisco altro che una testa in preda all'attività intellettuale, un paio di occhi meravigliosamente acuti e due mani abilissime nello sperimentare e nel compiere registrazioni. Il suo cervello, si direbbe, era una macchina per calcolare; i suoi occhi, l'ingresso d'immagini visive, e non fontane di lacrime; le sue mani, strumenti di manipolazione che non tremarono mai per l'emozione, né mai si giunsero per manifestare adorazione, gratitudine o disperazione; il suo cuore nulla più che un organo anatomico, necessario alla circolazione del sangue». E tuttavia, continuava Wilson, «Cavendish non si ergeva al di sopra degli altri esseri umani con spirito orgoglioso o sprezzante, rifiutando di considerarli suoi pari. Si sentiva separato da loro da un abisso, un abisso che né loro né lui potevano colmare, e attraverso il quale tendere mani o scambiarsi saluti sarebbe stata vana impresa. Un senso di isolamento dai suoi fratelli lo induceva a ritrarsi dalla loro società e a evitare la loro presenza, ma lo faceva come chi è consapevole di un'infermità, e non con lo spirito di chi si vanta della propria eccellenza. Era come un sordomuto che se ne stesse in disparte rispetto ad altre persone, le cui espressioni e i cui gesti denotassero la produzione e l'ascolto di musica e parole, tutti processi nei quali egli non avrebbe potuto prendere parte alcuna. Saggiamente, quindi, se ne stava per conto suo, e sopportando il rifiuto del mondo, prese i voti, che s'era autoimposto, di Anacoreta della Scienza, chiudendosi, come i monaci dei tempi antichi, nella sua cella. Quel regno gli bastava, e dalla sua finestra angusta vedeva tutto ciò che gli interessava dell'Universo. Aveva anche un trono, e da quello dispensava doni ai suoi fratelli. Fu un benefattore della sua stirpe; un benefattore a cui nessuno dimostrò riconoscenza, ma che pazientemente insegnava e serviva l'umanità, mentre gli altri si ritraevano di fronte alla sua freddezza o irridevano alle sue stranezze ... Non fu né Poeta né Prete né Profeta, ma solo un'Intelligenza fredda e limpida, che emanava pura luce bianca, illuminando tutto ciò su cui si posava, senza riscaldare nulla: nel Firmamento Intellettuale, una Stella se non di prima, almeno di seconda grandezza».

Parecchi anni dopo, rilessi quella straordinaria biografia e mi chiesi che cosa «avesse» Cavendish (dal punto di vista clinico). Le caratteristiche emotive di Newton – la gelosia e la sospettosità, le inimicizie profonde e le intense rivalità – erano tipicamente nevrotiche mentre il distacco e l'ingenuità di Cavendish facevano piuttosto pensare all'autismo o alla sindrome di Asperger. Oggi credo che il libro di Wilson sia probabilmente la descrizione più completa che potremmo sperare di avere della vita e della mente di uno straordinario genio autistico.

2. La facilità con cui si ottengono idrogeno e ossigeno grazie all'elettrolisi, in proporzioni idealmente infiammabili, condusse immediatamente all'invenzione del cannello ossidrico, che produceva le temperature più alte mai ottenute. Questo consentì, per esempio, la fusione del platino e permise di portare la calce a una temperatura alla quale essa emetteva una luce costante, la luce più brillante mai vista.

3. Mendeleev, sessant'anni dopo, definì l'impresa di Davy «una delle più grandi scoperte della scienza» – perché introdusse nella chimica un approccio nuovo e potente; perché definì le qualità essenziali di un metallo; e perché, mostrando le somiglianze e l'analogia degli elementi, implicò l'esistenza di un fondamentale gruppo chimico.

4. L'enorme reattività chimica del potassio ne fece un nuovo, potente strumento per isolare altri elementi. Lo stesso Davy se ne servì, appena un anno dopo averlo sco-

perto, per ottenere il boro elementare dall'acido borico, e con lo stesso sistema cercò poi di estrarre il silicio (Berzelius vi riuscì nel 1824). Qualche anno dopo, anche l'alluminio e il berillio furono isolati grazie al potassio.

5. Da ragazza, Mary Shelley era rimasta affascinata dalla conferenza inaugurale tenuta da Davy alla Royal Institution; anni dopo, in *Frankenstein*, riprese abbastanza da vicino le parole di Davy quando il professor Waldman, parlando dell'elettricità galvanica durante la sua conferenza sulla chimica, diceva: «È stata scoperta una nuova influenza, che ha consentito all'uomo di produrre, attraverso diverse combinazioni di materia inerte, effetti in precedenza ottenuti solo dagli organi degli animali».

6. David Knight, nella sua biografia di Davy, parla della vicinanza ideale e del senso di affinità quasi mistico creatosi fra lui e Coleridge, e di come a un certo punto i due avessero progettato di allestire insieme un laboratorio di chimica. In *The Friend*, Coleridge scriveva: «L'acqua e la fiamma, il diamante, il carbone ... sono convocati e fatti fraternizzare dalla teoria del chimico ... È il senso di un principio di connessione offerto dalla mente e sanzionato dalla corrispondenza della natura ... Se in uno *Shakespeare* troviamo la natura idealizzata nella poesia, attraverso il potere creativo di una meditazione profonda e ciò nondimeno osservatrice, così attraverso la riflessiva osservazione di un *Davy* ... troviamo la poesia, per così dire, concretizzata e realizzata nella natura; sì, la natura stessa ci viene svelata ... come fosse al tempo stesso poeta e poesia!».

Coleridge non fu il solo scrittore a «rinnovare» la sua «riserva di metafore» con immagini prelevate dalla chimica. Il termine chimico *affinità elettiva* ricevette da Goethe una connotazione erotica; Keats, che aveva studiato medicina, amava le metafore chimiche. Eliot, in *Tradizione e talento individuale*, impiegò immagini chimiche dal principio alla fine, culminando in una grandiosa metafora alla Davy della mente del poeta: «L'analogia è quella del catalizzatore ... La mente del poeta è il filo di platino».

7. Il grande chimico Justus von Liebig parlò con grande

intensità di questo sentimento nella sua autobiografia: «[La chimica] sviluppò in me la facoltà, tipica più dei chimici che degli altri filosofi naturali, di pensare in termini di fenomeni; non è molto facile dare una chiara idea dei fenomeni a chi non sappia richiamare nella propria mente un'immagine mentale di ciò che vede e ascolta – come il poeta e l'artista, per esempio ... Il chimico ha una forma di pensiero grazie alla quale tutte le idee diventano visibili nella mente come le frasi di un immaginario brano musicale ...

«La facoltà di pensare in termini di fenomeni può essere coltivata solo se la mente è costantemente allenata, e questo nel mio caso avvenne tentando di eseguire, nella misura in cui i mezzi me lo permettevano, tutti gli esperimenti descritti nei libri ... Ripetevo quegli esperimenti ... un numero infinito di volte ... finché non conoscevo nei dettagli ogni aspetto del fenomeno che vi si presentava ... una memoria del senso, ossia della vista, una chiara percezione della somiglianza o delle differenze delle cose o dei fenomeni che in seguito mi fu utilissima».

8. Davy continuò le sue indagini sulla fiamma e, l'anno successivo all'invenzione della lampada di sicurezza, pubblicò *Some Philosophical Researches on Flame*. Più di quarant'anni dopo, Faraday sarebbe ritornato sull'argomento, nelle sue famose conferenze sulla *Storia chimica di una candela*, tenute alla Royal Institution.

9. Ampliando le osservazioni di Davy sulla catalisi, Döbereiner scoprì nel 1822 che il platino finemente suddiviso non solo raggiungeva il calor bianco, ma dava fuoco a un flusso di idrogeno fatto passare su di esso. Fondandosi su quest'osservazione, costruì una lampada che consisteva in pratica in una bottiglia ermeticamente chiusa contenente un pezzo di zinco; quest'ultimo poteva essere calato nell'acido solforico, generando idrogeno. Quando il rubinetto della bottiglia era aperto, l'idrogeno fluiva in un piccolo contenitore dove si trovava un pezzetto di spugna al platino, e istantaneamente prendeva fuoco (essendo praticamente invisibile, questa fiamma era abbastanza pericolosa, e occorreva stare attenti per evitare di ustionarsi). Dopo cinque anni, in Germania e in Inghilterra c'erano ormai ventimila lampade Döbereiner, e

quindi Davy ebbe la soddisfazione di vedere un'applicazione del processo della catalisi, indispensabile in migliaia di case.

XII. IMMAGINI

1. Un'altra cosa che mi affascinava (benché non mi fossi mai cimentato in questo campo) era la cinematografia. Anche qui fu Walter a farmi capire come in un film non ci fossero movimenti reali, ma solo una successione di immagini immobili che il cervello integrava ottenendo l'impressione del movimento. Walter me lo dimostrò con il suo proiettore cinematografico, rallentando la velocità, in modo da mostrarmi solo le immagini immobili, e poi accelerando fino a quando, all'improvviso, si generava l'illusione del movimento. Walter possedeva anche uno zootropo, con le immagini dipinte all'interno di una ruota, e un taumatropio, i cui disegni – su un mazzo di carte che venivano fatte ruotare o muovere rapidamente – davano la stessa illusione. Ormai sapevo che anche il movimento era una costruzione del cervello, proprio come il colore e la profondità.

2. Il riferimento di Wells all'elemento marziano sconosciuto mi affascinò anche in seguito, quando appresi dell'esistenza degli spettri; all'inizio del libro, infatti, lo scrittore l'aveva descritto dicendo che «generava quattro righe spettrali nella regione del blu», mentre in seguito parlò di una bella serie «di tre righe nella regione del verde» (ma non rilesse quello che aveva scritto?).

XIII. I TONDINI DI LEGNO DEL SIGNOR DALTON

1. L'idea di Proust fu tuttavia messa in dubbio da Claude-Louis Berthollet. Chimico insigne e appassionato sostenitore di Lavoisier (e suo collaboratore nella revisione della nomenclatura chimica), Berthollet scoprì l'uso del cloro per lo sbiancamento dei tessuti e accompagnò Na-

poleone in qualità di scienziato nella spedizione in Egitto del 1798. Aveva osservato che leghe e vetri avevano chiaramente una composizione chimica molto diversa; pertanto, egli sosteneva, la composizione dei corpi composti poteva presentare una variabilità continua. Osservò anche, arrostendo del piombo nel suo laboratorio, un cambiamento continuo di colore – e questo non implicava forse un assorbimento pure continuo di ossigeno attraverso un numero infinito di stadi? Secondo Proust, era vero che il piombo riscaldato assorbiva ossigeno in modo continuo e nel processo cambiava colore, ma il fenomeno era dovuto alla formazione di tre ossidi di diverso colore: un monossido giallo, il piombo rosso e un biossido color cioccolato – mescolati come vernici, in varie proporzioni, a seconda dallo stato di ossidazione. Secondo Proust, gli ossidi stessi potevano mescolarsi in qualsiasi proporzione, ma ciascuno di essi aveva una composizione fissa.

Berthollet si interrogò anche su composti come il solfuro ferroso, che non contenevano mai esattamente la stessa proporzione di ferro e di zolfo. A questo proposito, Proust non era in grado di dare una risposta chiara (in effetti la soluzione emerse chiaramente solo in seguito, quando furono compresi i reticoli cristallini, i loro difetti e le sostituzioni – lo zolfo, per esempio, può sostituire in misura variabile il ferro nel reticolo del solfuro di ferro, la cui formula reale varia da Fe_7S_8 a Fe_8S_9. Questi composti non stechiometrici finirono per essere chiamati berthollidi).

In un certo senso, quindi, avevano ragione entrambi, sia Proust che Berthollet; la gran parte dei composti seguiva però il modello sostenuto da Proust e aveva una composizione fissa. (E forse fu necessario che l'idea di Proust prevalesse, perché fu proprio la legge di Proust a ispirare le profonde intuizioni di Dalton).

2. Sebbene, nella sua *Quaerie* finale, Newton alludesse a qualcosa che sembra quasi prefigurare un concetto daltoniano: «Dio può creare particelle di materia di diversa forma e diverse dimensioni, e in proporzioni diverse rispetto allo spazio che occupano, e forse di densità e forza pure diverse».

3. Dalton rappresentò gli atomi degli elementi come cerchi contenenti disegni che talvolta ricordavano i simboli alchemici o i pianeti; gli atomi composti (che oggi chiameremmo molecole) avevano invece configurazioni geometriche ben più intricate, nella prima premonizione di una chimica strutturale che sarebbe stata sviluppata solo dopo altri cinquant'anni.

Sebbene parlasse degli atomi in termini di «ipotesi» atomica, Dalton era convinto che essi esistessero davvero – e questo spiega la sua violenta ostilità alla terminologia introdotta da Berzelius, nella quale un elemento era denotato da una o due lettere del suo nome, invece che dal suo simbolo iconico. Dalton rimase per tutta la vita un appassionato antagonista del simbolismo di Berzelius (che secondo lui mascherava la realtà degli atomi); in effetti, quando nel 1844 morì in seguito a ictus improvviso, l'evento si verificò proprio dopo una violenta discussione durante la quale egli aveva difeso il carattere reale dei suoi atomi.

XIV. LINEE DI FORZA

1. Questi nomi derivavano dall'idea alchemica di una corrispondenza fra i sette metalli dell'antichità e il Sole, la Luna e i cinque pianeti conosciuti. Pertanto, l'oro rappresentava il Sole, l'argento la Luna (e quindi la divinità lunare, Diana), il mercurio Mercurio, il rame Venere, il ferro Marte, lo stagno Giove e il piombo Saturno.

2. Una scoperta che per qualche motivo mi interessò in modo particolare fu quella del diamagnetismo, compiuta da Faraday nel 1845. Egli stava effettuando alcuni esperimenti con un elettromagnete molto potente; mise così fra i suoi poli diverse sostanze trasparenti, per capire se la luce polarizzata potesse essere influenzata dal magnete. Scoprì che sì, poteva – e constatò anche che quando il magnete era alimentato, il pesantissimo vetro al piombo che aveva usato in alcuni dei suoi esperimenti si muoveva orientandosi ad angolo retto rispetto al campo magnetico (questa fu la prima volta che Faraday usò il

termine *campo*). Prima di allora tutte le sostanze magnetiche conosciute – il ferro, il nichel, la magnetite, eccetera – si erano allineate parallelamente al campo. Incuriosito dal fenomeno, Faraday continuò a sperimentare la
suscettibilità magnetica di tutto ciò su cui gli riusciva di
mettere le mani – non solo metalli e minerali, ma anche
vetri, fiamme, carne e frutta.

Quando parlai di questo a zio Abe, egli mi permise di
fare qualche esperimento con un elettromagnete molto
potente che teneva in soffitta, e io riuscii a ripetere moltissimi risultati di Faraday e a scoprire, proprio come lui,
che l'effetto diamagnetico era marcato soprattutto con il
bismuto, il quale era fortemente respinto da entrambi i
poli del magnete. Ero affascinato nel vedere come una
sottile scaglia di bismuto (più vicina possibile – per quanto riuscii ad ottenere da quel fragile metallo – alla forma
di un ago) si allineava quasi con violenza perpendicolar-
mente al campo magnetico. Mi chiedevo se, calibrandola
con sufficiente precisione, non si potesse costruire una
bussola al bismuto, che puntasse in direzione est-ovest.
Feci alcuni esperimenti con piccoli pezzi di carne e di pesce e mi interrogai anche sull'eventualità di effettuare
dei test con creature viventi. Lo stesso Faraday aveva
scritto: «Se un uomo si trovasse in un campo magnetico,
proprio come il sarcofago di Maometto, ruoterebbe fino
a incrociarlo». Mi chiedevo che cosa sarebbe successo se
avessi messo una piccola rana, o magari un insetto, nel
campo generato dal magnete di zio Abe; temevo, però,
che questo potesse, per così dire, congelare il flusso del
sangue dell'animale, oppure colpire il suo sistema nervoso, rivelandosi dunque una sorta di raffinato assassinio.
(In realtà non avrei dovuto preoccuparmi: oggi le rane
sono state sospese per interi minuti in campi magnetici e
a quanto pare l'esperienza non le ha minimamente dan-
neggiate. Con gli enormi magneti attualmente disponibili, si potrebbe provare a fare qualcosa di simile con un intero reggimento).

3. In quel periodo, egli fu inoltre distratto da una serie di
altri interessi e impegni: la ricerca sugli acciai; la fabbricazione di speciali vetri ottici particolarmente rifrangen-
ti; la liquefazione dei gas (che fu il primo a realizzare); la

scoperta del benzene; le sue numerose conferenze di chimica e altri argomenti presso la Royal Institution; e la pubblicazione, nel 1827, del suo *Chemical Manipulations*.

4. Non avendo alcuna conoscenza della matematica superiore, a differenza di zio Abe, trovavo gran parte dell'opera di Maxwell inaccessibile; quanto a Faraday, invece, almeno riuscivo a leggerlo e a coglierne i concetti essenziali, nonostante non usasse mai formule matematiche. Maxwell, esprimendo il suo debito verso Faraday, raccontò di come le sue idee, sebbene fondamentali, potessero essere espresse in forma non matematica: «Forse fu un bene per la scienza che Faraday, per quanto profondamente consapevole delle forme fondamentali dello spazio, non fosse un matematico esperto ... e non si sentisse tenuto ... a forzare i propri risultati in una forma che risultasse bene accetta alle inclinazioni matematiche dei suoi contemporanei. ... Pertanto, egli si sentì libero di svolgere tranquillamente il suo lavoro, di coordinare le sue idee con i fatti, e di esprimerle in un linguaggio naturale, non tecnico...». Tuttavia, proseguiva Maxwell, «Mentre procedevo nello studio di Faraday, percepii che il modo in cui egli concepiva i fenomeni era anche matematico, sebbene non fosse presentato nella forma convenzionale dei simboli matematici».

XV. VITA IN FAMIGLIA

1. Sir Ronald Storrs, all'epoca Governatore britannico di Gerusalemme, descrisse il suo primo incontro con Annie in *Orientations*, il suo diario del 1937:

«Quando, nel 1918, una signora, per nulla simile alla Donna del Destino del palcoscenico, giacché non era né alta, né scura, né sottile, fu introdotta nel mio ufficio, con un'espressione che denotava al tempo stesso buon umore e decisione, mi resi immediatamente conto che un nuovo pianeta era entrato silenziosamente nel mio orizzonte. Durante tutto il periodo della guerra, Miss Annie Landau era stata esiliata ... dalla sua amatissima ... scuola per fanciulle, e pretendeva di farvi ritorno immediatamente. Alla mia scusa meschina, che la sua scuola veniva ora usata come ospedale militare, ella oppose una resistenza d'acciaio: e in capo a qualche minuto le avevo ceduto il vasto edificio vuoto conosciuto come Abyssinian Palace. Ben presto, Miss Landau divenne molto di più della direttrice della migliore scuola per fanciulle ebree della Palestina. Era più britannica che inglese ... più ebrea che sionista: di sabato, nessuna risposta dal suo telefono, nemmeno da parte della servitù. Prima della guerra, era stata in termini di amicizia con i turchi e gli arabi; così che per molti anni la sua generosa ospitalità rappresentò quasi l'unico territorio neutrale in cui ufficiali britannici, sionisti ardenti, bey musulmani ed effendi cristiani potessero incontrarsi in un'atmosfera di reciproca convivialità».

2. «Il composto che forma l'incenso» come il Talmud prescriveva in termini quasi stechiometrici «consisteva di melissa, guscio di conchiglia odorosa, galbano e olibano, ciascuno nella misura di settanta *maneh*; mirra, cassia, nardo indiano e zafferano, sedici *maneh* ciascuno; dodici *maneh* di radice di Saussurea, tre di corteccia aromatica, e nove di cinnamomo; nove *kab* della lisciva ottenuta da una specie di porro; tre *seah* e tre *kab* di vino di Cipro; e se quello non fosse stato disponibile, che si usasse del vino bianco vecchio; un quarto di *kab* di sale di Sodoma, e una minuscola quantità dell'erba *maaleh ashan*». R. Nathan afferma che occorreva anche una piccolissima quantità di *cippath*, un'erba odorosa che cresceva sulle rive del Giordano; tuttavia, se si aggiungeva alla mistura del miele, l'incenso non era più adatto all'uso sacro, e colui che, nel prepararlo, avesse omesso uno dei suoi necessari ingredienti, era passibile della pena di morte.

XVI. IL GIARDINO DI MENDELEEV

1. Anni dopo, quando lessi C.P. Snow, scoprii che al primo incontro con la tavola periodica le sue reazioni erano state molto simili alla mia: «Per la prima volta vedevo

un'accozzaglia di fatti casuali allinearsi e mettersi in ordine. Tutti i miscugli, i guazzabugli e le ricette della chimica inorganica della mia infanzia sembravano trovar posto nello schema di fronte a me – come se uno fosse stato vicino a una giungla e all'improvviso quella si fosse trasformata in un giardino olandese».

2. In quella sua prima nota a piè di pagina, già nella prefazione, Mendeleev parlava di quanto fosse «appagante, libera e gioiosa la vita nel regno della scienza» – e si capiva, da ogni frase, quanto ciò fosse vero per lui. Nell'arco della vita di Mendeleev, i *Princìpi* si svilupparono come una cosa viva – ogni edizione più ampia, più completa, più matura delle precedenti, riempita di note che crescevano e si espandevano (note che divennero così lunghe da riempire, nelle ultime edizioni, più pagine del testo; in effetti, alcune prendevano nove decimi della pagina; credo che il mio stesso amore per le note, per le digressioni che esse consentono, sia stato in parte determinato dalla lettura dei *Princìpi*).

3. Mendeleev non fu il primo a leggere un significato nei pesi atomici degli elementi. Quando Berzelius stabilì quelli dei metalli alcalini, Döbereiner fu colpito dal fatto che il peso dello stronzio fosse esattamente a metà strada fra quello del calcio e del bario. Era un accidente, come pensava Berzelius, o si trattava invece dell'indicazione di qualcosa d'importante, di portata più generale? Lo stesso Berzelius aveva appena scoperto il selenio, nel 1817, e aveva immediatamente compreso che (in termini di proprietà chimiche) esso «si collocava» fra lo zolfo e il tellurio. Döbereiner si spinse oltre, e mise in evidenza anche una relazione quantitativa, giacché il peso atomico del selenio era proprio a metà strada fra quello degli altri due elementi. Quando, quello stesso anno, fu scoperto il litio (anch'esso nel laboratorio casalingo di Berzelius) Döbereiner osservò che esso completava un'altra triade, quella dei metalli alcalini: litio, sodio e potassio. Inoltre, poiché riteneva che l'intervallo fra i pesi atomici del cloro e dello iodio fosse troppo grande, Döbereiner pensava (come Davy prima di lui) che dovesse esistere un terzo elemento, un altro alogeno analogo ad essi, con un peso

atomico intermedio. (Questo elemento, il bromo, fu scoperto qualche anno dopo).

Le «triadi» di Döbereiner – con la loro implicazione
di una correlazione fra peso atomico e natura chimica –
suscitarono reazioni contrastanti. Berzelius e Davy erano
scettici sul significato di una tale «numerologia» – perché così essi la consideravano; altri invece ne rimasero affascinati e si chiesero se fra i numeri di Döbereiner non
potesse nascondersi un significato fondamentale, per
quanto oscuro.

4. Questa, almeno, è la leggenda che si racconta, in seguito diffusa dallo stesso Mendeleev – un po' come accadde con Kekulé, che anni dopo avrebbe descritto la
scoperta dell'anello del benzene come il risultato di un
sogno in cui aveva visto dei serpenti mordersi la coda.
Tuttavia, se si osserva la tavola disegnata proprio da Mendeleev, si vede che è piena di spostamenti, di cancellatu-
re e di calcoli in margine. Essa dimostra, nel modo più
chiaro possibile, la lotta creativa ingaggiata dalla sua
mente per arrivare a comprendere i fatti. Mendeleev
non si svegliò da quel sogno con tutte le risposte pronte,
ma – e questo forse è più interessante – con il senso di
una rivelazione, così che nell'arco di qualche ora riuscì a
risolvere molti dei problemi ai quali si era dedicato per
anni.

5. In una nota del 1889 – perfino i testi delle sue conferenze avevano delle note, quanto meno nella trascrizione affidata alle stampe – Mendeleev aggiunse: «Prevedo
qualche altro nuovo elemento, ma non con la stessa certezza di prima». Ben consapevole della lacuna esistente
fra il bismuto (peso atomico 209) e il torio (232), riteneva che diversi elementi dovessero andare a colmarla. Era
quasi certo di quello immediatamente successivo al bismuto – «un elemento analogo al tellurio, che potremmo chiamare *dvi-tellurio*». Questo elemento, il polonio,
fu scoperto da Pierre e Marie Curie nel 1898, e quando
finalmente venne isolato, dimostrò di possedere quasi
tutte le proprietà previste da Mendeleev. (Nel 1899,
Mendeleev fece visita ai coniugi Curie a Parigi e salutò il
radio come «eka-bario»).

Nell'edizione finale dei *Princìpi*, Mendeleev fece molte altre previsioni, compresa quella di due analoghi del manganese, più pesanti – un «eka-manganese», con un peso atomico di circa 99, e un «tri-manganese» con uno di 188; purtroppo, egli non li avrebbe mai visti. Il «tri-manganese» – il renio – fu scoperto solo nel 1925, ultimo degli elementi naturali; quanto all'«eka-manganese», il tecnezio, fu il primo elemento ottenuto artificialmente nel 1937.

Per analogia, Mendeleev aveva anche previsto alcuni elementi successivi all'uranio.

6. È senz'altro un cospicuo esempio di sincronia il fatto che nei dieci anni successivi alla conferenza di Karlsruhe fossero emerse non una, ma *sei* di tali classificazioni, tutte completamente indipendenti: quella di de Chancourtois in Francia, quelle di Odling e Newlands in Inghilterra, e poi quelle di Lothar Meyer in Germania, di Hinrichs in America e finalmente di Mendeleev in Russia; tutte indicavano l'esistenza di una legge periodica.

De Chancourtois, un mineralogista francese, fu il primo a ideare una classificazione del genere e nel 1862 – solo diciotto mesi dopo la conferenza di Karlsruhe – scrisse i simboli di ventiquattro elementi in modo che formassero una spirale intorno a un cilindro verticale, collocandoli a un'altezza proporzionale al loro peso atomico, in modo che elementi con proprietà simili si trovassero gli uni sotto gli altri. Poiché il tellurio occupava il punto medio dell'elica, egli la chiamò «vite tellurica», *vis tellurique*. Tuttavia, quando pubblicarono il suo articolo, i «Comptes Rendu» riuscirono, in modo abbastanza grottesco, a omettere proprio l'illustrazione essenziale, e questo, oltre ad altri problemi, fece fallire l'intera impresa, condannando all'oblio le idee di Chancourtois.

Newlands, in Inghilterra, non fu molto più fortunato. Anche lui dispose gli elementi conosciuti in ordine di peso atomico crescente; avendo riscontrato in ogni ottavo elemento un'analogia con il primo, propose una «legge delle ottave», affermando che «l'ottavo elemento, partendo da uno dato, è una sorta di ripetizione del primo, come l'ottava nota in un'ottava musicale». (Se all'epoca fossero stati conosciuti i gas inerti, ovviamente sarebbe stato il nono elemento a ricordare il primo). Un con-

fronto troppo letterale con la musica, e il suggerimento
che queste ottave potessero essere una sorta di «musica
cosmica» suscitarono una reazione sarcastica alla Chemical Society, in occasione dell'incontro durante il quale
Newlands presentò la sua teoria; si disse che avrebbe fatto altrettanto bene a disporre gli elementi in ordine alfabetico.

Non c'è dubbio che Newlands, ancor più di Chancourtois, fosse arrivato molto vicino a una legge periodica.
Come Mendeleev, Newlands ebbe il coraggio di invertire
l'ordine di certi elementi quando il loro peso atomico
non si confaceva a quella che sembrava la loro posizione
corretta nella sua tavola (tuttavia, a differenza di Mendeleev, Newlands non fece alcuna previsione di elementi
sconosciuti).

Lothar Meyer aveva partecipato alla conferenza di
Karlsruhe, e fu uno dei primi a usare i pesi atomici corretti pubblicati in quell'occasione in una classificazione
periodica. Nel 1868 egli emerse con una complessa tavola periodica a sedici colonne (la cui pubblicazione fu
però ritardata, e avvenne dopo quella della tavola di
Mendeleev). Lothar Meyer prestò una particolare attenzione alle proprietà fisiche degli elementi e alla loro relazione con i pesi atomici, e nel 1870 pubblicò un grafico
diventato poi famoso, che mostrava i «volumi atomici»
(il rapporto fra peso atomico e densità) in funzione del
peso atomico; un grafico in cui i punti più in alto corrispondevano ai metalli alcalini, quelli in basso ai metalli
del Gruppo VIII – i metalli del ferro e del platino, con i
loro piccoli atomi densi –, mentre tutti gli altri elementi
trovavano un'elegante collocazione nel mezzo. Questo
grafico si dimostrò una potente argomentazione a favore
di una legge periodica, e contribuì molto all'accettazione del lavoro di Mendeleev.

All'epoca in cui scoprì il suo «sistema naturale», d'altra parte, Mendeleev non conosceva, o perlomeno negò
di conoscere, qualsiasi tentativo di classificazione paragonabile al suo. In seguito, quando il suo nome e la sua fama si furono consolidati, egli divenne più aperto e si fece
forse più generoso, sentendosi meno minacciato al pensiero che esistessero dei coautori o dei precursori della

sua scoperta. Quando, nel 1889, fu invitato a tenere la Faraday Lecture a Londra, tributò un misurato riconoscimento a coloro che lo avevano preceduto.

7. Cavendish, tuttavia, facendo reagire l'azoto e l'ossigeno dell'aria, aveva osservato, nel 1785, che una piccola quantità del tutto («non più della centoventesima parte») era totalmente refrattaria alla combinazione; nessuno prestò attenzione a questa sua constatazione fin verso la fine del diciannovesimo secolo.

8. Credo che a volte m'identificassi con i gas inerti, e che in qualche caso li antropomorfizzassi, immaginandoli come tipi solitari, tagliati fuori, desiderosi di un legame. Ma era proprio impossibile per loro interagire – stabilire un legame con altri elementi? Non poteva il fluoro, il più attivo, il più violento degli alogeni – così bramoso di combinarsi da aver eluso ogni tentativo d'isolamento per più di un secolo –, non poteva dunque il fluoro, se gliene fosse stata data la possibilità, legarsi almeno con lo xeno, il più pesante dei gas inerti? Riflettei sulle tavole delle costanti fisiche e conclusi che in linea di principio una tal combinazione era possibile.

Al principio degli anni Sessanta, sebbene a quell'epoca la mia mente si fosse ormai rivolta ad altre cose, fui felicissimo nell'apprendere che il chimico americano Neil Bartlett era riuscito a preparare un tale composto – per la precisione, un composto ternario di platino, fluoro e xeno. In seguito furono sintetizzati anche fluoruri di xeno e ossidi di xeno.

Freeman Dyson mi ha scritto descrivendomi l'amore che provava, da ragazzo, per la tavola periodica e i gas inerti – anche lui li aveva visti nei loro recipienti al Museo della Scienza di South Kensington – e di come si fosse eccitato, anni dopo, quando gli venne mostrato un campione di xenato di bario, nel vedere quel gas elusivo e non reattivo saldamente e meravigliosamente intrappolato in un cristallo:

«Anche per me, la tavola periodica fu una passione ... Da ragazzo me ne stavo di fronte ad essa per ore, pensando a quanto fosse meraviglioso che ognuna di quelle lamine di metallo e ognuno di quei gas nei loro recipienti avesse una sua personalità distinta ... Uno dei momenti memorabili della mia vita fu quando Willard Libby arrivò a Princeton con un barattolino pieno di cristalli di xenato di bario. Un composto stabile, simile al sale comune, ma molto più pesante. Questa era la magia della chimica, vedere lo xeno intrappolato in un cristallo».

9. Un'anomalia spettacolare emerse con gli idruri dei non metalli – brutta gente, non si può immaginare nulla di più ostile verso la vita. Gli idruri dell'arsenico e dell'antimonio erano velenosissimi e puzzolenti; quelli di silicio e fosforo prendevano fuoco spontaneamente. Nel mio laboratorio avevo sintetizzato gli idruri di zolfo (H_2S), di selenio (H_2Se) e di tellurio (H_2Te), tutti elementi del Gruppo VI, tutti gas pericolosi e con un odore terribile. Per analogia, uno avrebbe pensato che l'idruro dell'ossigeno, il primo elemento del Gruppo VI, dovesse essere anch'esso un gas dall'odore disgustoso, velenoso, infiammabile, e che condensasse in un liquido nauseante intorno ai -100 °C. E invece si trattava dell'acqua, H_2O: stabile, potabile, inodore, benigna e con una serie di proprietà speciali – anzi, uniche (l'espansione nel passaggio allo stato solido, la grande capacità termica, le proprietà come solvente ionizzante, eccetera) che la rendevano indispensabile al nostro pianeta, indispensabile per la vita stessa. Che cosa faceva di essa un composto così anomalo? Le proprietà dell'acqua non mi fecero dubitare della corretta collocazione dell'ossigeno nella tavola periodica, ma suscitarono in me un'intensa curiosità: perché l'ossigeno era tanto diverso dai suoi analoghi? (Questa domanda ha trovato risposta solo recentemente, negli anni Trenta, quando Linus Pauling descrisse il legame idrogeno).

10. Ida Tacke Noddack fece parte di un gruppo di scienziati tedeschi che scoprirono l'elemento 75, il renio, nel 1925-1926. La Noddack proclamò anche di aver scoperto l'elemento 43, che denominò *masurium*. Questo risultato non poté essere confermato, e la Noddack fu screditata. Nel 1934, quando Fermi bombardò l'uranio con i neutroni e credette di aver ottenuto l'elemento 93, la Noddack suggerì che si stesse sbagliando, e che in realtà avesse scisso l'atomo. Ma poiché aveva perso credibilità ai tempi dell'elemento 43, nessuno le prestò attenzione. Se fosse

stata ascoltata, probabilmente la Germania avrebbe fabbricato la propria atomica, e la storia del mondo sarebbe andata diversamente. (Questa storia fu raccontata da Glenn Seaborg nel presentare le sue memorie a una conferenza nel novembre del 1997).

11. Sebbene gli elementi 93 e 94, il nettunio e il plutonio, fossero stati creati nel 1940, la loro esistenza fu resa di pubblico dominio solo dopo la fine della guerra. Quando furono ottenuti, essi ricevettero i nomi provvisori di «extremium» e «ultimium», perché si riteneva impossibile la creazione di elementi più pesanti. Tuttavia, nel 1944, furono creati gli elementi 95 e 96. La loro scoperta non fu resa pubblica nel solito modo – e cioè con una lettera a «Nature» o nel corso di un incontro alla Chemical Society – ma durante un quiz per ragazzi alla radio, nel novembre del 1945, quando un dodicenne chiese: «Mr Seaborg, ultimamente avete fabbricato qualche nuovo elemento?».

XVII. UNO SPETTROSCOPIO TASCABILE

1. Nel suo *Corso di filosofia positiva* (1835), Auguste Comte aveva scritto: «Sull'argomento delle stelle, tutte le indagini che non siano riducibili alle semplici osservazioni visive ci sono ... necessariamente precluse. Sebbene sia concepibile la possibilità di determinarne la forma, le dimensioni e i movimenti, ciò nondimeno non saremo mai in grado, con nessun mezzo, di studiare la loro composizione chimica o i minerali in esse contenuti».

XVIII. FUOCO FREDDO

1. Zio Abe mi raccontò qualcosa della storia dei fiammiferi, per esempio il fatto che per accendere i primi occorreva immergerli nell'acido solforico, finché, negli anni Trenta del diciannovesimo secolo, non furono introdotti i «luciferi» – che si accendevano per sfregamento –

e mi spiegò come ciò avesse aumentato enormemente la domanda di fosforo bianco nei cent'anni successivi. Mi raccontò anche delle spaventose condizioni in cui lavoravano le donne nelle fabbriche di fiammiferi e della fosfonecrosi, la terribile malattia di cui rimasero spesso vittima finché, nel 1906, l'uso del fosforo bianco non fu bandito. (In seguito venne usato solo il fosforo rosso, di gran lunga più stabile e più sicuro).

Abe mi parlò anche delle infernali bombe al fosforo usate nella Grande Guerra, e mi disse che in seguito erano stati fatti dei passi per bandirle, come nel caso dei gas velenosi. Ma nel 1943 furono ancora una volta usate liberamente, e migliaia di persone, dall'una e dall'altra parte, morirono bruciate vive in modo spaventoso.

2. Il fosforo, ossidandosi lentamente, non era l'unico elemento a emettere luce se esposto all'aria. Anche il sodio e il potassio facevano lo stesso quando erano appena tagliati, ma in qualche minuto perdevano la loro luminosità, non appena le superfici di taglio si ossidavano. Lo scoprii casualmente un giorno che stavo lavorando nel mio laboratorio; era un tardo pomeriggio, stava a poco a poco imbrunendo e io non avevo ancora acceso la luce.

3. Ugualmente importanti erano i tubi a raggi catodici, allora allo studio per la televisione. Lo stesso Abe aveva un apparecchio televisivo originale degli anni Trenta, un oggetto enorme, massiccio, con un minuscolo schermo rotondo. Il suo tubo, mi disse, non era molto diverso dai tubi a raggi catodici che Crookes aveva sviluppato verso la fine del diciannovesimo secolo, salvo il fatto che era ricoperto con un fosforo adatto. I tubi a raggi catodici usati nelle apparecchiature elettroniche e nella strumentazione medica erano spesso rivestiti di silicato di zinco, la willemite, che quando era bombardata emetteva una brillante luce verde; per la televisione però, occorrevano dei fosfori che dessero una luce bianca, chiara, e per lo sviluppo della televisione a colori sarebbero stati necessari tre fosfori distinti, con un equilibrio perfetto di emissione cromatica, come nel caso dei tre pigmenti per la fotografia a colori. Le sostanze usate per «drogare» le vecchie vernici luminose erano assolutamente inadatte a

questo scopo; occorrevano colori molto più delicati e precisi.

4. Zio Abe mi mostrò anche altri tipi di luce fredda. Si potevano prendere vari cristalli – per esempio quelli di nitrato di uranile, o anche del comunissimo zucchero di canna – e frantumarli in un mortaio col pestello, o fra due provette (o anche con i denti), rompendo i cristalli uno contro l'altro: così facendo, essi emettevano luce. Questo fenomeno, chiamato «triboluminescenza», era conosciuto già nel diciottesimo secolo, quando padre Giambattista Beccaria scriveva che per impressionare le persone semplici sarebbe bastato masticare un poco di zucchero e, nel frattempo, tenere la bocca aperta – che sarebbe sembrata piena di fuoco; e aggiungeva che la luce prodotta dallo zucchero sarebbe apparsa tanto più intensa, quanto più lo zucchero stesso fosse stato puro.

Anche la cristallizzazione poteva causare la luminescenza; Abe mi suggerì di preparare una soluzione satura di bromato di stronzio e poi di lasciarla raffreddare lentamente al buio – al principio non successe nulla, ma poi cominciai a vedere delle scintillazioni, come piccoli lampi di luce, mentre sul fondo del recipiente si formavano dei cristalli aguzzi.

5. Lessi che lo stesso fenomeno era stato ingegnosamente utilizzato per fabbricare boe luminose; intorno ad esse c'erano robusti tubi di vetro contenenti mercurio in condizioni di pressione ridotta, che per azione del moto ondoso vorticava contro il vetro e si caricava di elettricità.

XX. RAGGI PENETRANTI

1. Quand'ero ragazzo, i negozi di scarpe erano ovunque attrezzati con macchine a raggi X, i fluoroscopi, così che fosse possibile controllare se le ossa dei propri piedi si adattassero più o meno bene alle nuove scarpe. Mi piacevano molto queste macchine, perché si potevano muovere le dita e vedere tutte le ossa del piede muoversi all'unisono, nel loro involucro di carne quasi trasparente.

2. I dentisti erano particolarmente a rischio, poiché tenevano piccole pellicole radiografiche nella bocca dei pazienti – spesso per diversi minuti, giacché le emulsioni originali erano lentissime. Molti dentisti persero le dita a causa dell'esposizione delle mani ai raggi X in questo modo.

3. Il nonno di Henri Becquerel, Antoine-Edmond Becquerel, aveva lanciato lo studio sistematico della fosforescenza negli anni Trenta del diciannovesimo secolo e pubblicò le prime immagini di spettri fosforescenti. Suo figlio, Alexandre-Edmond, lo aveva aiutato nelle sue ricerche e inventò un «fosforoscopio», con il quale era in grado di misurare fenomeni di fluorescenza che duravano anche solo un millesimo di secondo. Il suo libro del 1867, *Lumière*, fu il primo trattato completo sulla fosforescenza e la fluorescenza mai pubblicato (e rimase l'unico per i successivi cinquant'anni).

XXI. L'ELEMENTO DI MADAME CURIE

1. Nel 1998 parlai a un incontro per il centenario della scoperta del polonio e del radio. Accennai al fatto che questo libro mi era stato regalato quando avevo dieci anni, e che era la mia biografia preferita. Mentre parlavo, mi accorsi di un'anziana signora, nel pubblico, con gli zigomi alti da slava e un sorriso che le andava da un orecchio all'altro. Pensai: «Non può essere!». E invece sì, era proprio lei, Eva Curie, che mi fece il suo autografo sul libro a sessant'anni dalla pubblicazione, cinquantacinque anni dopo che lo avevo letto.

2. Becquerel era stato il primo ad accorgersi delle lesioni che potevano derivare dalla radioattività: si ritrovò una bruciatura dopo aver portato un concentrato altamente radioattivo nel taschino della giacca. Pierre Curie studiò il problema, procurandosi deliberatamente un'ustione sul braccio. E tuttavia, né lui né Marie affrontarono davvero i pericoli del radio, di quel loro «figlio». Si diceva che il loro laboratorio emettesse luce nell'oscurità, e forse entrambi morirono per i suoi effetti. (Pierre, ormai in-

debolito, morì in un incidente stradale; Marie, trent'anni dopo, per un'anemia aplastica). I campioni radioattivi venivano inviati liberamente per posta ed erano maneggiati con pochissime precauzioni. Frederick Soddy, che lavorava con Rutherford, credeva di essere diventato sterile manipolando i materiali radioattivi.

E tuttavia, esisteva una certa ambivalenza, perché la radioattività era considerata anche una forza benigna, una forza risanatrice. Oltre agli apparecchi per inalare il torio, ci fu un dentifricio al torio prodotto dalla Auer Company (zia Annie era solita tenere le sue protesi dentarie per tutta la notte in un bicchiere con «bastoncini di radio») e poi il Radioendocrinator, contenente radio e torio, che doveva essere portato intorno al collo per stimolare la tiroide, oppure intorno allo scroto per stimolare la libido. La gente si recava nelle stazioni termali per prendere l'acqua al radio.

Il problema più serio insorse negli Stati Uniti, dove i medici prescrissero soluzioni radioattive come il Radithor per ringiovanire, per curare il cancro allo stomaco o per le malattie mentali. Migliaia di persone bevvero quelle pozioni; a mettere fine alla folle moda del radio fu solo, nel 1932, la morte fortemente pubblicizzata di Eben Byers, importante magnate dell'acciaio e persona molto in vista. Dopo aver consumato quotidianamente per quattro anni un tonico al radio, Byers sviluppò una grave malattia da radiazioni e un cancro della mandibola, e morì in modo grottesco, con le ossa disintegrate, come Monsieur Valdemar nel racconto di Edgar Allan Poe.

3. Conservando la sua flessibilità mentale sino alla fine, Mendeleev rinunciò all'ipotesi dell'etere l'anno prima di morire, e ammise di aver accettato l'«impensabile» – la trasmutazione – quale fonte dell'energia radioattiva.

4. L'etere conobbe numerosi altri impieghi. Per Oliver Lodge, che scriveva nel 1924, esso era ancora il mezzo necessario per le onde elettromagnetiche e la gravitazione, nonostante all'epoca la teoria della relatività fosse ampiamente conosciuta. Per Lodge esso era anche il mezzo che forniva un continuum, una matrice, in cui potevano essere incluse particelle discrete – atomi ed elettroni. Infine, per lui (come per J.J. Thomson e per molti

altri) l'Etere assunse anche un significato religioso e metafisico – divenne il mezzo, il regno, in cui abitavano gli spiriti e la Mente-in-senso-lato, il luogo in cui la forza vitale dei morti manteneva una sorta di quasi-esistenza (e poteva forse essere invocata con gli sforzi dei medium). Thomson e molti altri fisici della sua generazione divennero membri attivi, i fondatori, della Society for Physical Research – una reazione, forse, contro il materialismo del tempo e contro la morte di Dio, percepita o immaginata che fosse.

5. Dopo aver letto questo, mi chiesi se esistesse una sostanza radioattiva calda al tatto. Avevo delle barrette di uranio e di torio, ma erano fredde come quelle di qualsiasi altro metallo. Una volta tenni in mano una provetta di zio Abe contenente dieci milligrammi di radio, ma il campione non era più voluminoso di un granello di sale e non sentii alcun tepore attraverso il vetro.

Rimasi affascinato nell'apprendere da Jeremy Bernstein che una volta aveva tenuto in mano una sfera di plutonio – niente di meno che il nucleo di una bomba atomica – e lo aveva trovato stranamente tiepido.

XXIII. IL MONDO LIBERATO

1. I quaderni di laboratorio di Marie Curie, a distanza di un secolo, sono ancora ritenuti troppo pericolosi per poter essere maneggiati e vengono conservati in casse rivestite di piombo.

2. Soddy immaginò questa trasmutazione artificiale quindici anni prima che Rutherford la realizzasse, e previde disintegrazioni atomiche esplosive o controllate molto tempo prima che fossero scoperti i fenomeni della fissione o della fusione nucleare.

3. Fu negli anni Trenta, leggendo *La liberazione del mondo*, che Leo Szilard pensò alle reazioni a catena e le brevettò in segreto nel 1936; nel 1940, poi, persuase Einstein a inviare a Roosevelt la sua famosa lettera sulla possibilità di fabbricare una bomba atomica.

1. Nel 1914 gli scienziati di Gran Bretagna, Francia, Germania e Austria erano ormai tutti impegnati, in vario modo, nella prima guerra mondiale. Per tutta la durata del conflitto, la chimica e la fisica, come scienze pure, furono in larga misura sospese, e a prendere il loro posto fu la scienza applicata, la scienza della guerra. Rutherford interruppe le sue fondamentali ricerche e il suo laboratorio fu riorganizzato per effettuare studi sul rilevamento dei sottomarini. Geiger e Marsden – che avevano osservato la deflessione delle particelle alfa, osservazione che rappresentò la base del modello atomico di Rutherford – si ritrovarono entrambi sul fronte occidentale, l'uno contro l'altro. Chadwick ed Ellis, colleghi più giovani di Rutherford, furono fatti prigionieri in Germania. Quanto a Moseley, fu ucciso a trentotto anni da un proiettile alla testa, a Gallipoli. Mio padre mi parlava spesso dei giovani poeti, degli intellettuali – della parte migliore di un'intera generazione, spazzata via tragicamente dalla Grande Guerra. La maggior parte dei nomi che egli citava mi erano sconosciuti, ma quello di Moseley era l'unico che conoscevo e fu quello che rimpiansi di più.

2. Questo conferì al modello di Bohr anche un potere predittivo. Moseley aveva osservato che l'elemento 72 mancava, ma non era in grado di dire se si trattasse di una terra rara oppure no (gli elementi dal 57 al 71 erano terre rare, e il 73, il tantalio, era un elemento di transizione, ma nessuno sapeva per certo quante fossero le terre rare). Bohr, con la sua chiara idea del numero degli elettroni contenuti in ciascun guscio, poté prevedere che l'elemento 72 non sarebbe stato una terra rara, ma un analogo più pesante dello zirconio. Esortò allora i colleghi danesi a cercarlo nei minerali dello zirconio, e ben presto essi lo trovarono (e lo denominarono afnio, dall'antico nome di Copenaghen). Questa fu la prima volta in cui l'esistenza e le proprietà di un elemento furono previste non per analogia chimica, ma sulla base puramente teorica della sua struttura elettronica.

3. Al principio del ventesimo secolo ci si chiese anche

che cosa potesse accadere, nei metalli, a questo «gas elettronico», se essi fossero stati raffreddati fino a raggiungere temperature prossime allo zero assoluto – questo trattamento avrebbe forse «congelato» tutti gli elettroni, trasformando il metallo in un perfetto isolante? Quello che si scoprì, usando il mercurio, fu l'esatto opposto: a 4,2 gradi al di sopra dello zero assoluto, il mercurio diventava un conduttore perfetto, un superconduttore, perdendo improvvisamente tutta la sua resistenza. Pertanto sarebbe stato possibile avere un anello di mercurio, raffreddato in elio liquido, e far fluire attraverso di esso una corrente elettrica senza alcuna attenuazione, per giorni, per sempre.

4. Secondo Gamow, l'Universo era cominciato come oggetto infinitamente denso – forse non più voluminoso di un pugno. Gamow e il suo allievo Ralph Alpher ipotizzarono poi (in un famoso articolo pubblicato nel 1948, divenuto noto, dopo che Hans Bethe era stato invitato ad aggiungervi il suo nome, come l'articolo alfa-beta-gamma) che questo Universo ancestrale, delle dimensioni di un pugno, fosse esploso dando origine allo spazio e al tempo, e che in quell'esplosione (che Hoyle, ironicamente, avrebbe chiamato *big bang*, «gran botto») si fossero originati tutti gli elementi.

Qui, però, aveva sbagliato; nel *big bang* si originarono solo gli elementi più leggeri – l'idrogeno, l'elio e forse anche un poco di litio. Solo negli anni Cinquanta si capì come si fossero generati gli elementi più pesanti. Affinché una stella media consumasse tutto il suo idrogeno, potevano occorrere miliardi di anni; tuttavia, a questo punto, le stelle di massa maggiore, ben lungi dall'estinguersi, potevano contrarsi, diventando ancora più calde, e innescare ulteriori reazioni nucleari, fondendo il proprio elio per produrre carbonio, e poi fondendo quest'ultimo per generare ossigeno, e quindi silicio, fosforo, zolfo, sodio, magnesio – fino al ferro. Oltre il ferro nessuna energia poteva essere liberata per ulteriore fusione, e quindi esso va accumulandosi come ultimo termine della nucleosintesi. Ciò spiega la sua straordinaria abbondanza nell'Universo, un'abbondanza che trova conferma nelle meteoriti metalliche e nel nucleo di ferro della stessa Terra. (Gli elementi più pesanti, quelli oltre il ferro, rimasero enigmatici più a lungo; a quanto pare, essi si originano esclusivamente nelle esplosioni delle supernove).

XXV. FINE DI UN AMORE

1. Questo problema risuonava ancora dentro di me quando lessi il meraviglioso libro di Primo Levi *Il sistema periodico*, soprattutto il capitolo intitolato «Potassio». Qui Levi parla della propria ricerca, da studente, di «fonti di certezza». Avendo deciso di diventare un fisico, Levi lasciò il laboratorio di chimica e cominciò un internato al dipartimento di fisica, in particolare con un astrofisico. La cosa non andò assolutamente come lui aveva sperato, perché sebbene fosse effettivamente possibile trovare alcune certezze ultime nella fisica stellare, esse, per quanto sublimi, erano astratte e lontane dalla vita quotidiana. Più vicine alla vita e fonte di maggior nutrimento per l'anima, erano invece le bellezze della chimica pratica. «Quando capisco che cosa sta succedendo dentro una storta,» osservò Levi una volta «sono più felice. Ho allargato un poco le mie conoscenze. Non ho compreso la verità o la realtà. Ho solo ricostruito un segmento, un piccolo segmento del mondo. In un laboratorio industriale questa è già una grande vittoria».

2. Non ero affatto solo. George Gamow – scrittore-scienziato di grandissima versatilità e fascino, di cui avevo già letto *Nascita e morte del sole* – fu per me una guida importantissima. Nei suoi libri di Mr Tompkins (*Mister Tompkins, l'atomo e l'universo*, pubblicati nel 1945) Gamow usa l'artifizio di alterare le costanti fisiche di molti ordini di grandezza per rendere almeno parzialmente concepibili mondi altrimenti inimmaginabili. Egli rende comicamente immaginabile la relatività supponendo che la velocità della luce sia di soli cinquanta chilometri orari, e stessa sorte è riservata alla meccanica quantistica, aumentando la costante di Planck di ventotto ordini di grandezza, in modo da poter constatare alcuni effetti

quantici nella vita «reale» – così che le tigri quantistiche, striscianti in una giungla quantistica, sono ovunque e allo stesso tempo in nessun luogo.

A volte mi chiedevo se non esistesse qualche fenomeno «macroquantistico» – se non ci fosse modo di vedere, in condizioni straordinarie, un mondo quantico con i propri occhi. Una delle esperienze indimenticabili della mia vita fu esattamente questa, quando fui iniziato all'elio liquido, e vidi come, a una temperatura critica, esso cambiasse improvvisamente le sue proprietà trasformandosi da un liquido normalissimo a uno strano superfluido privo di viscosità e di entropia, in grado di passare attraverso le pareti, di arrampicarsi fuori da un recipiente, dotato di una conduttività termica tre milioni di volte superiore a quella del normale elio liquido. Questo stato impossibile della materia poteva essere compreso solo in termini di meccanica quantistica: gli atomi erano talmente vicini gli uni agli altri che le loro funzioni d'onda si sovrapponevano e si fondevano, così che alla fine ci si ritrovava, a tutti gli effetti, con un unico atomo gigantesco.

3. Crookes aveva torto, e le nuove conoscenze sull'atomo che avevano indotto le sue riflessioni (egli scriveva nel 1915, solo due anni dopo l'atomo di Bohr) sarebbero servite, una volta assimilate, a espandere e ad arricchire enormemente la chimica, e non a ridurla o annientarla, come egli temeva: vorrei tanto averlo capito allora, ma non era facile per me, che ero solo un ragazzino. Ansie simili emersero anche ai tempi della prima teoria atomica: molti chimici, fra i quali Humphry Davy, credevano che l'accettazione degli atomi e dei pesi atomici di Dalton comportasse un pericolo – il pericolo di allontanare la chimica dalla sua concretezza e dalla realtà, per portarla in un regno metafisico, arido e povero.

RINGRAZIAMENTI

Sono immensamente debitore nei confronti dei miei fratelli, dei miei cugini e, non ultimo, dei miei vecchi amici, che hanno condiviso con me ricordi, lettere, fotografie e ogni genere di cose degne di memoria; senza di loro, non sarei riuscito a ricostruire eventi tanto lontani nel tempo. Ho scritto di loro e altri con una certa trepidazione: come disse Primo Levi, è sempre pericoloso trasformare una persona in un personaggio.

Kate Edgar, mia assistente ed editor di molti miei libri, è stata ben più che una collaboratrice, non soltanto occupandosi della redazione delle innumerevoli versioni da me prodotte, ma incontrando insieme a me i chimici, scendendo in miniere, sopportando orribili esalazioni ed esplosioni, scariche elettriche e occasionali emanazioni radioattive, tollerando un ufficio sempre più traboccante di tavole periodiche, spettroscopi, cristalli sospesi in soluzioni sovrasature, bobine, batterie, reagenti e minerali. Se non fosse stato per le sue capacità di distillazione, questo libro, frutto di un autentico lavoro di scavo minerario, conterebbe ancora due milioni di parole.

Sheryl Carter, anche lei mia collaboratrice, mi ha introdotto alle meraviglie di Internet (in fatto di computer, sono analfabeta – scrivo a mano o con una vecchia macchina per scrivere) e ha scovato libri, articoli, strumenti scientifici e giocattoli di ogni sorta che non sarei mai stato capace di procurarmi da solo.

Nel 1993, scrissi per la «New York Review of Books» una cosa a metà fra saggio e recensione, riguardante il libro di David Night su Humphry Davy – il che per molti versi riaccese il mio interesse per la chimica, da tempo sopito. Sono grato a Bob Silvers per avermi incoraggiato in questo.

Il mio articolo *Brilliant Light*, un primo frammento di questo libro, comparso nel «New Yorker», si avvalse dell'intelligente opera di editing di John Bennet, che gli trovò anche il titolo; e Dan Frank, alla Knopf, ha avuto un ruolo essenziale nel portare *Zio Tungsteno* alla sua forma attuale.

Quando avevo appena cominciato a scrivere, ebbi il grandissimo piacere di conoscere uno degli eroi della mia infanzia, Glenn Seaborg, e in seguito ho incontrato chimici sparsi in tutto il mondo, o sono entrato in corrispondenza con loro. Questi chimici – troppi per essere nominati singolarmente – hanno dimostrato una stupefacente disponibilità nei confronti di una persona estranea alla loro disciplina, un ex fanciullo entusiasta, e mi hanno mostrato meraviglie che all'epoca della mia infanzia neppure la fantasia del più scatenato autore di fantascienza avrebbe potuto concepire – come il «vedere» veri e propri atomi (attraverso la punta di tungsteno di un microscopio a forza atomica); hanno inoltre assecondato certi desideri nostalgici, come quello di vedere, ancora una volta, fra le altre cose, l'azzurro intenso del sodio sciolto in ammoniaca liquida; e minuscoli magneti levitare su superconduttori raffreddati in azoto liquido, la magica sfida alla gravità che sognavo da ragazzino.

Ma soprattutto, ho trovato una fonte continua di stimoli e un grande sostegno in Roald Hoffmann, che più di ogni altro si è adoperato per mostrarmi che cosa meravigliosa sia oggi la chimica; ed è quindi a Roald che dedico questo libro.

INDICE ANALITICO

GLI ADELPHI

FINITO DI STAMPARE NEL SETTEMBRE 2006
DALLA TECHNO MEDIA REFERENCE S.R.L. - CUSANO (MI)

Printed in Italy

GLI ADELPHI
Periodico mensile: N. 295/2006
Registr. Trib. di Milano N. 284 del 17.4.1989
Direttore responsabile: Roberto Calasso